ANETTE HINRICHS

NORDLICHT

DIE TOTEN IM NEBEL

KRIMINALROMAN

blanvalet

Penguin Random House Verlagsgruppe FSC® N001967

1. Auflage
Copyright © 2022 by Blanvalet in der Penguin Random House Verlagsgruppe
GmbH, Neumarkter Straße 28, 81673 München
Redaktion: Angela Kuepper
Umschlaggestaltung: www.buerosued.de
Umschlagmotiv: David Baker/Arcangel Images; www.buerosued.de; privat
Karte/Illustrationen: www.buerosued.de nach einer Vorlage von Daniela Eber
WR · Herstellung: sam
Satz: Buch-Werkstatt GmbH, Bad Aibling
Druck und Bindung: GGP Media GmbH, Pößneck
Printed in Germany
ISBN 978-3-7341-0933-1
www.blanvalet.de

Für meinen Vater

Prolog

Kolding, Dänemark – Januar 2013

Sie lag auf der Seite. Um sie herum war alles verschwommen. Verwaschene Grautöne, die miteinander verschmolzen. Flackernde Schatten. Geräusche, die sie nicht zuordnen konnte. Die Augen fielen ihr zu. Dunkelheit umhüllte sie wie eine schützende Decke. Sie konnte sich nicht bewegen, aber das war nicht schlimm. In ihren Gedanken lief sie barfuß durch die Dünen, an den endlos weiten Strand. Sand rieb zwischen ihren Zehen, und der Wind zerzauste ihre Haare. Wasser spritzte unter ihren Füßen auf, als sie das Meer erreichte. Zwischen den Muscheln und Algen leuchteten nass und glänzend bunte Kieselsteine. Die Wellen schlugen hoch, trugen die Gischt bis an ihre Knie. Am Himmel zogen Seevögel kreischend ihre Kreise.

Sie hatte das Gefühl zu schweben. Unter ihren zuckenden Lidern spürte sie die wärmenden Strahlen der Sonne. Im nächsten Moment schossen Lichtkegel vorbei, und sie klammerte sich an den Strom ihrer Gedanken. Der Sand, der Wind, das Meer.

Die Lichter pulsierten kräftiger, wurden zu roten und gelben Blitzen. Die Kälte kam zurück. Zusammen mit den Schmerzen. Auch die Geräusche veränderten sich. Sie hörte Schreie. Rufe. Jemand wimmerte.

Es tat weh. So unendlich weh. Ihr Brustkorb zog sich zusammen. Sie konnte kaum atmen, spürte, dass der dünne Bindfaden, der sie am Leben hielt, jeden Augenblick zu reißen drohte.

1. Kapitel

Esbjerg, Dänemark

Nebelschwaden umhüllten die Bohrtürme, die wie stählerne Riesen schier endlos in den Himmel ragten. Darunter leuchteten die Lichter der Industrie- und Hafenanlage im morgendlichen Grau. Der Betrieb an den Docks und den hochmodernen Container-terminals lief rund um die Uhr.

Gigantische Schiffsrümpfe, surrende Kräne, in der Ferne die Silhouetten von Windrädern, deren geschwungene Rotorblätter sich hoch über der Nordsee drehten. Die Kaianlagen zogen sich über fünfzehn Kilometer die Küstenlinie entlang.

»Dort muss es sein«, sagte Polizeikommissar Mads Østergård und wies auf den Streifenwagen, der in Höhe von etwa zwei Dutzend 40-Fuß-Containern den seitlichen Kai blockierte.

Rasmus Nyborg drosselte das Tempo und kam kurz darauf mit seinem VW-Bus neben dem Streifenwagen zum Stehen. Das Seitenfenster glitt herunter, und eine junge Polizistin schaute zu ihnen herüber. Er kannte sie vom Sehen, konnte sich aber nicht an ihren Namen erinnern.

Er kurbelte das Fenster des Bullis herunter. »Hej. Ist die Spurensicherung schon da?«

»Die Kollegen sind noch unterwegs«, verkündete die Streifenbeamtin. Rasmus fiel ein, dass sie Marianne hieß.

Er bedankte sich mit einem Kopfnicken, und sie setzte den Streifenwagen ein Stück zurück, um ihn und Mads Østergård durchzulassen.

Langsam rollte Rasmus mit dem Bulli den Kai entlang. Nieselregen setzte ein, und er betätigte die quietschenden Scheibenwischer, die er schon vor Monaten hatte ersetzen wollen.

Der Anruf war um kurz vor sieben gekommen, da hatte er gerade unter der Dusche gestanden und sich auf einen heißen Kaffee und eine Zimtschnecke gefreut, die er auf dem Weg in die Polizeistation in der Bäckerei hatte besorgen wollen. Stattdessen hatte er Mads eingesammelt und war in den Hafen gefahren. Ein Leichenfund in einer leer stehenden Lagerhalle. Kein natürlicher Tod, wie die Streifenbeamten, die als Erstes vor Ort gewesen waren, festgestellt hatten. Was auch immer das heißen mochte.

Der Regen wurde stärker, senkte sich wie ein trüber Schleier über das Hafengelände, ließ es trist und trostlos erscheinen. Die Konturen von Land und Wasser verschwammen miteinander.

In etwa hundert Meter Entfernung parkte ein weiterer Streifenwagen vor einem Bauzaun. Dahinter ein zweigeschossiges fensterloses Gebäude. Haushohe verrostete Tore, Wellblechverschalung. Zwei Uniformierte flankierten den Zugang.

Rasmus parkte den VW-Bus seitlich vom Zaun und stieg aus.

Kräftiger Wind fegte vom Meer an Land und

peitschte ihm augenblicklich Regen ins Gesicht. Er fluchte leise.

Halb acht, eine Leiche und Sauwetter.

Dazu war es für Mitte Oktober ungewöhnlich kalt. Die Temperaturanzeige in seinem VW-Bus hatte gerade mal fünf Grad angezeigt. Seine Laune sank von Minute zu Minute.

»Hast du Schutzkleidung dabei?«, erkundigte sich Mads und warf einen skeptischen Blick in den hinteren Laderaum des Bullis, wo die alte Matratze lag.

Wortlos öffnete Rasmus die seitliche Schiebetür und beförderte einen Stapel Schutzkleidung aus einer Klarsichtbox heraus, den er seinem Kollegen reichte. Mads und er arbeiteten seit einem halben Jahr zusammen. Er war ein kräftiger, dunkelhaariger Mann mit der Statur eines Preisboxers und erinnerte ihn im Aussehen stets ein wenig an Sylvester Stallone. Sie kamen gut miteinander aus, und Rasmus respektierte ihn als Polizisten und als Mensch. Doch nach Dienstschluss trennten sich ihre Wege. Rasmus wusste, dass Mads in einem Doppelhaus in Sædding wohnte, verheiratet war und zwei Söhne hatte, darüber hinaus hatte er keinerlei private Einblicke. Was Rasmus gut in den Kram passte. Er schleppte selbst genügend Gepäck mit sich herum. Ein toter Sohn, eine gescheiterte Ehe, Rückschritte im Berufs- und im Privatleben. Nichts, worüber er gerne sprach. Einziger Lichtblick war seine kleine Tochter Ida, die bei seiner Ex-Frau Camilla in Kopenhagen lebte.

Rasmus setzte die Kapuze seines Schutzanzugs auf und trat zusammen mit seinem Kollegen auf die zwei Uniformierten zu.

»Hej, Rasmus«, begrüßte ihn der Ältere der beiden und nickte Mads zu.

»Wo befindet sich die Leiche?«, erkundigte sich Rasmus. Eine leere Plastiktüte, aufgewirbelt vom Wind, landete neben seinen Füßen.

»Geht einfach rein.« Der Beamte zeigte auf das Hallentor, das ein Stück weit offen stand. »Ihr könnt sie nicht übersehen.«

Gefolgt von Mads betrat Rasmus das Gebäude und fand sich in einer riesigen Halle wieder. Schwere Metallstreben an Decken und Wänden, auf dem Betonboden waren noch die Abdrücke der Regale und Maschinen zu erkennen, die hier einmal gestanden hatten. Schummriges Licht drang durch die schmalen Fenster im Dachfirst und tauchte die Halle in eine gespenstische Atmosphäre. Spinnenweben hingen wie Gardinen von den Trägern herab, der Boden war übersät mit Staub, Dreck und kleinen schwarzen Krümeln. Irgendwo tropfte Wasser von der Decke. In der Luft hing der metallische Geruch von Blut.

Der Tote saß auf einem Stuhl in der Mitte der Halle. Er trug Anzug und Hemd und war mit einem Strick um den Oberkörper an die Lehne gebunden, die Beine lang ausgestreckt. Einer der Schnürsenkel hatte sich gelöst und hing lose auf den Boden herab.

Der Kopf des Mannes war in den Nacken gesunken, die Augen weit aufgerissen, die Gesichtszüge erschlafft. Unter dem Kinn klaffte eine breite, keilförmige Wunde und offenbarte einen Krater rohes Fleisch.

Überall klebte Blut. An den kurzen dunklen Haaren, im Gesicht, an der Kleidung. Am Stuhl. Auf dem

Betonboden darunter hatte sich ein kleiner See gebildet. Geronnenes Blut. Dunkelrot, fast schwarz.

Rasmus' Magen rebellierte augenblicklich. Schnell wandte er den Blick ab.

»Was für eine Sauerei.« Mads zückte das Handy und begann, die Leiche zu fotografieren. Ihm schien der Anblick nicht das Geringste auszumachen. »Wer hat den Toten gefunden?«

Rasmus atmete flach, versuchte, seine Übelkeit in den Griff zu bekommen. »Ein anonymer Anrufer hat es unter der Notrufnummer gemeldet.«

Mads ließ den Blick durch die Halle schweifen. »Vielleicht irgendeiner, der sich hier ein Plätzchen zum Schlafen gesucht hat.« Er steckte sein Handy wieder ein. »Oder der Täter selbst.«

»Möglich.« Rasmus ging um den Toten herum und betrachtete die Fesselung auf der Rückseite.

Das Seil war mehrfach um Oberkörper und Lehne geschlungen, die Hände des Opfers zusätzlich mit einem Handschellenknoten fixiert. Eine tückische und gefährliche Fesselmethode. Zerrte der Gefesselte an den Seilenden, zog sich der Knoten enger zusammen, bis es irgendwann zu Durchblutungsstörungen kam. Offenbar hatte der Mann auf dem Stuhl genau das getan. Das Seil schnürte sich tief in die Haut seiner Handgelenke.

Rasmus' Blick glitt weiter zu dem in den Nacken gesunkenen Kopf und blieb schließlich am Gesicht des Toten hängen. Er schätzte den Mann auf um die fünfzig, nur wenige Jahre älter als er selbst. Die weit aufgerissenen Augen spiegelten das Entsetzen seiner letzten Lebenssekunden wider.

Stimmen wurden laut und kündigten die Ankunft der Spurensicherung an. Im nächsten Augenblick erschien rund ein Dutzend Kriminaltechniker in Schutzkleidung vor dem Eingang der Lagerhalle.

Rasmus ging ihnen entgegen und erkannte Henrik Knudsen, den Chef der Spurensicherung, anhand seiner buschigen Brauen und dunklen Knopfaugen, die zwischen Kapuze und Mundschutz hervorlugten. »Hej, Henrik.«

»Hej.« Knudsen musterte ihn flüchtig, ehe sein Blick zur Leiche wanderte, wo Mads gerade eingehend den Fesselknoten inspizierte.

»Ihr habt hoffentlich nichts angefasst.«

Rasmus hob die Brauen. »Was denkst du von uns?«

»Das willst du lieber nicht wissen.« Um Knudsens Augenpartie bildeten sich für einen kurzen Moment Lachfältchen, dann wurde er wieder ernst. »Und jetzt trampelt nicht länger an meinem Tatort herum, sondern lasst mich und meine Leute in Ruhe unsere Arbeit machen.« Er drehte sich um und instruierte seine Mitarbeiter.

Rasmus und Mads gingen zurück ins Freie. Mittlerweile hatte es aufgehört zu regnen, doch es war noch immer kalt, grau und windig.

»Weißt du, wo man hier am schnellsten einen Kaffee bekommt?«, sprach Rasmus einen der Uniformierten an.

»Ich habe eine Thermoskanne dabei.« Der Beamte deutete auf den Streifenwagen. »Wenn ihr möchtet, es ist noch genug da.«

»Großartig«, sagte Rasmus.

Kurz darauf standen die beiden Kriminalbeamten

mit Pappbechern voll Kaffee vor dem offenen Tor und beobachteten die Spurensicherung bei der Arbeit.

In der Lagerhalle sah es mittlerweile aus wie an einem Filmset. Scheinwerfer waren aufgestellt worden, Kameras klickten, und Kriminaltechniker wuselten um den auf dem Stuhl sitzenden Toten herum.

»Wie ist er hierhergekommen?« Rasmus leerte den restlichen Inhalt seines Bechers. Er drehte sich um und sah durch den Bauzaun. Sein Blick blieb an einer dunklen Limousine hängen, die ein Stück den Kai entlang geparkt war. Sie wirkte in der Umgebung wie ein Fremdkörper. »Ich sehe mir mal das Auto dahinten an.«

Im nächsten Moment wurde sein Name gerufen.

»Rasmus!« Knudsen kam aus dem Hallentor und hielt eine schwarze Brieftasche in die Höhe. »Die war im Jackett des Toten.« Er reichte den Fund an Rasmus weiter und eilte zurück.

Rasmus inspizierte das Innere der Brieftasche und zog einen Ausweis heraus. »Nohr Lysgaard, geboren am 3. November 1969«, las er vor. »Wohnhaft Lindelunden in Esbjerg.« Er betrachtete das Foto, das einen dunkelhaarigen Mann mit markanter Brille zeigte.

»Das ist der Tote«, bestätigte Mads, nachdem er ebenfalls einen Blick darauf geworfen hatte. »Nur die Brille fehlt.«

Rasmus nickte. Er sah die restlichen Fächer der Brieftasche durch. Drei Hundertkronenscheine, mehrere Kreditkarten, Führerschein und diverse Kassenbelege. Schließlich zog er eine Visitenkarte mit dem Namen des Toten heraus. Er krauste die Stirn. »Nohr Lysgaard ist der CFO von Rønsted Offshore.«

»Heilige Scheiße«, entfuhr es seinem Kollegen.

Rønsted Wind A/S war einer der weltweit führenden Hersteller von Windkraftanlagen.

Rasmus drehte die Karte in der Hand. »Ich dachte immer, die hätten ihren Sitz in Kopenhagen.« Sein Blick glitt zu der Limousine hinter dem Bauzaun.

»Nur den Hauptsitz. Die haben Niederlassungen und Produktionsstätten in ganz Europa, und die Offshore-Tochter hat sich in Esbjerg angesiedelt.«

Rasmus überlegte, wie sich die Tatsache, dass der Tote einer der führenden Manager des Rønsted-Konzerns war, auf die Ermittlung auswirken könnte. Dänemark bezog seinen Strom fast zu fünfzig Prozent aus Windenergie und war damit weltweit führend, ein Land voller Windpioniere und Innovatoren, die ihre Überzeugung, Wind als erneuerbare Energiequelle zu nutzen, teilten. Der Fall würde mit Sicherheit jede Menge öffentliches Interesse auf sich ziehen.

»Ich informiere Eva-Karin.« Rasmus öffnete den Reißverschluss seines Overalls und zog sein Handy heraus. »Wir brauchen mehr Leute. Sobald die Presse hiervon Wind bekommt, haben wir keine ruhige Minute mehr.«

Er wandte sich ab, um zu telefonieren. Während er darauf wartete, dass die Vizepolizeiinspektorin am anderen Ende das Gespräch annahm, glitt sein Blick zurück zur Leiche. Die Lagerhalle. Der Stuhl. Die Fesseln. Das viele Blut. Der Mord glich einer Hinrichtung. Doch wer tat so etwas? Wer schnitt einem anderen Menschen kaltblütig die Kehle durch?

Das Wohngebiet Lindenlunden lag in der Kirch-
spielgemeinde Kvaglund Sogn, rund fünf Kilometer
nördlich vom Stadtzentrum entfernt. Hübsche Ein-
familienhäuser mit gepflegten Gärten und frisch ge-
stutzten Hecken säumten die Straße, in der der tote
Finanzvorstand laut Ausweis gewohnt hatte.

»Wir sind da.« Rasmus parkte seinen VW-Bus
am Straßenrand und sah zu dem angrenzenden Rot-
klinkerbau.

Weiße Sprossenfenster, Doppelgarage und perfekt
getrimmter Rasen. Kugelförmige Buchsbäume reihten
sich am Weg vom Bürgersteig bis zur Haustür entlang. Wind fegte durch die Bäume, wirbelte Blätter
und Laub in die Auffahrt, in der ein leuchtend blauer Mini stand.

Die beiden Kriminalbeamten stiegen aus dem VW-
Bus und gingen zum Hauseingang. Rasmus betätigte
die Klingel.

Eine blonde Frau öffnete ihnen die Tür. Sie war
um die vierzig, hatte ein freundliches, mit Sommersprossen übersätes Gesicht und war leger in Jeans und
eine helle Hemdbluse gekleidet.

Rasmus zeigte seinen Dienstausweis und stellte sich
und seinen Kollegen vor. »Wie ist dein Name?«

»Mille. Mille Lysgaard.« Sie hob irritiert die Brau-
en.

»Dürfen wir vielleicht reinkommen?« Er fühlte sich
unwohl in seiner Haut. Das Überbringen von Todesnachrichten wurde auch im Laufe der Jahre nicht
leichter. Er war schlecht in diesen Dingen. Fremden

sein Mitgefühl auszudrücken. Dabei wusste er selbst am besten, wie es sich anfühlte, einen geliebten Menschen zu verlieren.

»Ja. Natürlich.« Mille Lysgaard trat einen Schritt beiseite, um sie hineinzulassen.

Die beiden Kriminalbeamten folgten der blonden Frau in einen großzügig geschnittenen Wohnraum. Die Einrichtung war modern und funktional gehalten. Helle Farben und schlichtes Design. Große Fenster ließen trotz des tristen Wetters viel Licht herein.

»Ich würde euch etwas anbieten, aber ich habe es ehrlich gesagt ein wenig eilig.« Mille Lysgaard warf einen flüchtigen Blick auf ihre Armbanduhr. Sie wirkte nicht im Geringsten darüber beunruhigt, dass die Polizei bei ihr auftauchte, stellte Rasmus verwundert fest. Doch vielleicht war sie mit ihren Gedanken auch einfach nur woanders. »In einer halben Stunde habe ich eine Patientin.«

»Du bist Ärztin?«, erkundigte sich Mads.

»Physiotherapeutin.«

Rasmus räusperte sich. »In einer leer stehenden Lagerhalle im Hafen wurde heute früh eine Leiche aufgefunden. Wir haben Grund zur Annahme, dass es sich dabei um deinen Mann handelt.«

Mille Lysgaards Augen weiteten sich, dann schlug sie die Hände vor den Mund. Rasmus fiel auf, wie kräftig ihre Finger waren.

Sekunden vergingen, ohne dass jemand etwas sagte.

»Kann das ein Irrtum sein?«, fragte sie schließlich.

Mads zog sein Handy heraus und scrollte auf dem Display die Fotos durch, die er kurz zuvor am Tatort gemacht hatte. Er hielt ihr eine Nahaufnahme des

Opfers entgegen, ohne dass die Halswunde darauf zu erkennen war.

»Das ist Nohr.« Mille Lysgaard ließ sich auf die Couch sinken. »Was ist meinem Mann passiert?« Sie klang gefasst.

Rasmus zog sich einen Stuhl heran. Er hatte schon die unterschiedlichsten Reaktionen beim Überbringen einer Todesnachricht erlebt. Für die meisten Angehörigen waren es die schwärzesten Stunden ihres Lebens.

Mille Lysgaards Sachlichkeit irritierte ihn. Doch vielleicht handelte es sich um eine reine Schutz-reaktion. »Jemand hat ihn gefesselt und ihm den Hals durchgeschnitten.«

Mille Lysgaard starrte ihn an. »Wer tut so etwas?« Sie schluckte.

»Das wäre meine nächste Frage gewesen.« Rasmus beugte sich vor. »Gibt es jemanden in der Umgebung deines Mannes, dem du so etwas zutraust? Wurde Nohr vielleicht bedroht?«

Mille Lysgaard schüttelte den Kopf. »Nein. Davon hätte er mir mit Sicherheit erzählt.«

»Gab es Schwierigkeiten in seinem Job?«

»Nichts, was über das Übliche hinausging.« Bitter-keit schwang in ihrer Stimme.

»Kannst du das vielleicht etwas genauer er-läutern?«, fragte Mads, der sich gegen die Fenster-bank gelehnt hatte.

»Nohr ist ... er war CFO bei Rønsted Offshore. Ein Job, der alles einfordert.« Mille Lysgaard strich sich eine Haarsträhne aus dem Gesicht. »Bei Nohr drehte sich alles um Bilanzen, Reporting, Cashflow, Budget und Forecast und ROI, aber am Ende zählte immer nur der Gewinn. Das Geld.« Sie holte tief Luft. »Mein Mann war ein Workaholic, stand permanent unter Druck. Hätte er nicht zu hundert Prozent abgeliefert, hätten im nächsten Moment ein Dutzend anderer bereitgestanden, um zu übernehmen. Kurz: Nohr schwamm täglich in einem Haifischbecken.«

»Das klingt nicht gerade gesund«, stellte Rasmus trocken fest.

»Ist es auch nicht. Besonders nicht für eine Ehe.« Mille Lysgaard nestelte an ihrer Armbanduhr, und ihm fiel auf, dass sie keinen Ehering trug. »Ich sag es euch lieber gleich, ehe ihr es von anderer Seite erfahrt. Unsere Beziehung war nicht besonders harmonisch. Mein Mann und ich haben viel gestritten.« Ein Schatten flog über ihr Gesicht. »Deshalb haben wir uns auch vor Kurzem getrennt.«

Das erklärt so einiges, dachte Rasmus. Die Frau hatte offenbar bereits emotional mit ihrem Mann abgeschlossen.

»Danke für deine Offenheit«, sagte er. Sein Blick fiel auf ein Familienfoto in einem der Regale. Nohr Lysgaard, seine Frau und zwei dunkelhaarige Jungen, die ihrem Vater wie aus dem Gesicht geschnitten waren, lächelten breit in die Kamera. Er hatte Mühe, den schlanken, braun gebrannten Mann auf dem Foto mit dem Toten in der Lagerhalle in Einklang zu bringen. »Wohnte Nohr noch hier?«

»Nein. Er ist vor ein paar Wochen ausgezogen. Wir haben ein Ferienhaus in Blåvand. Dort wollte er bleiben, bis er etwas Geeignetes in der Stadt gefunden hätte.«

Rasmus zog sein Notizbuch aus der Jackentasche.

»Es tut mir leid, aber ich muss das fragen. Wo warst du in den letzten vierundzwanzig Stunden?«

Mille Lysgaard runzelte die Stirn. »Ich hatte gestern den ganzen Tag Behandlungstermine, nur um die Mittagszeit, zwischen halb eins und halb drei, war ich zu Hause, um den Jungs etwas zu kochen. Gegen achtzehn Uhr habe ich Feierabend gemacht. Seitdem bin ich hier.«

Rasmus notierte die Angaben. »Wie alt sind deine Kinder?«

»Dreizehn und fünfzehn. Ihr habt jetzt aber nicht vor, die beiden zu befragen, oder?« Ihre Nasenflügel vibrierten.

»Gibt es jemand anderen, der deine Angaben für den Abend bestätigen kann?«

»Meine Mutter hat angerufen. Gegen halb acht«, entgegnete Mille Lysgaard leicht ungehalten. »Und ich habe eine Nachbarin getroffen, als ich den Müll rausgebracht habe. Das war ungefähr eine Stunde später.«

»Wann hast du deinen Mann zuletzt gesehen?«

»Vorgestern. Er hat noch ein paar Sachen geholt.«

»War er dabei irgendwie anders als sonst?«

Sie schüttelte den Kopf. »Wir haben kaum miteinander gesprochen.«

Rasmus ließ den Stift sinken. »Waren die Streitereien schuld an eurer Trennung, oder gab es noch einen anderen Grund?«

Mille Lysgaard bekam einen harten Zug um den Mund. »Was hat das jetzt mit dem Mord zu tun?«

»Wir müssen uns ein umfangreiches Bild machen. Und dazu gehört auch zu wissen, ob dabei möglicherweise eine dritte Person im Spiel war.« Er musterte sie. »War dies der Fall?«

»Seine Arbeit war schuld. Weil Nohr sich mehr für seinen Job bei Rønsted interessiert hat als für seine Familie.« Mille Lysgaard erhob sich. Ihre Augen wirkten plötzlich glasig. »Ich möchte euch bitten, jetzt zu gehen.«

Die beiden Kriminalbeamten erhoben sich. Rasmus zog eine Visitenkarte heraus und legte sie auf den Tisch. »Wir benötigen die Adresse des Strandhauses und eine Auflistung von Familie und Freunden, mit denen dein Mann in Kontakt gestanden hat. Unter Umständen brauchen wir auch noch weitere Angaben. Stell dich also darauf ein, dass wir wiederkommen.«

Sie verabschiedeten sich.

»Sie ist deiner letzten Frage ausgewichen«, sagte Mads, sobald sie wieder im Freien standen.

Nachdenklich sah Rasmus zu der Haustür, die sich gerade hinter ihnen geschlossen hatte. »Das ist mir auch aufgefallen.«

Esbjerg, Dänemark

Der Firmensitz von Rønsted Offshore Wind A/S lag im Østhavn, einem 650 Quadratmeter großen Hafenareal, in dem sich zahlreiche Unternehmen aus dem Offshore-Windenergiesektor angesiedelt hatten. Neben speziellen Testanlagen standen dort auch Einrichtungen zur Verfügung, die für die Vormontage und die Verschiffung von Windenergieanlagen ausgelegt waren. Das Gelände war durch meterhohe Zäune hermetisch abgeriegelt.

Rasmus blickte die Gebäudefassade hinauf. Fünf Stockwerke aus Glas und Stahl. Das Haifischbecken, schoss es ihm in den Sinn. Kräftiger Wind wehte vom Meer heran und blies ihm kalt in den Nacken. Er fröstelte.

»Dann wollen wir mal eine Runde schwimmen gehen.« Er folgte Mads zum Eingangsportal. Die Firmenflagge von Rønsted und ein Dannebrog flatterten an Fahnenmasten im Wind.

Die Empfangshalle war von beeindruckender Größe und glänzte darüber hinaus im modernen Design. Dunkelgrauer Granitboden, viel Chrom und Möbel von betont schlichter Eleganz. In flach angelegten Wasserbassins drehten Windkrafträder-Miniaturen ihre Rotorblätter. Die Gondel einer Windkraftanlage war für Wartende als Working Space umgebaut worden, ein gläserner Fahrstuhl beförderte Mitarbeiter und Besucher bis in die fünfte Etage. Aus eingelassenen Deckenlautsprechern drang dezente Lounge-Musik.

Neben ihm stieß Mads einen leisen Pfiff aus. Rasmus steuerte zielstrebig auf eine junge Rothaarige hinter dem Empfangstresen zu, deren schmal geschnittener Blazer ebenso perfekt saß wie ihr Lächeln.

»Willkommen bei Rønsted Offshore«, begrüßte sie ihn und seinen Kollegen mit einem strahlenden Lächeln. »Wie kann ich euch helfen?«

Rasmus legte seinen Dienstausweis auf den Tresen. »Wir würden gerne den Chef sprechen. Lars-Ole

Solberg.« Den Namen des CEOs hatte er zuvor aus dem Netz gefischt.

Die Brauen der Empfangsmitarbeiterin rutschten ein Stück höher, während ihr Blick in Sekundenschnelle sein Äußeres scannte. Schwarze Jeans, schwarzes Hemd, schwarze Jacke. Alles im Lauf der Jahre ein wenig verwaschen und außer Form geraten, genau wie sein Dreitagebart. Ihr Blick wanderte zu Mads. »Habt ihr einen Termin?«

Rasmus schüttelte den Kopf. »Wir möchten ihn trotzdem sprechen.« Er äugte auf das Namensschild am Revers ihres Blazers. Lone Madsen. »Hör mal, Lone. Es geht um eine Mordermittlung, die eine Person aus der Führungsetage betrifft.«

Die Empfangsmitarbeiterin wurde eine Spur blasser. »Einen Moment bitte.« Sie ging durch eine offene Tür in einen Nebenraum, und Rasmus hörte, wie sie leise mit jemandem sprach.

Kurz darauf erschien ein dunkelhaariger Anzugträger. »Hej, ich habe gehört, ihr möchtet mit dem CEO sprechen?« Er lächelte jovial, als gehörte ihm der Laden. »Leider ist Lars-Ole zurzeit im Ausland bei einem Kongress.«

»Mit wem können wir stattdessen sprechen?«

Die Empfangsmitarbeiterin kam zurück an ihren Platz. Gleich darauf flogen ihre Hände über die Computertastatur. »Nohr Lysgaard, unser CFO, ist noch nicht im Haus«, informierte sie ihn. »Aber ich kann es bei Harald Jacobsen versuchen.« Sie griff nach dem Telefon. »Er ist der COO.«

»In Ordnung«, meinte Rasmus. Er fragte sich, weshalb fast sämtliche Jobs heutzutage so kryptische

Namen trugen. CEO. CCO. Business Developer. Trafficer. Facility Manager. Vision Clearance Engineer. Chief oder Head of Irgendwas.

Wer sollte da überhaupt noch durchsteigen? In den meisten Fällen verbarg sich hinter den neumodischen englischen Berufsbeschreibungen ohnehin mehr Schein als Sein. Soweit er wusste, stand COO für Chief Operating Officer und bezeichnete damit die Person, die das operative Geschäft eines Unternehmens leitete. Aber die englische Kurzform betonte natürlich die Wichtigkeit. Manchmal schien es ihm, als stünde hinter dem Ganzen ein Wettbewerb. Je ausgefallener die Jobbezeichnung, desto wichtiger fühlte sich der Titelträger.

»Harald erwartet euch«, unterbrach die Empfangsmitarbeiterin seine Gedanken. »Mit dem Fahrstuhl in den fünften Stock und dann links den Gang entlang.«

»Danke.« Rasmus schnappte sich seinen Dienstausweis.

Keine zwei Minuten später standen sie in einem großzügig geschnittenen Büro. Wie bereits in der Empfangshalle waren auch hier die Möbel von betont schlichter Eleganz. Hinter einem großen Schreibtisch aus hellem Eichenholz hing ein etwa ein Meter fünfzig mal zwei Meter großes Foto hinter Acrylglas. Windkrafträder vor dem Blau des Himmels und des Meeres.

»Das ist der Offshore-Windpark vor der Küste Blåvands.« Harald Jacobsen war neben Rasmus getreten, ein hochgewachsener Endfünfziger mit grauem Haarkranz und Goldrandbrille. »Die jährlich erzeugte Strommenge ist ausreichend, um den Strombedarf von 425.000 dänischen Haushalten zu decken. Und das mit unseren Windkraftanlagen.« In seiner Stimme schwang Stolz.

»Beeindruckend«, sagte Rasmus. Er hatte in den Medien mitverfolgt, wie das Windparkfeld im vergangenen Jahr unter Anwesenheit des Kronprinzenpaares, der Ministerpräsidentin und des Ministers für Klima, Energie und Versorgung offiziell in Betrieb genommen worden war. Um die Produktion solcher Offshore-Anlagen auf ein neues Level zu bringen, plante Dänemark in der Nordsee, rund achtzig Kilometer vor der Küste Jütlands, eine künstliche Energieinsel als Knotenpunkt für Offshore-Windstrom mit gigantischem Ausmaß. Rund vierhundertsechzigtausend Quadratmeter sollte die Insel nach Fertigstellung messen und mit einer Kapazität von zehn Gigawatt rund zehn Millionen europäische Haushalte über Unterwasserkabel mit Ökostrom versorgen. Das größte Bauvorhaben in der dänischen Geschichte.

»Aber deshalb seid ihr sicher nicht gekommen, oder?« Die Stimme des COO war ernst geworden. »Die Kollegin am Empfang sagte, es ginge um eine Mordermittlung?«

»Wir ermitteln im Fall Nohr Lysgaard«, bestätigte Rasmus. »Er wurde heute früh in einer Lagerhalle in Nordhavn tot aufgefunden.«

Harald Jacobsen wurde blass. »Nohr? Um Himmels willen.« Er klang fassungslos. »Bitte.« Er wies auf die Sessel einer Sitzgruppe.

Sie setzten sich.

Der COO nahm die Brille ab und rieb sich den Nasenrücken. »Weiß Mille schon Bescheid?«

Rasmus nickte. »Wir sprechen mit allen Personen in Nohr Lysgaards unmittelbarem Umfeld. Das betrifft natürlich auch seine Kollegen.«

»Verstehe.« Harald Jacobsen setzte die Brille wieder auf. Seine Augen hinter den Gläsern gingen von links nach rechts. Offenbar arbeitete es gerade mächtig hinter der Stirn des COOs.

Mads holte sein Notizbuch heraus. »Du kanntest den Toten gut?«

»Ja. Wir arbeiten seit drei Jahren zusammen im Führungsteam und haben uns auch hin und wieder privat getroffen. Gemeinsame Abendessen oder mal eine Geburtstagsfeier.«

»Wann hast du Nohr zuletzt gesehen?«

Harald Jacobsen zog die Stirn in Falten. »Gestern Abend. Gegen achtzehn Uhr. Ich habe ihn auf dem Weg zum Fahrstuhl im Flur getroffen. Da wollte ich gerade nach Hause fahren. Nohr sagte, er hätte noch zu tun.«

»Weißt du, ob er im Anschluss etwas vorhatte?«, hakte Mads nach.

»Ich nehme an, er wollte zu Mille und den Kindern, wie sonst auch.«

Rasmus beugte sich vor. »Die beiden haben sich getrennt.«

»Ach, das wusste ich nicht«, entgegnete der COO überrascht.

»War Nohr gestern irgendwie anders als sonst? Gab es vielleicht irgendwelche Probleme mit seiner Arbeit?«

Harald Jacobsen wich seinem Blick aus. »Nicht, dass ich wüsste. Ich hatte auch nicht den Eindruck, dass

Nohr sich anders verhielt.« Er strich einen imaginären Fussel von seinem Hosenbein. »Was ist passiert?«

»Jemand hat ihn an einen Stuhl gefesselt und ihm die Kehle durchgeschnitten.«

Harald Jacobsen schnappte hörbar nach Luft. »Das klingt barbarisch.«

»Das ist es auch.« Rasmus ließ den Blick zum Fenster schweifen. Dicke Regentropfen liefen an der Außenseite der Scheibe entlang. Er tauschte einen kurzen Blick mit Mads, und sie erhoben sich. »Wir würden jetzt gerne Nohrs Büro sehen. Außerdem benötigen wir eine Übersicht von den Dingen, an denen er zuletzt gearbeitet hat.«

Der COO kniff die Lippen zusammen und stand ebenfalls auf.

»Ihr werdet sicher verstehen, dass wir unsere Finanzunterlagen und Daten zu Projekten nicht einfach an Dritte herausgeben können. Das betrifft auch die Dinge in Nohrs Büro.«

»Natürlich«, erwiderte Rasmus. »Deshalb werden wir mit einem entsprechenden Beschluss wiederkommen.« Er hob zum Abschied die Hand. »Wir finden alleine raus.«

Vor der geschlossenen Tür blieben die beiden Kriminalbeamten stehen. Im nächsten Moment war Harald Jacobsens gedämpfte Stimme zu hören. Offenbar hatte der COO direkt zum Telefon gegriffen.

»Ich gehe schnell zur Toilette«, sagte Mads, der ein WC-Schild an einer der anderen Türen entdeckt hatte.

Rasmus nickte und sah nachdenklich aus dem bodentiefen Fenster am Ende des Flurs. Er blickte auf ein Außenlager mit Rotorblättern.

Was für einen Jahresumsatz ein Windenergie-anlagenhersteller wie Rønsted wohl machte? Da ging es mit Sicherheit um Beträge im dreistelligen Millionenbereich, vielleicht sogar um Milliarden.

Was bedeutete es also, wenn der CFO eines sol-chen Unternehmens ermordet wurde? Wo es um viel Geld ging, war der Morast häufig tiefer als anderswo. War der Finanzchef am Ende in irgendwelche zwie-lichtigen Transaktionen verwickelt gewesen? Illegale Insidergeschäfte zum Beispiel? Möglicherweise hatte sich Nohr Lysgaard auch mit den falschen Leuten ein-gelassen.

Oder betrachtete er die Sache falsch herum? War Nohr Lysgaard während seiner Arbeit auf Unregel-mäßigkeiten gestoßen und dadurch für eine andere Person zur Gefahr geworden?

Esbjerg, Dänemark

Es war bereits nach zweiundzwanzig Uhr, als Rasmus zu seiner täglichen Laufrunde aufbrach.

Der Wind war abgeflacht, der Regen hatte auf-gehört, und das Wasser der Nordsee glitzerte im Mondlicht wie eine schimmernde Decke. Strand und Dünen verschmolzen zu einer dunklen Silhouette.

Bereits nach wenigen Minuten strömte ihm der Schweiß über die Stirn, und das T-Shirt unter seiner Funktionsjacke klebte ihm feucht am Rücken.

Er lief seine übliche Strecke. Erst die Esbjerg Brygge am Hafenufer entlang, von dort an den Strand bis zu der Anhöhe mit der neun Meter hohen Skulpturen-gruppe *Der Mensch am Meer* und weiter den Weg oberhalb des Grünstreifens parallel zum Wasser.

Seine Gedanken kreisten um den toten CFO. Nach dem Gespräch mit Harald Jacobsen waren er und Mads noch einmal zurück an den Tatort gefahren, hatten dort mit dem aus Odense eingetroffenen Rechtsmediziner gesprochen und waren im Anschluss mit Henrik Knudsen die Spurenlage durchgegangen. Die war mehr als dürftig. Keine Tatwaffe. Keine Spuren, die dem Täter oder der Täterin bislang zugeordnet werden konnten, keinerlei Zeugen.

Doch sie waren noch am Anfang. Die Obduktion und die Laborergebnisse der Kriminaltechnik standen aus, ebenso die Auswertungen von Handy- und Computerdaten. Auch zahlreiche Befragungen sowie die Durchsuchungen von Büro und Ferienhaus mussten noch durchgeführt werden.

Am frühen Abend hatte in der Polizeistation unter der Leitung von Vizepolizeiinspektorin Eva-Karin Holm eine Pressekonferenz stattgefunden. Wie erwartet schlug der Fall hohe Wellen. Jeder Radiosender und jedes Nachrichtenmagazin berichtete von der Ermordung des Finanzvorstands von Rønsted. Landesweit. Schon jetzt standen die Ermittler unter hohem Druck.

Am Badehotel Hjerting drehte Rasmus um. Eine halbe Stunde später erreichte er keuchend und durchgeschwitzt das Whitehouse, ein schneeweißes Hochhaus an der Esbjerg Brygge. In seinem Apartment im siebten Stock angekommen ging er direkt unter die Dusche, anschließend bereitete er in der Küche sein

Abendessen zu. Er schlug zwei Eier in die Pfanne, be-
strich eine dicke Scheibe Roggenbrot mit Honig-Senf-
Frischkäse, belegte sie mit Roastbeef und schnitt noch
etwas Zwiebeln und rote Bete klein. Danach lud er die
Spiegeleier auf das Fleisch, verteilte das Gemüse darauf und spendierte einen großzügigen Klecks Remoulade als Topping. Er holte sich eine Flasche Bier aus
dem Kühlschrank und setzte sich mit seinem Abendessen an den Küchentresen.

Während er genüsslich kaute, ließ er den Blick
durch das Apartment schweifen. Zweiundvierzig
Quadratmeter verteilt auf zwei Zimmer mit hohen
Decken und bodentiefen Fenstern, die bei Tageslicht
einen atemberaubenden Ausblick über die Nordsee
bis zur Insel Fanø boten. Jetzt war das Meer von der
Dunkelheit verschluckt, nur vereinzelt schimmerten
an der Küste entfernte Lichter.

Er hatte sich Mühe gegeben, die kargen Räume mit
ein wenig Farbe, zahlreichen Kissen und gerahmten
Plakaten von Jazzfestivals an den Wänden gemüt-
licher zu gestalten, doch es fühlte sich noch immer
nicht wie ein Zuhause an. Vermutlich lag es an seiner
Einsamkeit, die er hier, allein in seinen vier Wänden,
am deutlichsten spürte. Er vermisste sein altes Leben.
Anton. Und Camilla. Bei dem Gedanken an seine Ex-
Frau entfuhr ihm ein tiefes Seufzen.

Sie hatte längst begriffen, was er lange Zeit nicht
wahrhaben wollte. Dass es vorbei war mit ihnen. Endgültig. Camilla hatte sich in Kopenhagen ein neues
Leben aufgebaut und einen anderen Mann an ihrer
Seite. Erst als er sie vor ein paar Monaten aus heite-
rem Himmel geküsst hatte, war ihm klar geworden,

dass es sich nur um einen letzten verzweifelten Versuch gehandelt hatte, die Vergangenheit zurückzuholen. Die alten Gefühle. Und ein Stück von Anton. Doch sein Sohn war tot. Nichts auf der Welt konnte ihn wieder lebendig machen, auch nicht die Liebe seiner Eltern.

Erst seit er das endlich kapiert hatte, war es einfacher geworden. Alles, was zählte, war, ein guter Vater für Ida zu sein, auch wenn dies bedeutete loszulassen. Ein gemeinsames Kind konnte eine zerbrochene Ehe nicht kitten. Sie war bereits lange vor Idas Geburt zu Ende gewesen.

Camilla hatte all das natürlich längst realisiert. Deshalb hatte sie ihm die Kussaktion auch übel genommen und ihm anschließend kräftig den Kopf gewaschen. Seitdem war ihr Verhältnis angespannt.

Er musste jetzt nach vorne schauen und eine berufliche Entscheidung treffen. Seine Chefin Eva-Karin Holm würde ab Januar den Platz als stellvertretende Polizeidirektorin einnehmen und wollte Rasmus als ihren Nachfolger für die Leitung der Mordkommission vorschlagen. Wenn es mit dem Job klappte, würde er nicht nur seinen alten Dienstrang zurückbekommen, sondern auch seine früheren Bezüge. Ein Angebot, das ihm sehr verlockend erschien.

Doch es gab noch eine zweite Option. Die Rückkehr in den Politigården, das Polizeihauptquartier in Kopenhagen, wo er bereits den Großteil seines Berufslebens verbracht hatte. Dort konnte er näher bei Ida sein. Und in seiner vertrauten Umgebung. Doch bislang hatte man ihm lediglich eine Stelle beim Wirtschaftskriminalistischen Prüfdienst angeboten. Ein reiner Schreibtischjob, noch dazu in einem Bereich, der ihn nicht im Geringsten interessierte. Seine Kompetenz lag in der Ermittlungsarbeit und nicht in der Sichtung irgendwelcher Rechnungen und Kontodaten. Deshalb hoffte Rasmus auf eine freie Stelle in den Fachabteilungen der Schwerkriminalität. Der Leiter der Personalabteilung hatte ihm versichert, sich umgehend zu melden, sobald sich dort eine personelle Veränderung abzeichnete.

Eva-Karin hatte ihm bis Ende Oktober Bedenkzeit gegeben, was ihre Nachfolge betraf. Bis dahin waren es noch gut zwei Wochen. Er beschloss, die Entscheidung zu vertagen und sich vorerst ganz auf den neuen Fall zu konzentrieren.

Rasmus trank den letzten Schluck Bier aus der Flasche. Er sehnte sich nach einer Zigarette, doch er hatte mit dem Rauchen aufgehört. Seit fünf Wochen und drei Tagen hatte er keinen einzigen Glimmstängel mehr angerührt. Ida zuliebe.

Sein Blick fiel auf den großen Karton, der an der Wand neben dem Sofa lehnte. Darin war das Kinderbett, das er eine Woche zuvor gekauft hatte. Er musste es nur noch zusammenschrauben.

Mit ein paar wenigen Handgriffen räumte er die Küche auf und lag kurz darauf mit müden Gliedern im Bett.

Mondlicht schien durch die bodentiefen Fenster und warf geisterhafte Schatten an die Schlafzimmerwand.

Rasmus kroch tiefer unter die Decke. Ihm ging durch den Kopf, was Mads gesagt hatte, nachdem sie Rønsted verlassen hatten. Dass sich hinter den glattesten Fassaden oftmals der meiste Schmutz verbarg. Das passte zu seinen Gedanken, dass Nohr Lysgaard womöglich in illegale Geschäfte verwickelt gewesen war, doch ehe er den Faden weiterspinnen konnte, fielen ihm die Augen zu.

2. Kapitel

Sønderborg, Dänemark, zwölf Tage später

Vibeke Boisen warf einen letzten prüfenden Blick in den Spiegel der Sonnenblende. Make-up und Frisur saßen perfekt. Anstatt des üblichen strengen Zopfes trug sie die schulterlangen Haare zur Feier des Tages in lässigen Beach Waves. Zufrieden klappte sie den Sichtschutz zurück, griff nach ihrem Mantel auf dem Beifahrersitz, der farblich auf ihren mitternachtsblauen Jumpsuit abgestimmt war, und stieg aus dem Auto.

Anders als an den Tagen zuvor, wo es nahezu durchgängig geregnet hatte, strahlte an diesem Vormittag die Sonne vom tiefblauen Himmel. Offenbar hatte der Wettergott ein Einsehen mit dem Hochzeitspaar gehabt.

Ihre Absätze klackerten über das Kopfsteinpflaster, während sie die Gasse mit den kleinen bunten Giebelhäusern entlangging, die durch die südliche Altstadt zum Rathaus führte.

Sie freute sich auf die Feier. Bereits vor Monaten hatte ihr Søren Molin, der genau wie Vibeke der deutsch-dänischen Sondereinheit in Padborg angehörte und als der Pragmatiker in ihrem Team galt, die Save-the-Date-Karte mit dem Hochzeitsdatum geschickt. Sie fand es ungewöhnlich, dass die Trauung und das anschließende Fest unter der Woche stattfanden, doch der Däne hatte ihr erklärt, dass dies der Kennenlerntag mit Brigitte war, der Frau seines Lebens. Da es sich für ihn dabei um die vierte und – seinen Worten nach – definitiv letzte Ehe handelte, wollte er dieses Mal alles richtig machen. Neben besagten Karten hatte Søren deshalb eine Hochzeitshomepage eingerichtet, auf der die Gäste sämtliche Informationen rund um die Feierlichkeiten erhielten.

Vibeke erreichte das Rathaus, ein ockerfarbenes Gebäude mit Rundbögen und langen schmalen Fenstern. Es lag am Ende der Fußgängerzone an einem runden Platz, umgeben von Bäumen und Bänken und mit einem Springbrunnen in der Mitte. In den angrenzenden Cafés und Restaurants tummelten sich die letzten Touristen der Saison.

Vor dem Rathaus standen Grüppchen festlich gekleideter Menschen, darunter auch ihre Kollegen von der Sondereinheit. Jens Greve, der hellhäutige Brillenträger von der Landespolizei Schleswig-Holstein, war wie üblich in einen seiner formellen grauen Anzüge gekleidet, daneben saß Luís Silva in einem schicken blauen Sakko und sandfarbener Hose in seinem Rollstuhl. Der portugiesische Informatiker mit deutscher Polizeiausbildung hatte das typische Aussehen eines Südeuropäers. Dunkle Haare, dunkle Augen sowie ein dunkler Teint, der selbst in den Wintermonaten kaum verblasste. Gerade lachte er über etwas. Seit einem übermütigen Kopfsprung als Teenager in seichtes Gewässer war er querschnittsgelähmt.

»Hej, Vibeke!« Pernille Larsen, eine brünette Schönheit mit markanten Brauen, die bei Ermittlungen meist die Akten wälzte, hatte sie entdeckt und winkte. Auch sie hatte sich in Schale geschmissen und trug einen rostroten Hosenanzug, der ihr ganz fabelhaft stand. Die dunklen Haare fielen ihr glatt und glänzend über die Schultern. In der Hand hielt sie einen Strauß aus weißen Luftballons.

»Hej, ihr!« Vibeke umarmte Pernille. »Bist du alleine gekommen?«

Sie nickte. »Hanne kommt später nach. Die Schulleitung wollte sie nicht freistellen.«

Pernilles Lebensgefährtin arbeitete als Lehrerin an einer Volksschule in Aabenraa.

»Wo steckt Rasmus?« Suchend sah Vibeke sich um.

Luís grinste breit. »Der musste noch einmal zurück zu Søren nach Hause. Er hat die Ringe liegen lassen.«

»Ich hab Søren gleich gesagt, er soll lieber mich als Trauzeugen nehmen«, verkündete Jens ohne den geringsten Anflug von Ironie. »Aber er wollte es ja unbedingt so.« Er wirkte leicht angesäuert.

»Du musst ihn verstehen«, Pernille ließ ihre charmante Zahnlücke zwischen den Vorderzähnen aufblitzen. »Für Søren ist Rasmus sein Lebensretter. Er hält das für ein gutes Omen, schließlich haben ihm die vorherigen Trauzeugen wenig Glück gebracht. Drei Ehen, und keine hat gehalten.«

»Dann hoffen wir mal, dass es dieses Mal besser klappt.« Jens warf einen Blick auf seine Armbanduhr. »Vorausgesetzt, Rasmus taucht endlich mit den Ringen auf.«

»Wenn man vom Teufel spricht.« Luís deutete mit der Hand zur Fußgängerzone.

Vibeke drehte sich um. Mit langen Schritten kam Rasmus Nyborg zwischen den mit Einkaufstüten beladenen Passanten auf sie zugeeilt. Überrascht stellte sie fest, wie gut der Ermittler aussah. Er trug einen schwarzen Anzug, ein gleichfarbiges Hemd und hatte die beiden oberen Knöpfe lässig offen gelassen. Zudem sah sie ihn zum ersten Mal glatt rasiert. Dadurch wirkte sein Gesicht noch hagerer und markanter.

»Hej, Vibeke.« Rasmus lächelte schief. Sein Blick war gewohnt intensiv, rebellisch mit einer leichten Melancholie darin. Vibeke dachte an die schwärmerische Aussage ihrer Mutter Elke, die stets behauptete, er sehe aus wie der dänische Schauspieler Lars Mikkelsen. Einen Moment schien es, als wollte Rasmus sie umarmen, doch dann hielt er eine kleine Schachtel hoch. »Ich hab die Ringe.«

»Halleluja«, murmelte Jens leise.

Im Eingang des Rathauses tauchte ein vollbärtiger Hüne im sandfarbenen Anzug auf.

»Hej, Leute, wir sind als Nächstes dran«, rief Søren Molin mit seiner Baritonstimme über den Platz.

Vibeke ging ihm zusammen mit ihren Kollegen und weiteren Hochzeitsgästen entgegen und fand sich kurz darauf in einer bärenhaften Umarmung wieder.

»Was für ein Glück, dass die Flensburger ausnahmsweise einen Tag auf dich verzichten können.« Der Bräutigam strahlte mit der Sonne um die Wette.

Vibeke lächelte. »Das hätte ich mir um nichts in der Welt entgehen lassen.«

»Jetzt heirate ich endlich meine Brigitte.« Zufrieden blickte Søren in die Runde. Im nächsten Moment stiegen ihm Tränen in die Augen, und ein kaum wahrnehmbarer Schatten flog über sein Gesicht. Vibeke ahnte, woran er dachte. Dass er es im letzten Jahr, als man auf ihn geschossen hatte, fast nicht geschafft hätte. Doch bereits mit dem nächsten Wimpernschlag war sein dröhnendes Lachen zurück. »Jetzt kommt! Lasst uns heiraten. Brigitte und die Kinder warten schon.«

Rund drei Stunden später hob Søren sein Bier, nachdem er seine liebevolle und humorige Rede auf seine Frischangetraute beendet hatte. »Skål!«

»Skål«, erklang es im Chor.

Auch Vibeke stimmte mit ein. Es war lange her, seit sie zuletzt an einer derart ausgelassenen Feier teilgenommen hatte. Nach dem formellen Teil im Rathaus hatten Sørens Kollegen der Polizei Sønderborg draußen auf dem Platz in Uniform Spalier gestanden, Papierfähnchen geschwenkt und pfundweise Reis auf das strahlende Brautpaar geworfen, während der Chor, dem Søren seit Langem angehörte, ein Ständchen zum Besten gegeben hatte.

Jetzt saß die Hochzeitsgesellschaft an einer festlich gedeckten Tafel im Colosseum, einem traditionellen dänischen Familienrestaurant an der Hafenpromenade, und hatte bereits ein opulentes Drei-Gänge-Menü hinter sich. Zwischen den Gängen waren Lieder gesungen und Geschichten über das Brautpaar zum Besten gegeben worden, und Sørens sechs Töchter, die jüngste auf dem Arm der ältesten, hatten wie die Orgelpfeifen nebeneinanderstehend und mit vor Aufregung geröteten Wangen ein Gedicht vorgetragen. Währenddessen waren nicht nur zahlreiche Tränen, sondern auch reichlich Bier und Sekt geflossen.

Vibeke hatte sich mit dem Alkohol bislang zurückgehalten. Laut Programm gab es nach dem Hochzeitskuchen einen Location-Wechsel, wo dann das eigentliche Fest begann. Musik, Tanz und Spiele, bei denen die Gäste mit Besteck gegen die Gläser klopften und das Hochzeitspaar zum Küssen auf die Stühle stieg, wie ihr Sørens Cousin erklärt hatte, der bis vor ein paar Minuten neben ihr gesessen hatte.

Gerade wurde Kaffee ausgeschenkt. Kinder rannten zwischen den Tischen herum und spielten Fangen.

»Hej, Frau Kollegin.« Rasmus ließ sich auf den freien Stuhl neben Vibeke sinken. »Alles klar in Flensburg?«

Sie lächelte. »Die Verbrecher verhalten sich zurzeit angenehm ruhig. Und bei euch? Ich habe von dem Mord an dem Rønsted-CFO gehört. Ist es dein Fall?«

Rasmus fuhr sich mit einer müden Geste übers Gesicht, und ihr fiel auf, wie abgespannt er wirkte. »Jep.«

»In den Medien war zu lesen, man hätte dem Mann die Kehle durchgeschnitten.«

»Das stimmt leider.« Rasmus langte nach der Tasse Kaffee, die ihm eine Kellnerin reichte. »Man hat ihn an einen Stuhl gefesselt, aber diese Information haben wir bislang zurückgehalten.«

»Das klingt wie eine Exekution. Habt ihr einen Tatverdächtigen?«

Die Kiefermuskeln ihres Kollegen malmten, während er den Kopf schüttelte. »Wir haben alles durch. Obduktion. Befragungen. Spurenauswertungen.« Er klang resigniert. »Es gab einige Verdachtsmomente, aber leider hat sich daraus nichts Konkretes ergeben. Wir tappen nach wie vor im Dunkeln.« Ihm entfuhr ein Seufzen. »Können wir vielleicht das Thema wechseln?« Er musterte sie. »Du siehst anders aus. Irgendwie entspannt. Neuer Freund?«

Vibeke fragte sich, wie er es immer wieder schaffte, bei einer vergleichsweise harmlosen Frage derart unverschämt zu klingen und dabei gleichzeitig den Nagel auf den Kopf zu treffen. War es ihr tatsächlich anzusehen, dass sie nach langer Zeit wieder jemanden datete? In den letzten Jahren hatte es in ihrem Leben nur One-Night-Stands und kurze Affären gegeben, ohne große Gefühle oder irgendwelche Verpflichtungen. Doch dann hatte sie vor einigen Wochen in einer Bar Claas getroffen. Eigentlich hatte sie nur einen stressigen Arbeitstag mit einem Glas Rotwein runterspülen wollen, als er sie angesprochen und ihr zu ihrem Auftritt bei einer Pressekonferenz gratuliert hatte, bei der sie einen Journalisten mit unverschämten Fragen hatte auflaufen lassen. Gleich im Anschluss hatte er sich dazu geoutet, derselben Berufsgruppe anzugehören, und als sie ihn eine Woche später durch Zufall an der Supermarktkasse wiedergetroffen hatte, war Vibeke klar geworden, dass sie ihn wiedersehen wollte. Eine Polizistin und ein Journalist. Das war nicht unbedingt die beste Kombination. Vielmehr waren damit Ärger und Konflikte vorprogrammiert. Ein Grund, weshalb sie es langsam angehen ließ. Sie strich sich durch ihre Beach Waves. »Neue Frisur.«

Rasmus lachte leise.

»Was ist eigentlich aus der Stelle beim wirtschaftlichen Prüfdienst geworden?«, lenkte Vibeke das Gespräch in eine andere Richtung.

»Die ist leider futsch.« Rasmus nahm einen Schluck Kaffee. »Ich habe gestern mit Kopenhagen telefoniert. Da sagte man mir, sie hätten den Job jetzt mit jemand anderem besetzt.«

»Du wirkst darüber nicht gerade unglücklich. Dann wirst du also Eva-Karins Nachfolger?«

Er hatte ihr vor einer Weile von dieser Option erzählt und auch erklärt, weshalb er zögerte.

»Sieht ganz danach aus. Zumindest, wenn sich bis Ende der Woche nichts anderes ergibt.«

Vibeke verstand, dass Rasmus näher bei seiner Tochter in Kopenhagen sein wollte und deshalb noch immer auf eine Rückkehr in seine alte Dienststelle im Politigården hoffte. Doch seine Personalakte war dick, und nicht jeder Fachgebietsleiter legte Wert auf einen Querulanten im Team. Außerdem konnte sie sich eine Sondereinheit ohne Rasmus nur schwer vorstellen. »Warte nicht zu lang mit deiner Entscheidung.«

Er verdrehte die Augen, hob die Hand und orderte ein weiteres Bier.

Die Musik, die bislang dezent im Hintergrund gelaufen war, wurde aufgedreht, und unter lautem Jubel wurde der Kranskage, ein kegelförmiger Hochzeitskuchen, hereingerollt. Er bestand aus mehreren übereinandergeschichteten Kränzen, die mit einem schlingenförmigen Muster aus Zuckerglasur verziert waren; auf der Spitze thronte eine Brautpaarfigur.

Vibekes Handy klingelte. Sie zog es aus der Handtasche und warf einen Blick aufs Display. Ihre Dienststelle. Sie runzelte die Stirn. Mit ihren Mitarbeitern hatte sie vereinbart, dass sie sich nur im Notfall meldeten.

»Entschuldige, da muss ich rangehen.« Sie erhob sich von ihrem Platz, um sich ins Freie zu begeben.

Draußen war es angenehm warm. Strahlender Sonnenschein tauchte die bunten Hausfassaden, die sich an der Hafenpromenade wie Perlen dicht aneinanderreihten, in helles Licht. Sie nahm das Gespräch entgegen.

»Ich bin's«, schallte ihr die aufgeregte Stimme von Kriminalkommissar Michael Wagner entgegen. »Entschuldige die Störung, aber es ist wichtig. Die Kollegen aus Leck haben sich gemeldet. In Ahrenshöft gibt es einen Leichenfund.«

Ausgerechnet jetzt, schoss es Vibeke durch den Kopf. »Kannst du das zusammen mit Holtkötter übernehmen?«

Einen Moment blieb es still, und sie konnte das Unbehagen ihres jungen Mitarbeiters förmlich durch die Leitung spüren. »Herr Holtkötter hat vor einer halben Stunde Feierabend gemacht und geht nicht an sein Handy.«

Vibeke seufzte. Ihr Stellvertreter, Kriminalhauptkommissar Klaus Holtkötter, machte ihr nichts als Ärger. »Haben die Kollegen aus Leck etwas Genaueres gesagt?«

Während sie der Stimme am anderen Ende der Leitung lauschte, ging ihr Blick gedankenverloren die Hafenpromenade entlang. Segler hantierten auf ihren Booten herum, Urlauber flanierten am Wasser entlang. Gerade legte ein Ausflugsdampfer am Fähranleger an und spuckte einen Pulk Touristen aus. Über ihren Köpfen kreischten Möwen. »Schickst du mir die Adresse aufs Handy? Wir treffen uns dort in ungefähr einer Stunde.«

Vibeke legte auf und wählte direkt Holtkötters Nummer. Nur die Mailbox. Sie hinterließ eine Nachricht, in der sie ihren Stellvertreter aufforderte, umgehend zurückzurufen, und eilte wieder ins Lokal. Gerade wurde feierlich der Hochzeitskuchen angeschnitten.

Ihr Handy piepte und kündigte eine Textnachricht an. Michael Wagner hatte ihr die Adresse einer Papiersortieranlage geschickt.

Ahrenshöft, Deutschland

Es war bereits drei Uhr nachmittags, als Vibeke rund vierzig Kilometer mitten in einer idyllischen Geest- und Marschlandschaft südwestlich von Flensburg aus dem Auto stieg.

Ein mulmiges Gefühl machte sich in ihr breit, als sie die vielen Einsatzfahrzeuge der Polizei vor dem eingezäunten Gelände der Abfallwirtschaftsgesellschaft stehen sah.

»Moin, Vibeke.« Michael Wagner, ein junger Schlaks in Schutzkleidung, eilte ihr entgegen. Das Gesicht unter seinem blonden Backenbart war vor Aufregung gerötet.

»Moin.« Sie ging zum Kofferraum, tauschte ihre Pumps gegen ein Paar alte Sneakers, die dort neben einem Paar Gummistiefel und Schutzkleidung parat lagen.

»Tut mir echt leid«, sagte ihr Mitarbeiter mit einem Blick auf ihren Jumpsuit, der gerade unter dem weißen Overall verschwand.

»Nicht deine Schuld.«

»Herr Holtkötter hat sich übrigens gemeldet«, schob Michael Wagner hinterher. »Er kommt bald.«

Vibeke lag eine bissige Bemerkung auf der Zunge, sie hielt sich aber zurück. Es wäre unprofessionell, sich vor Michael Wagner über ihren Stellvertreter auszulassen. Holtkötter war ein Mitarbeiter der unbequemsten Sorte, der aus seiner Abneigung ihr gegenüber nie einen Hehl gemacht hatte. Allein die Tatsache, dass er sich lieber bei seinem Kollegen anstatt bei seiner Vorgesetzten meldete, obwohl sie ihm eine klare Anweisung dazu erteilt hatte, stieß ihr sauer auf. Vermutlich war es genau das, was Holtkötter mit seinem Verhalten erreichen wollte. Sie atmete tief durch und schob ihren Ärger beiseite. Den Mann würde sie sich später zur Brust nehmen.

»Weiß man schon, was passiert ist?«

»Die Leiche wurde auf dem Förderband der Papiersortieranlage entdeckt«, erklärte Michael Wagner eifrig. »Offenbar war sie in einem Abfallsammelfahrzeug, das kurz zuvor seine Schüttung abgeladen hatte. Das Opfer muss demnach in einem der Altpapiercontainer gelegen haben, die an dem Tag von dem Müllwagen angefahren wurden.«

»Werden die denn nicht vorher kontrolliert?«, fragte Vibeke irritiert.

»In der Regel schon. Aber wenn das Opfer unter Bergen von Papier und Pappe liegt, nutzt wohl auch kein Kontrollblick, hat man mir erklärt. Dann geht es zusammen mit dem Inhalt der Tonne direkt in die Presse des Sammelfahrzeugs.«

Vibeke schauderte. Erst im letzten Jahr hatte sie von einem Fall in Süddeutschland gelesen, wo ein Obdachloser im Winter in einem Papiercontainer Schutz gesucht hatte. Doch er war noch rechtzeitig entdeckt worden und mit ein paar Blessuren und großem Schreck davongekommen. Ob das Opfer noch gelebt hatte, ehe es in die Presse gelangt war?

Ein furchtbarer Gedanke. »Hast du die Leiche schon gesehen?« Sie schlüpfte in die Überschuhe.

Michael Wagner schüttelte den Kopf. »Die Spusi ist gerade drinnen.«

»Dann wollen wir mal.« Vibeke steuerte auf den Geländeeingang zu, der von zwei Streifenbeamten flankiert wurde, und zückte ihren Dienstausweis.

Ihr Mitarbeiter deutete auf ein Flachdachgebäude, das mit weiß-rotem Polizeiband großzügig abgesperrt worden war. Auch hier stand ein Uniformierter, ein paar Meter entfernt eine Gruppe Männer mit ernsten Gesichtern. Sie trugen Blaumänner und orange-farbene Warnwesten.

»Sind das die Arbeiter, die den Toten entdeckt haben?«

»Ja. Die Personalien wurden bereits aufgenommen.«

»Gut, wir sprechen später noch mit ihnen. Erst einmal möchte ich mir ein Bild von der Leiche und dem Fundort machen.«

Vibeke steuerte an einem abgestellten Müllfahrzeug vorbei auf das Tor der Anlieferungshalle zu und schlüpfte unter dem Absperrband hindurch.

In einer turnhallengroßen Halle mit Stahlträgern

empfingen sie neben einer riesigen Papiersortieranlage mit zahlreichen Förderbändern meterhohe Papierberge und eine nebelartige Staubwolke. Zu Würfeln gepresste Papierballen waren an der Wand entlang aufeinandergestapelt worden, ein gelber Radlader stand mit halb offener Fahrertür quer im Eingangsbereich. Kriminaltechniker in Schutzanzügen wuselten an einem der Förderbänder herum. Es roch nach Papier und Staub.

»Moin, Arne«, rief Vibeke dem korpulenten Chef der Spurensicherung zu. Er war ein langjähriger Freund ihres Vaters, und sie kannte ihn schon seit Kindesbeinen.

»Moin.« Arne Lührs kam auf sie zu. Er lüpfte den Mundschutz, und sein grauer Walrossbart wurde sichtbar. »Üble Sache. Ich glaube, ich werde mich nie daran gewöhnen.«

Vibeke nickte. Sie kannte diese Gedanken nur allzu gut. »Hast du schon etwas für mich?«

»Mit dem ganzen Papier gestaltet sich die Spurenlage ein wenig schwierig.« Der Kriminaltechniker rümpfte die Nase. »Zumal es sich nicht um den Tatort handelt. Wie es aussieht, lag die Leiche zwischen zahlreichen Kartonagen.« Er deutete mit seiner behandschuhten Hand auf einen der großen Papierberge. »Sie wurde entdeckt, als der Radlader das ganze Zeug auf das Förderband geschaufelt hat.«

Vibeke sah zu der Stelle, an der die Scheinwerfer aufgestellt worden waren. »Wann kann ich mir den Toten ansehen?«

»Sofort, wenn du willst. Wir können hier vermutlich ohnehin nicht mehr viel machen.« Der Kriminaltechniker ließ den Blick durch die Halle schweifen. »Hier irgendwelche tatrelevanten Spuren zu finden, halte ich nahezu für ausgeschlossen.«

Schweigend gingen sie die wenigen Schritte zum Förderband. Einer der Kriminaltechniker trat beiseite und gab die Sicht auf die Leiche frei.

Der Tote lag auf dem Rücken, die Kleidung, ein blau kariertes Holzfällerhemd und eine khakifarbene Arbeitshose, waren zum Teil blutdurchtränkt, die Beine seltsam verrenkt. An einem der Füße fehlte der Schuh. Die hochgerollten Ärmel entblößten dunkle Hämatome und Hautabschürfungen an den Unterarmen, die Hände waren in Schlingen vor den Bauch gefesselt.

Papierstaub umgab den Kopf des Mannes, überzog das dunkle Haar wie eine feine Schicht Puder. Das darunterliegende Gesicht war durch massive Stauungsblutungen nahezu vollständig entstellt. Weitere Blutunterlaufungen zeichneten sich durch den offenen Hemdkragen am Hals und am Brustkorb ab. Wie es aussah, war der Mann zu Tode gequetscht worden.

Was für eine schreckliche Art zu sterben, dachte Vibeke. Ihr Blick blieb an den Fesseln hängen. Ein Handschellenknoten. Das verwendete Seil war bis auf ein paar Abriebspuren intakt geblieben. Der ermordete CFO in Esbjerg kam ihr in den Sinn. Er war ebenfalls gefesselt worden. Konnte es einen Zusammenhang geben?

Sie registrierte die schwieligen Hände des Toten. Am linken Zeigefinger fehlte das oberste Fingerglied, doch es schien eine ältere Verletzung zu sein, zumindest wirkte der Stumpf gut verheilt.

Vibeke hörte hinter sich ein leichtes Aufstöhnen.

Sie drehte sich um und sah, dass Michael Wagner kalkweiß im Gesicht war. »Alles in Ordnung?«

Er winkte sofort ab. »Geht schon.«

»Vielleicht kümmerst du dich schon einmal um die Zeugen«, schlug sie vor. »Ich möchte wissen, wie das Ganze abgelaufen ist. In welchem Müllwagen die Leiche war, welche Route das Fahrzeug genommen hat, wie das Opfer in die Presse gelangen konnte. Außerdem möchte ich mit den Mitarbeitern sprechen, die auf dem Müllwagen mitgefahren sind.«

»Geht klar, Chefin.« Michael Wagner deutete ein schwaches Lächeln an und zog ab.

Vibeke wandte sich wieder der Leiche zu. Einer der Kriminaltechniker war gerade dabei, mithilfe von Klebeband Spuren von der Arbeitshose des Opfers zu nehmen. Sowohl Haut als auch Kleidung des Toten waren mit einer feinen hellen Schicht überzogen. »Ist das Papierstaub?«

»Teils.« Der Kriminaltechniker beäugte den Klebstreifen. »Wie es aussieht, sind auch Sägespäne dabei.«

»Vermutlich stammen sie aus dem Container.« Vibeke betrachtete nachdenklich die Kleidung des Toten. »Oder das Opfer hatte beruflich mit Holz zu tun. Habt ihr schon in den Taschen nachgesehen?«

Arne Lührs, der gerade an seinem Spurensicherungskoffer herumhantierte, wandte sich um. »Der Mann hatte nur ein bisschen Kleingeld bei sich. Und einen Kassenbon von einer Fleischerei in Leck mit dem Ausstellungsdatum von gestern.«

Der Blick des Kriminaltechnikers wanderte zu einem Punkt hinter ihrem Rücken. »Endlich. Die Rechtsmedizin.«

Vibeke drehte sich um und entdeckte Dr. Violetta Dudek vom rechtsmedizinischen Institut in Kiel mit ihrer Arzttasche in der Hand und ihrem Assistenten im Schlepptau. Beide trugen die obligatorische Schutzkleidung.

»Hallo, Frau Boisen. Karl.« Dr. Dudek warf einen prüfenden Blick in die Runde, ehe sie sich der Leiche zuwandte.

Vibeke sah der Rechtsmedizinerin einen Moment bei der Arbeit zu und ging dann zurück ins Freie. Vor der Anlieferungshalle sprach Michael Wagner gerade mit einem dunkelhaarigen Mittfünfziger in Anzug und Krawatte, der wild mit den Händen in Richtung Gebäude gestikulierte.

»Kann ich irgendwie helfen?« Sie lüpfte die Kapuze ihres Schutzanzugs und öffnete den Reißverschluss.

»Ich habe gerade dem Beamten hier erklärt, dass wir schnellstmöglich die Arbeit wieder aufnehmen müssen, ehe wir noch weiter in Verzug geraten.« Der Anzugträger deutete zum Geländezugang. Hinter dem Absperrband warteten mehrere Müllfahrzeuge. »Aber offenbar ist die Polizei nicht in der Lage dazu, mir zu sagen, wie lange das Ganze noch dauert.« Empörung schwang in seiner Stimme mit. »Wo ist denn eigentlich der Chef Ihrer Truppe?«

Vibeke zückte ihren Dienstausweis. »Vibeke Boisen. Ich leite hier die Ermittlung. Und Sie sind?«

»Wolfgang Grams. Betriebsleiter.« Sein Blick glitt misstrauisch von ihrem Dienstausweis zu dem mitternachtsblauen Stück Stoff, das unter dem geöffneten Reißverschluss hervorlugte. »Und wie lange wird der ganze Spuk hier noch dauern?«

»Schwer zu sagen, aber mit ein paar Stunden sollten Sie rechnen. Schließlich wurde in einem Ihrer Müllfahrzeuge eine Leiche transportiert.«

»Ist das jetzt etwa meine Schuld, oder was?«, brauste der Mann umgehend auf. Er war mittlerweile hochrot im Gesicht.

Vibeke ließ sich nicht provozieren. »Nein, aber vielleicht können Sie mir erklären, wie ein Mensch in die Presse eines Ihrer Sammelfahrzeuge gelangen konnte, ohne dass es jemandem auffiel.«

Wolfgang Grams fuhr sich schwer atmend mit der Hand übers Gesicht. »So ein Papiercontainer hat rund elfhundert Liter Fassungsvermögen.« Er klang jetzt um einiges ruhiger. »Voll beladen kommen da schnell zweihundert bis dreihundert Kilo zusammen. Das ist dann bereits so schwer, da merkt niemand, wenn noch ein Mensch drinnen liegt.« Er deutete auf das Heck des im Hof stehenden Müllfahrzeugs. »Sobald die Container am Fahrzeug stehen, übernimmt die Schüttung. Das läuft vollautomatisch. Die Hydraulik ist dabei komplett sensorgesteuert. Ist der Inhalt erst einmal im Fahrzeug, dreht der Sechszylinder voll auf, und der Abfall wird in der Presse komprimiert. Dabei entsteht ein Druck von dreihundert Bar. Keiner, der da reingerät, überlebt das.«

Alle schwiegen einen Moment.

»Wir benötigen die genaue Route, die der Müllwagen heute gefahren ist«, sagte Vibeke schließlich. »Und ich möchte mit den Männern sprechen, die das Fahrzeug begleitet haben.«

Der Betriebsleiter nickte und winkte zwei in Orange gekleidete Männer heran, denen der Schock förmlich in die Gesichter geschrieben stand. »Holger. Friedjof. Kommt doch bitte mal her. Die Polizei möchte mit euch sprechen.«

Vibeke entdeckte eine korpulente Gestalt, die gerade hinter der Absperrung am Geländeeingang aus einem Wagen stieg. Kriminalhauptkommissar Klaus Holtkötter hatte es auch endlich an den Leichenfundort geschafft.

Flensburg, Deutschland

»Die grüne Tonne wird alle vierzehn Tage entleert, und zwar entlang dieser Route«, erklärte Michael Wagner rund zwei Stunden später in der Polizeidirektion und fuhr mit dem Finger die Ortschaften auf der Landkarte entlang, die an diesem Vormittag von dem Müllfahrzeug angesteuert worden waren, darunter auch die Gemeinde Leck.

Vibeke erinnerte sich an den Kassenbon der Fleischerei, der sich in der Hosentasche des Toten befunden hatte. Sie berichtete ihren beiden Mitarbeitern davon. Während Michael Wagner interessiert zuhörte, saß Klaus Holtkötter zurückgelehnt auf seinem Schreibtischstuhl und betrachtete ausgiebig seine Fingernägel. Ihr Stellvertreter war ein schwergewichtiger Endfünfziger mit Bauchansatz, der seine verbliebenen aschgrauen Haare quer über seine Halbglatze gekämmt trug.

»Der Tote könnte demnach aus Leck stammen«, fuhr Vibeke fort, und für einen Moment verfing sich ihr Blick in der Yucca-Palme, die mit hängenden Blättern neben dem Schreibtischblock stand. Sie hatte in ihrem Berufsleben schon viele Leichen gesehen und war Profi genug, um emotionalen Abstand zu wahren, doch das entstellte Gesicht des Opfers und die Brutalität des Verbrechens gingen ihr nicht aus dem Kopf. Sie fragte sich, wer der Mann gewesen war. »Oder zumindest könnte er im Ort zu tun gehabt haben. Wir sollten dort mit unseren Ermittlungen anfangen. Das Opfer muss schnellstmöglich identifiziert werden.«

Über Michaels Gesicht flog ein Schatten, der sie daran erinnerte, dass ihr junger Kollege bisher nicht allzu viele Tote gesehen hatte. »Das ist ganz schön harter Tobak, oder?«

Michael nickte. Dabei lächelte er gequält. »Wir sollten die Vermisstenmeldungen durchgehen.«

»Gute Idee.«

»Und falls wir da nicht weiterkommen, klappern wir die örtlichen Tischlereien und Bauunternehmen ab«, schlug er vor. »Und die Baumärkte.«

Holtkötter blähte die Backen. »Wegen der paar Sägespäne? Die können genauso gut aus dem Müllwagen stammen.«

»Das werden uns die Kollegen von der Kriminaltechnik hoffentlich bald sagen können«, erwiderte Vibeke. »Aber ich finde Michaels Ansatz gut. Der Mann trug Arbeitskleidung und war zudem ohne Jacke. Für mich sieht es ganz danach aus, als wäre er kurz zuvor noch in einer Werkstatt gewesen.«

Ihr Stellvertreter strich sich über das quer liegende Haar und schwieg verdrießlich.

Vibeke betrachtete die Fotos der Leiche am Whiteboard. Das entstellte Gesicht, der fehlende Schuh, der Handschellenknoten. Sie beschloss, Rasmus am nächsten Tag wegen der Fesseln anzurufen. Vermutlich war die Hochzeitsfeier gerade in vollem Gang. Sie wandte sich wieder ihren Mitarbeitern zu. »Ich frage mich, weshalb das Opfer in einen Altpapiercontainer geworfen wurde.«

»Vielleicht um die Leiche zu entsorgen«, sagte Michael Wagner. Im nächsten Moment wurde er aschfahl. »Und wenn der Mann noch gelebt hat?« Er fuhr sich mit der Hand übers Gesicht. »Müsste er dann nicht versucht haben, sich bemerkbar zu machen? Also, ich hätte um mein Leben geschrien.«

»Vielleicht hat man ihn sediert.«

Holtkötter räusperte sich. »Wir hatten vor Jahren mal einen Fall, da hat sich jemand mit seiner Bondage-Praktik versehentlich selbst stranguliert.« Er deutete auf die gefesselten Hände des Toten. »Man kann den Handschellenknoten zwar selbst angelegen, aber einmal an den Enden gezogen, kommt man da nicht mehr alleine raus. Vielleicht war es ein Suizid.«

Vibeke schüttelte den Kopf. »Das erscheint mir doch ein wenig weit hergeholt. Weshalb sollte sich ein Selbstmörder in einer Papierpresse umbringen wollen?«

»Ganz wie Sie meinen.« Holtkötter verschränkte die Arme vor der Brust.

»Was sagt denn die Rechtsmedizin?«, warf Michael Wagner ein. »Hat der Mann nach Dr. Dudeks Meinung noch gelebt, als er im Müllcontainer gelandet ist?«

»Sie wollte sich da noch nicht festlegen, erst nach

der Obduktion. Die findet übrigens morgen Vormittag statt.« Vibeke sah zu ihren Mitarbeitern. »Wer möchte mich in die Rechtsmedizin begleiten?«

»Ich überlasse gerne meinem jungen Kollegen den Vortritt«, erwiderte Holtkötter jovial. »Ich habe in meinem Berufsleben schon an genügend Obduktionen teilgenommen.«

»Man lernt nie aus, Herr Holtkötter.« Vibeke erhob sich von ihrem Stuhl. »Dann legen wir mal los. Du, Michael, kontaktierst bitte die Kollegen in Leck, und Sie, Herr Holtkötter, erkundigen sich nach dem Stand der Spurensicherung.«

Ihr Stellvertreter blickte demonstrativ auf seine Armbanduhr. »Ich hatte eigentlich schon längst Feierabend gemacht.«

Erneuter Ärger wallte in Vibeke auf. »Und ich sollte jetzt bei einer Hochzeit in Sønderborg sein.« Sie hatte Mühe, sich zusammenzureißen. »Sobald Sie den Anruf bei der Kriminaltechnik erledigt haben, kommen Sie in mein Büro. Und nur dass wir uns dieses Mal richtig verstehen: Das ist keine Bitte, sondern eine Dienstanweisung.« Ohne eine Reaktion abzuwarten, verließ sie den Raum. Sie würde sich von diesem Wadenbeißer keine Sekunde länger auf der Nase herumtanzen lassen.

»Dieser Scheißkerl!« Ivonne Faber feuerte das Schreiben vom Familiengericht, das sie zusammen mit einem Stapel Rechnungen aus dem Briefkasten gezogen hatte, auf den Küchentisch. Gernold tickte wohl nicht ganz sauber. Er wollte doch tatsächlich das alleinige Aufenthaltsbestimmungsrecht für Lea. Das konnte er sich abschminken.

Gernold hatte sie betrogen, als sie hochschwanger in der sechsunddreißigsten Woche gewesen war, und sie hatte ihn rausgeschmissen. Im Gegenzug hatte er ihr nach Ablauf des Mutterschutzes den Job in seiner Firma gekündigt. Aus rein betrieblichen Gründen, wie er stets betonte. Einzig seinen monatlichen Zahlungen für sein Kind war er nachgekommen. Und jetzt das.

Schwer atmend ließ sich Ivonne auf den Küchenstuhl sinken. Ein halbes Jahr nach Leas Geburt hatte Gernold das gemeinsame Sorgerecht beim Familiengericht beantragt, und trotz ihrer Einwände war sein Antrag bewilligt worden. Wie es aussah, wollte er jetzt noch einen Schritt weiter gehen.

Die Angst legte sich wie ein stählerner Panzer um ihre Brust. Was, wenn sie Lea tatsächlich verlor?

»Mami?« Ihre achtjährige Tochter stand ganz plötzlich in der Küche. Sie war barfuß und trug ihren rosafarbenen Schlafanzug mit den Einhörnern falsch herum. »Weinst du?«

»Nein, nein«, beeilte sich Ivonne mit ihrer Antwort. Gleichzeitig schob sie eine Zeitschrift über das Schreiben vom Familiengericht. »Ich habe nur etwas ins Auge bekommen.«

Lea kletterte zu ihr auf den Schoß und schlang ihr die dünnen Ärmchen um den Hals. »Liest du mir gleich noch eine Geschichte vor? Die mit dem lustigen Affen.«

Das weiche blonde Haar ihrer Tochter kitzelte Ivonne am Kinn. Erneut stiegen Tränen in ihr auf. Sie ließ sich ihr Kind nicht wegnehmen. Niemals.

»Natürlich, Spatz.« Sie küsste Lea auf die Stirn. »Putz dir schon mal die Zähne. Ich muss ganz kurz mit Oma Gerda telefonieren, dann komme ich zu dir.«

Lea gab sich mit der Antwort zufrieden und rutschte von ihrem Schoß.

Eine Stunde später stieg Ivonne im vierzig Kilometer entfernten Schleswig aus ihrem kleinen roten Auto. Gerda Bruckner, die fünf Etagen unter ihr wohnte und trotz der dreißig Jahre Altersunterschied eine zuverlässige Freundin war, passte unterdessen auf Lea auf.

Ivonne schlug die Autotür zu. Ihr Blick glitt die Straße entlang. Hinter zahlreichen Fenstern der angrenzenden Häuser brannte noch Licht. Familien, die zum Abendessen zusammensaßen oder sich gemeinsam vor dem Fernseher auf dem Sofa fläzten. Genau so ein Leben hatte sie sich auch für Lea und sich gewünscht.

Ivonne fröstelte. Mit Einbruch der Dunkelheit war die Kälte zurückgekommen. Sie zog ihren dünnen Mantel enger am Hals zusammen, während sie gleichzeitig das Schreiben vom Familiengericht umklammerte, und ging auf das Eingangstor zu.

Gernold wohnte in einer schicken weißen Villa. Ein großer Garten mit Pool, Doppelgarage. Zwei steinerne Löwen auf Säulen bewachten den Hauseingang. Ihr Ex hatte es zu etwas gebracht.

Kurz zögerte Ivonne, dann straffte sie sich und drückte entschlossen auf die Klingel.

Evelyn öffnete die Tür. Gernolds Lebensgefährtin. Sehr blond, sehr jung. Sehr dünn. Flach wie ein Bügelbrett, wie Ivonnes Freundin Britta zu sagen pflegte.

Sie hob ihre perfekt gezupften Brauen. »Ivonne?« Evelyn scannte sie von oben bis unten. Ihren dunklen Haaransatz, der dringend neue Farbe benötigte, das müde, ungeschminkte Gesicht, die gepflegte, aber preiswerte Kleidung eines Textildiscounters. Evelyn selbst trug einen Einteiler aus fließendem weißem Stoff. Schlicht. Edel. Teuer.

»Ich möchte zu Gernold«, presste Ivonne hervor und kam sich vor wie eine Bittstellerin. Sie rang sich ein höfliches Lächeln ab.

»Honey«, rief Evelyn halb über ihre Schulter, ohne Ivonne dabei aus den Augen zu lassen oder gar hineinzubitten.

Doch alles andere hätte Ivonne ohnehin gewundert. Bislang hatte sie von Gernolds Luxusschuppen nicht mehr gesehen als die blank polierten weißen Marmorfliesen im Eingangsbereich. Dabei brachte sie Lea seit über fünf Jahren jedes zweite Wochenende hierher.

Gernold tauchte auf. Groß, dunkelhaarig, einer jener Männer, die von Jahr zu Jahr attraktiver wurden. Leider färbte diese Entwicklung nicht auf seinen Charakter ab.

»Danke, Schatz.« Er küsste Evelyn auf die Wange, die mit triumphierendem Lächeln abrauschte. Als er sich Ivonne zuwandte, war die Liebenswürdigkeit in seinem Gesicht wie weggewischt. »Was willst du?«

»Ich habe Post bekommen.« Sie hielt den Brief in die Höhe. »Vom Familiengericht.«

»Ach, das.« Er machte eine wegwerfende Handbewegung.

Seine Gelassenheit brachte Ivonnes Puls umgehend auf hundertachtzig. »Was soll der Schwachsinn, dass du das alleinige Aufenthaltsbestimmungsrecht für Lea willst?«

»Das werde ich mit dir sicher nicht vor meiner Haustür diskutieren.«

»Nur damit du es weißt«, zischte Ivonne. »Ich werde nicht zulassen, dass du mir Lea wegnimmst. Niemals.«

Ein spöttisches Lächeln flog über seine Lippen. »Und das willst du wie genau verhindern?«

»Ich nehme mir einen Anwalt.«

»Den du dir nicht leisten kannst«, stellte Gernold trocken fest. »War es das jetzt? Ich habe Wichtigeres zu tun.«

»Kein Gericht der Welt nimmt einer Mutter einfach so das Kind weg«, schob Ivonne mit bebender Stimme hinterher.

»Ach nein?« Eine steile Falte erschien auf der Stirn ihres Ex. »Lea wird doch von dir ständig allein gelassen und vernachlässigt. Erst neulich hat mich wieder die Schule angerufen, weil sie dich nicht erreichen konnte.«

Ivonne biss sich auf die Unterlippe. Es stimmte, was Gernold sagte. Während der Arbeit hatte sie ihr Handy leise gestellt und so den Anruf der Schule verpasst.

»Was kannst du ihr schon bieten?« Das spöttische Lächeln erschien erneut. »Im Übrigen werden Evelyn und ich bald heiraten. Lea wächst dann in einer Familie auf und nicht bei ihrer völlig überforderten Mutter.« Seine Augen wurden schmal. »Leg dich lieber nicht mit mir an, Ivonne. Ich kann auch anders. Ganz anders.« Er schlug die Haustür zu.

Ivonne starrte fassungslos auf die geschlossene Tür. Das war ganz eindeutig eine Drohung gewesen. Nach gefühlt endlosen Minuten löste sie sich schließlich aus ihrer Starre und ging zurück zu ihrem Auto, den Blick der steinernen Löwen im Nacken.

Sie würde sich nicht einschüchtern lassen, dachte sie. Egal, womit er ihr drohte. Als sie wieder im Wagen saß und den Autoschlüssel umdrehte, zitterte sie am ganzen Körper.

3. Kapitel

Sønderborg, Dänemark

Ein dumpfer Knall riss Rasmus aus dem Schlaf.

»Was zum Teufel …« Er fuhr sich mit der Hand über die Augen, sah zur Seitenscheibe des Bullis, von der das Geräusch gekommen war. Ein Paar Kinderaugen starrte zurück.

Rasmus schob die Decke beiseite und richtete seinen Oberkörper auf. Sofort schoss ein stechender Schmerz in seinen Schädel.

Stöhnend sank er zurück ins Kissen. Das war eindeutig ein Drink zu viel gewesen. Er wusste nicht mehr, was er sich vergangenen Abend alles einverleibt hatte. Nur dass sie immer wieder angestoßen hatten. Auf das Leben, die Liebe, die Freundschaft. Irgendwann waren sie von Bier und Wein zu Shots übergegangen, hatten schließlich gesungen, bis die Wände wackelten, und er meinte, sich dunkel daran zu erinnern, dass er von allen am lautesten gegrölt hatte. Auf dem Tisch. Zusammen mit irgendeiner Blondine. Dabei sang er eigentlich niemals. Davon abgesehen, dass er eine grottenschlechte Stimme hatte, war er nicht so der gesellige Typ. Noch nie gewesen. Jetzt war sein Ruf als einsamer Wolf vermutlich für immer dahin.

Ihm entfuhr ein weiteres Stöhnen. Nicht nur sein

Kopf, auch sein Rücken schmerzte wie verrückt. Die Matratze hatte schon von ihrer Zeit im Bulli viele Jahre für Übernachtungsgäste in ihrer ehemaligen Wohnung in Aarhus gedient und war mittlerweile komplett durchgelegen. Er hätte sie längst durch eine neue ersetzen sollen.

Langsam rappelte er sich hoch. Die Kinderaugen verfolgten durch die Scheibe noch immer jede seiner Bewegungen, doch als er schließlich auf die Knie kam, verschwand das Gesicht unter dem Seitenfenster. Eine kleine Gestalt mit einem roten Ball unter dem Arm lief schnell wie ein Wiesel davon. Ob es ein Junge oder ein Mädchen war, konnte er nicht ausmachen.

Rasmus überprüfte die Scheibe. Sie war heil geblieben. Er öffnete die Schiebetür des VW-Busses. Eiskalter Wind fegte ein paar Blätter in den Laderaum. Der Himmel war dicht mit Wolken verhangen. Nicht mehr lange, und er würde seine Schleusen öffnen.

Für einen kurzen Moment bereute Rasmus, dass er nicht wie die anderen Hochzeitsgäste in dem schicken Hotel direkt am Wasser wohnte. Die hatten nicht nur eine warme Dusche in Bettnähe, sondern konnten sich mit Sicherheit auch über ein umfangreiches Frühstücksbüfett freuen. Dabei war ihm der Campingplatz am Vortag noch als Glücksgriff erschienen. Klein und überschaubar, in unmittelbarer Fußnähe zum Hafen und zum Zentrum. Kein Unterhaltungszentrum samt Supermarkt und Poolanlagen, sondern lediglich ein Kinderspielplatz und ein Minimarkt, der die Urlauber mit dem Allernötigsten versorgte, nur zweihundert Meter vom Strand entfernt. Und ganz nebenbei sparte er noch rund fünfzehnhundert Kronen.

Jetzt gäbe er allerdings alles für so eine kleine Kapselmaschine, wie sie in den meisten Hotelzimmern standen. Stattdessen klemmte er sich seine Kultur-tasche samt Handtuch und einem Stapel frischer Kleidung unter den Arm und steuerte fröstelnd auf die Waschräume zu. Als die warmen Wasserstrahlen auf seine Schultern niederprasselten, erwachten lang-sam seine Lebensgeister. Der Abend war schön ge-wesen. Trotz der Kopfschmerzen. Søren und Brigit-te hatte unentwegt um die Wette gestrahlt. Schade war nur, dass Vibeke so früh hatte gehen müssen. Er hätte sich gerne noch mit ihr unterhalten. Nach ihrem Vater gefragt und ihr weiter auf den Zahn gefühlt, ob sein Schuss ins Blaue, was einen mög-lichen Freund betraf, vielleicht direkt ins Schwarze getroffen hatte. Er hatte seine Kollegin zuvor noch nie so attraktiv gesehen.

Vibeke hatte stets diesen tadellosen Look. Schnee-weiße Bluse zur engen tiefblauen Jeans, das hellbraune Haar zu einem strengen Zopf zurückgebunden. Sie war immer eine Spur zu blass, trug kaum Make-up, wirkte fast ein wenig unscheinbar, wären da nicht ihre ungewöhnlich hellen Augen, die ihn in ihrer Farbe stets an einen Gletscher erinnerten. Er fragte sich, ob die kontrollierte und leicht unterkühlte Vibeke Boisen mit ihnen mitgesungen hätte. Vermutlich nicht. Sie war ein Kopfmensch durch und durch, eine erfahrene Ermittlerin, stets korrekt vom Scheitel bis zur Sohle. Doch manchmal überraschte sie ihn auch, indem sie Dinge tat, die er ihr niemals zugetraut hätte.

Ähnliches galt allerdings auch für ihn. Zumindest konnte er sich nicht daran erinnern, wann er zuletzt so ausgelassen gewesen war. Nach Antons Tod ertrug er feiernde Menschen nur noch schwer.

Mit einem Mal fühlte Rasmus sich schuldig. Dafür, dass er sich amüsierte, während sein Sohn tot unter der Erde lag. Er wusste, dass er zu hart mit sich selbst war, doch das viele Alleinsein hatte seine Spuren hinterlassen. Es waren meist die einsamen, dunklen Stunden, in denen seine Dämonen hervorkrochen.

Er stieg aus der Dusche, trocknete sich sorgfältig ab und schlüpfte in die frische Kleidung. Zurück am Bus, langte er nach seinem Handy und stellte fest, dass er einen Anruf von Vibeke verpasst hatte. Umgehend betätigte er die Rückruftaste, doch die Polizistin nahm nicht ab. Er hinterließ ihr eine kurze Nachricht auf der Mailbox und schnappte sich seinen Geldbeutel, um sich einen Kaffee zu holen. Auf dem Weg zum Minimarkt fragte er sich, weshalb Vibeke versucht hatte, ihn zu erreichen.

Kiel, Deutschland

Grelles Neonlicht strahlte von der Decke auf den Obduktionstisch aus rostfreiem Edelstahl, auf dem der entkleidete Tote lag.

Groß und schlank, die wächserne Haut überzogen mit blauvioletten Flecken und zahlreichen großflächigen Hämatomen. An einigen Stellen waren die obersten Hautschichten aufgeplatzt und offenbarten einen Krater rohes Fleisch, am rechten Unterschenkel stach ein Stück Knochen hervor.

Die massiven Stauungsblutungen an Gesicht und Hals traten unter dem Neonlicht noch deutlicher hervor, zogen sich über die Schultern bis zum Brustkorb. An den Handgelenken waren deutliche Fesselspuren zu erkennen.

Die Rechtsmedizinerin beugte sich gerade über die zuvor mit einem Y-Schnitt geöffnete Brust- und Bauchhöhle, deren äußere Hautschichten zu beiden Seiten aufgeklappt waren, und diktierte ihrem Assistenten mit routinierter Stimme die einzelnen Rippenfrakturen samt Begleithämatomen für den späteren Bericht.

Vibeke beobachtete jeder ihrer Handbewegungen, als Dr. Dudek mit der Rippenschere die wenigen intakt gebliebenen Rippen durchtrennte, ehe sie diese zusammen mit dem Brustbein entnahm.

»Das habe ich mir gedacht«, murmelte die Rechtsmedizinerin, als sie sich den Organen zuwandte.

Diese waren als solche nicht mehr erkennbar, vielmehr handelte es sich um eine einzige breiige Masse.

Vibekes Blick huschte zu Michael Wagner, der zuvor bei jedem einzelnen Knacken der Rippenschere zusammengezuckt war und jetzt angestrengt auf die weißen Kacheln der Wand starrte. Dafür, dass es seine erste Obduktion war, schlug er sich bislang wacker.

Die Rechtsmedizinerin untersuchte die verschiedenen Fett- und Muskelschichten und diktierte ihrem Assistenten die zahlreichen Weichteil-, Knochen- und Organverletzungen.

»Das sieht wirklich übel aus«, sagte Vibeke. »Hat der Mann noch gelebt, als er in die Presse geriet?«

»Das ist schwer zu sagen«, erwiderte Violette Dudek,

ohne den Kopf zu heben. »An den Wundrändern sind keine Vitalreaktionen erkennbar, aber das kann damit zusammenhängen, dass der Tod sehr schnell eintrat. Im Bereich der Quetschungsstelle liegen wichtige Organe, dadurch kommt es zu einem schlagartigen Blutdruckabfall, auch durch den Schock. Ein lebender Mensch wird dabei förmlich zu Tode gequetscht.«

Michael Wagner stöhnte leise.

»Dafür, dass der Körper in einer Presse war, ist er in einem erstaunlich guten Zustand.« Sie hob den Blick. »Zumindest besteht er noch aus einem Stück. Die Kollegen in München hatten einen Fall, da wurde der Leichnam in zwei Hälften ins Institut eingeliefert.«

Vibeke schluckte.

»Aber es kommt natürlich immer darauf an, wie der Körper in die Presse gelangt.« Dr. Dudek widmete sich wieder der Brust- und Bauchhöhle und begann damit, die zerquetschten Organe zu entfernen.

Vibeke wandte den Blick ab.

»Hoffentlich wurde er vorher betäubt«, flüsterte Michael Wagner neben Vibeke und spielte damit auf die Einstichstelle an, die von der Rechtsmedizinerin während der äußeren Leichenschau am hinteren Oberarm entdeckt worden war.

»Das wird die toxikologische Untersuchung ergeben«, kam es von Dr. Dudek, die den entfernten Organen gerade Gewebeproben entnahm. »Aber die Auswertung dauert natürlich eine Weile.«

»Können Sie uns etwas über das ungefähre Alter des Opfers sagen?«, fragte Vibeke, nachdem auch das letzte Röhrchen mit Körperflüssigkeit befüllt war. »Der Mann wurde bislang nicht identifiziert.«

»Anhand des Zahnstatus und der Röntgenbilder würde ich das Alter des Toten auf Anfang bis Mitte dreißig schätzen«, erwiderte Dr. Dudek zurückhaltend. »Aber nageln Sie mich bitte nicht darauf fest.«

»Und der Todeszeitpunkt?«

»Der lässt sich etwas präziser bestimmen.« Der Blick der Rechtsmedizinerin heftete sich für einen Moment auf Vibeke. »Unter Berücksichtigung aller Faktoren würde ich sagen, dass der Tod vor etwa vierundzwanzig Stunden eintrat. Plus/minus anderthalb Stunden. Alles Weitere schreibe ich in meinen Bericht. Sie haben ihn morgen früh auf Ihrem Schreibtisch.«

»Vielen Dank.«

Die beiden Kriminalbeamten verabschiedeten sich.

Sobald die Eingangstür des rechtsmedizinischen Instituts hinter ihnen zuschlug, klingelte Vibekes Handy. Sie nahm das Gespräch entgegen.

»Moin«, meldete sich eine raue Männerstimme. »Polizeioberkommissar Matthiesen von der Dienststelle Leck am Apparat. Ich rufe wegen dem Leichenfund in der Papiersortieranlage an. Gerade kam eine Vermisstenanzeige bei uns rein.« Das Rascheln von Papier war zu hören. »Lennard Friedrichs, vierunddreißig, Tischler von Beruf.« Er ratterte eine Personenbeschreibung herunter, die auf den Toten zutraf. »Der Vater, Theo Friedrichs, hat ihn als vermisst gemeldet.« Er machte eine bedeutungsvolle Pause. »Lennard Friedrichs fehlt ein Fingerglied am linken Zeigefinger.«

Vibeke horchte auf. »Genau wie dem Toten.« Neben ihr hob Michael Wagner fragend die Brauen. Sein Gesicht hatte mittlerweile wieder ein wenig Farbe angenommen. »Können Sie mir die Adresse des Vermissten aufs Handy schicken?«

»Sicher doch. Ich wollte ohnehin einen Streifenwagen hinbeordern.«

»Sagen Sie den Kollegen, sie sollen vor Ort auf uns warten.« Vibeke warf einen Blick auf ihre Armbanduhr. »Es wird aber gut anderthalb Stunden dauern, bis wir dort sind. Vielleicht verständigen Sie in der Zwischenzeit noch einen Schlüsseldienst.«

»Geht in Ordnung.«

Vibeke bedankte sich und legte auf.

»Das war die Dienststelle in Leck«, informierte sie ihren Mitarbeiter. »Wir haben einen Hinweis auf die Identität des Opfers.«

Leck, Deutschland

Die Gemeinde Leck lag im nördlichen Nordfriesland, rund dreizehn Kilometer von der deutsch-dänischen Grenze entfernt, und warb als grüner Luftkurort mit seiner unmittelbaren Nähe zur Nordsee, den Inseln und den Halligen. Doch die Realität sah ein wenig anders aus. Zahlreiche Häuser und Gebäude in dem Ort wirkten heruntergekommen, dazu kamen aufgeplatzter Asphalt und Schlaglöcher in fast sämtlichen Straßenzügen. Einzig nahe der *Lecker Au* fanden sich ein paar malerische Fischerhäuschen mit verwunschenen Vorgärten.

Die Tischlerei lag in einer Nebenstraße, ein altes

mit Reet gedecktes Fachwerkhaus aus rotem Backstein, direkt gegenüber einer Mehrfamilienwohn-
anlage. Golden verfärbtes Laub säumte die Bürgersteige. Am Straßenrand parkte ein Streifenwagen.

Vibeke hielt ihren Dienstwagen direkt dahinter an.

»Sieht aus wie ein alter Bauernhof«, sagte Michael
Wagner auf dem Beifahrersitz.

Sie stieg aus, und sofort fegte ihr kalter Wind um
die Ohren. Dabei nieselte es leicht.

Sie gingen die mit Kopfstein gepflasterte Einfahrt
entlang und gelangten über einen Innenhof zur Rückseite des Gebäudes, wo sich auch der Hauseingang
befand. Unter einem überdachten Stellplatz stand ein
weißer Transporter mit dem Firmenlogo der Tischlerei.

Die Fassade des Fachwerkgebäudes wirkte ein
wenig in die Jahre gekommen. Zahlreiche Backsteine
waren grün verfärbt, am Sockel bröckelte der Putz.
Vor einem großen Tor, das ausreichte, um eine ganze
Kuhherde durchzutreiben, wurden sie von zwei Uniformierten und einem Mann mit Käppi und Werk-
zeugkoffer in der Hand erwartet.

»Es öffnet niemand«, erklärte einer der beiden
Beamten, sobald sie sich vorgestellt hatten und vor
die Haustür traten. Neben dem Eingang hing ein
schmiedeeisernes Schild mit dem Namen der Tischlerei.

Vibeke drückte den Klingelknopf. Das Holz der
Tür wies zahlreiche Risse auf, die Klinke war alt und
abgegriffen.

Niemand öffnete. Sie versuchte es erneut, doch
auch dieses Mal rührte sich nichts. »Bitte öffnen.«

Der Schlüsseldienstmitarbeiter langte nach seinem Elektropick. Innerhalb weniger Sekunden stand die Haustür offen.

»Danke.« Vibeke wandte sich an die beiden Streifenbeamten. »Sie warten bitte hier.« Sie nahm die Einweghandschuhe und Schuhüberzieher entgegen, die ihr Michael Wagner reichte, und streifte sie über.

Hinter der Schwelle empfingen sie der Geruch von frischem Holz und ein karg eingerichteter Vorraum, von dem drei weitere Türen abgingen. Eine Treppe führte ins Obergeschoss. An einer Hakenleiste baumelte eine Regenjacke, am Boden darunter standen zwei Paar Stiefel mit dreckverkrusteten Sohlen.

Der fehlende Schuh des Opfers fiel Vibeke ein. Sie fragte sich, ob man ihn mittlerweile gefunden hatte. Es schien ihr wichtig, nicht nur aus ermittlungstechnischen Gründen. Häufig waren es die kleinen Dinge am Rande einer Gewalttat, die sie am meisten berührten. Das Smartphone, das von einer leblosen Hand umklammert wurde, der Inhalt einer Einkaufstüte, der sich auf der Straße verstreut hatte, eine am Boden liegende Handtasche oder ein offener Schnürsenkel. Bilder, die sich einbrannten.

Vibeke schob den Gedanken an den fehlenden Schuh beiseite und öffnete die nächstgelegene Tür, während ihr Mitarbeiter eine der anderen nahm.

Die Tür führte sie in eine große Halle mit einer beträchtlichen Anzahl von Maschinen. Kreissägen, Tischfräsen, Hobel- und Schleifmaschinen, Furnierpresse und Plattensäge. Hinzu kamen zahlreiche Handmaschinen, die in Stahlregalen verstaut waren. Diverse Sägen von der Stichsäge bis zum Fuchsschwanz, Hobel, Stemmen, Fräsen und Bohrer. Kleineres Werkzeug wie Schraubendreher, Zwingen, Spachtel und Zangen hingen in Halterungen oberhalb der Werkbank, die sich eine komplette Wand entlangzog. In einem weiteren Regal standen Farben, Öle, Lacke und Pinsel in Gläsern bereit. Alte Fensterrahmen lehnten an der unverputzten Backsteinwand, unscheinbare Schätze, die darauf warteten, dass ihnen neues Leben eingehaucht wurde. In einem Plattenregal lagerten Holzplatten in unterschiedlichen Größen und Maserungen. Sämtliche Geräte und Maschinen waren mit einer dünnen, hellen Schicht überzogen. Holzstaub.

Vibeke spürte ein leichtes Kratzen im Hals, während sie den Blick weiter durch die Tischlerei schweifen ließ. Ein Schemel war umgefallen. Auf der Werkbank zwischen ein paar Schraubendrehern lag ein auf die Seite gefallener Kaffeebecher. Flüssigkeit war herausgeflossen und mündete in einer eingetrockneten dunklen Lache auf dem Fußboden. Jetzt bemerkte sie auch die Schleifspuren, die sich durch den Holzstaub von dort bis zum Tor der Werkstatt zogen.

Lennard Friedrichs ist an seinem Arbeitsplatz überwältigt und nach draußen geschleift worden, schoss es Vibeke durch den Kopf.

Sie ging zurück in den Vorraum und stieß dort mit Michael Wagner zusammen, der gerade aus einer der angrenzenden Türen kam.

»Da drinnen sind nur die Küche und das Gäste-WC«, erklärte ihr Mitarbeiter. »Alles absolut unauffällig.«

»Ruf die Spurensicherung. Wie es aussieht, wurde Lennard Friedrichs in seiner Werkstatt überwältigt.«

Vibeke deutete mit dem Kopf in Richtung Tischlerei. »Die Räume dürfen vorerst von niemandem betreten werden. Und sorg bitte auch dafür, dass der Innenhof abgesperrt wird. Ich sehe mich in der Zwischenzeit oben um.«

Michael Wagner nickte und zog sein Handy aus der Jackentasche.

Während er die Spurensicherung verständigte, nahm Vibeke die Treppe ins Obergeschoss. Die Stufen knarzten unter ihren Schritten. Am oberen Absatz erwartete sie eine weitere Tür. Sie war unverschlossen.

In der Wohnung roch es schal und abgestanden, so als hätte ihr Bewohner schon lange nicht mehr gelüftet. Ein etwa vierzig Quadratmeter großer Raum mit altem Holzgebälk und halbrunden Sprossenfenstern. Die Möbel waren größtenteils aus Holz, vermutlich selbst geschreinert, das Bett ungemacht, überall lagen verstreute Klamotten herum.

Auf der Fensterbank befand sich ein Sammelsurium unterschiedlichster Dinge. Eine vertrocknete Grünpflanze, ein halb fertig gegessener Joghurt neben zwei leeren Bierflaschen, ein gelbbrauner Stein, wie man ihn millionenfach am Strand fand, zwischen diversen Kronkorken und ein Windlicht mit heruntergebrannter Kerze. Von einem der Dachbalken hing ein Sandsack herab, auf dem Parkett darunter lagen schwarze Hanteln auf einer Matte, ein 65-Zoll-Flatscreen zierte die Wand.

Eine typische Junggesellenbude. Nichts deutete auf einen Kampf oder ein Verbrechen hin.

Vibeke warf einen kurzen Blick in die angrenzende

Küche, ging dann ins Bad und beförderte Zahn- und Haarbürste in separate Spurensicherungstüten für den DNA-Abgleich, ehe sie die Treppe zurück zum Ausgang nahm.

Die gepflasterte Einfahrt war mit weiß-rotem Flatterband abgesperrt worden, vor dem überdachten Stellplatz stand ein Polizeitransporter.

Sie reichte einem der Uniformierten die Spurensicherungstüten. »Ich möchte, dass die Asservate auf schnellstem Weg zur DNA-Analyse in die Kriminaltechnik kommen.«

Der Polizist nickte. »Ich kümmere mich sofort darum.«

Hinter der Absperrung diskutierte ein rüstiger älterer Herr lautstark mit einem Beamten und weckte ihre Aufmerksamkeit. »Ich will jetzt sofort wissen, was hier los ist!« Er hatte schlohweißes Haar und trug eine dunkelgrüne Steppjacke. Um ihn herum hatte sich eine Menschentraube gebildet. Einige hatten ihre Handys auf den Streifenbeamten gerichtet, der versuchte, den aufgebrachten Mann zu beruhigen.

Vibeke eilte auf die Absperrung zu und hob abwehrend die Hand in Richtung der Schaulustigen. »Machen Sie die Kameras aus.« Sie wandte sich dem Beamten zu. »Gibt es ein Problem?«

»Mein Sohn Lennard wohnt dort«, kam ihm der ältere Herr zuvor und deutete auf die Tischlerei. »Und kein Mensch gibt mir Auskunft.« Er fingerte in der Innentasche seiner Steppjacke herum und reichte ihr seine Ausweiskarte.

Vibeke überprüfte die Daten und reichte das Dokument zurück. »Ich bin Vibeke Boisen von der Polizei in Flensburg. Kommen Sie.« Sie hob das Polizeiband an, und er schlüpfte hindurch.

Vibeke führte Theo Friedrichs zum Polizeitransporter. Michael Wagner, der im Inneren saß und telefonierte, schob die Seitentür auf und stieg aus, um ihnen Platz zu machen.

»Bitte.« Sie deutete auf die beiden gegenüberliegenden Rückbänke und wartete, bis Theo Friedrichs eine ausgewählt hatte, ehe sie sich auf der anderen niederließ.

»Was ist mit Lennard?« Die Sorge um seinen Sohn stand ihm deutlich ins Gesicht geschrieben. »Jetzt sagen Sie schon.«

Vibeke fühlte sich unwohl in ihrer Haut. Die Überbringung von Todesnachrichten gehörte zu den schwierigsten Dingen in ihrem Job und wurde auch im Laufe der Jahre nicht einfacher. Zumal sie noch nicht die abschließende Gewissheit hatten, dass es sich bei dem Toten in der Papiersortieranlage tatsächlich um Lennard Friedrichs handelte. Trotzdem durfte sie seinen Vater nicht in falscher Sicherheit wiegen.

»Ich will ehrlich sein, Herr Friedrichs. In Ahrenshöft wurde eine männliche Leiche gefunden. Die endgültige Identifizierung steht noch aus, aber der Beschreibung nach könnte es sich um Ihren Sohn Lennard handeln.«

Theo Friedrichs wurde aschfahl im Gesicht. Im nächsten Augenblick sackte er zusammen.

Es war später Nachmittag, als Vibeke in der Polizeidirektion mit ihren beiden Mitarbeitern zusammen-
traf. Ihre Gedanken kreisten noch immer um Theo
Friedrichs, der einen Schwächeanfall erlitten hatte
und zur Sicherheit von einem Rettungswagen in ein
nahe gelegenes Krankenhaus gebracht worden war.

In der Regel achtete sie darauf, Opfern und ihren
Angehörigen gegenüber emotionalen Abstand zu
wahren, doch der Zusammenbruch des älteren Herrn
war nicht spurlos an ihr vorübergegangen. Sie fragte sich, ob sie möglicherweise einen Fehler gemacht
hatte, indem sie nicht zuerst das Laborergebnis des
DNA-Abgleichs abgewartet hatte, kam aber zu dem
Schluss, dass sie auch im Nachhinein nicht anders gehandelt hätte. Der Mann hatte zu Recht auf Antworten gedrängt. Und die Wahrheit ließ sich nicht schö-
ner verpacken, zumindest nicht, ohne dabei falsche
Hoffnungen zu schüren.

Klaus Holtkötter räusperte sich geräuschvoll, und
sie bemerkte, dass ihre Mitarbeiter sie erwartungsvoll
ansahen. Sie hatte ihrem Stellvertreter am Tag zuvor
einen ordentlichen Einlauf verpasst und ihm dabei
mehr als deutlich gemacht, dass sein respektloses
Verhalten nicht länger ohne Konsequenzen bleiben
würde. Seitdem war ein wenig Ruhe eingekehrt. Holtkötter hatte die letzten Stunden zusammen mit seinem Kollegen anstandslos die Häuser in der Nachbarschaft der Tischlerei abgeklappert und die Anwohner
befragt. Er war ein Ermittler der alten Schule, gründlich und routiniert, in dieser Hinsicht gab es keiner-

lei Grund zur Beanstandung; trotzdem ahnte sie, dass ihr Waffenstillstand nur vorübergehender Natur war.

»Dann legen wir mal los.« Vibeke wandte sich dem Whiteboard zu, an dem die Fotos der Leiche angebracht worden waren. »Laut Rechtsmedizin ist das Opfer gestern zwischen halb neun und halb zwölf gestorben, demnach muss der Tote zu diesem Zeitpunkt bereits im Container gelegen haben. Was hat denn die Befragung in der Nachbarschaft ergeben?«

Michael Wagner klappte sein Notizbuch auf. »Die meisten Leute, mit denen wir gesprochen haben, kennen Lennard Friedrichs, allerdings ist niemandem etwas Ungewöhnliches aufgefallen. Eine Frau, die im Haus gegenüber wohnt, war um halb sieben mit ihrem Hund draußen. Da brannte in der Tischlerei bereits Licht.«

»Friedrichs war in der Nachbarschaft nicht sonderlich beliebt«, ergänzte Holtkötter und strich dabei wie so oft seine verbliebenen Haare über der Halbglatze zurecht. »Er hat wohl schon häufiger die Kreissäge angeschmissen, während die Leute noch in ihren Betten lagen. Vielleicht hat ihn einer von denen in den Papiercontainer befördert.« Ein süffisantes Lächeln streifte seine Lippen. »Zumindest steht bei dem Mehrfamilienwohnhaus gegenüber genau so ein Container auf dem Hof.«

Vibeke blickte ihn aufmerksam an. »Die Kollegen von der Spurensicherung sollen sich den Container anschauen.«

»Schon geregelt«, erklärte Holtkötter zufrieden. »Die Jungs kümmern sich darum, sobald sie in der Tischlerei fertig sind.«

»Zeitlich könnte es passen«, warf Michael Wagner ein. Er blätterte eine Seite in seinem Notizbuch um. »Ich habe mit einem Mitarbeiter von der Abfallwirtschaftsgesellschaft telefoniert. Die Grünen Tonnen wurden dort gegen zehn entleert.«

»Aber das werden mit Sicherheit nicht die einzigen Papiercontainer in der Stadt sein«, gab Vibeke zu bedenken. »Was ist mit öffentlichen Sammelstellen?«

Michael schüttelte den Kopf. »Die findet man nicht in Leck. Zumindest nicht für Altpapier. Die meisten Haushalte haben Standardmülltonnen, natürlich gibt es auch Betriebe, die einen Container für Kartonagen auf dem Hof stehen haben. Die Supermärkte zum Beispiel. Aber die sind in der Regel nicht frei zugänglich.«

»Es sei denn, der Täter arbeitet dort«, ergänzte Holtkötter.

Michael errötete. »Das stimmt natürlich.«

»Ich frage mich, wie lange das Opfer bereits in dem Container gelegen hat«, sagte Vibeke. »Wann wurde Lennard Friedrichs denn zuletzt gesehen?«

»Bislang haben wir nur die Aussage eines Nachbarn, der ihn am Vorabend im Alten Dorfkrug gesehen hat.« Michael tippte mit seinem Stift auf die Tischplatte.

»Seid ihr dem nachgegangen?«

Schweigen.

Vibeke hob fragend die Brauen.

»Herr Wagner und ich haben auch nur zwei Hände.« Holtkötter verschränkte demonstrativ die Oberarme vor der Brust. »Wir sind hier schließlich nicht bei Ihrer Supereinheit. Davon abgesehen hat der Laden heute geschlossen.«

Vibeke wusste, dass nicht alle Kollegen und Mitarbeiter mit ihrer forschen Art, Ermittlungen zu führen, klarkamen, doch die ersten achtundvierzig Stunden nach einem Mord waren oftmals entscheidend für
die Klärung des Falls. Da hieß es, von Anfang an Voll-
gas geben. Außerdem sollte ihr Stellvertreter langsam
begriffen haben, dass die Uhren anders tickten als bei
ihrem Vorgänger, der die Ermittlungen stets gemäch-
lich vom Schreibtisch aus gelenkt hatte.

»Dann erkundigen Sie sich, wem das Lokal gehört,
und sprechen Sie mit den Leuten. Sobald das DNA-
Ergebnis vorliegt, beginnen wir mit den Befragungen
im persönlichen Umfeld des Opfers.« Sie wartete auf
einen weiteren Einwand ihres Stellvertreters, doch
Holtkötter lehnte sich schweigend in seinem Stuhl
zurück und musterte sie aus schmalen Augen.

Vibeke sah auf ihre Armbanduhr und löste sich von
ihrem Platz an der Fensterbank. »Michael, du bleibst
bitte mit der Kriminaltechnik in Verbindung. Ich
muss mich jetzt auf die Pressekonferenz vorbereiten.«
Sie verließ den Raum, holte sich in der Küche noch
schnell einen Kaffee, ehe sie auf ihr Büro zusteuerte.

Der Raum war klein und schmal, kaum größer als
eine Besenkammer. Ein Schreibtisch, zwei Stühle und
ein Aktenschrank auf ausgetretenem Teppichboden,
der vermutlich noch aus der Zeit stammte, als ihr
Vater hier gesessen hatte.

Die Luft im Raum war stickig. Vibeke stellte den
Kaffeebecher auf ihrem Schreibtisch ab und öffne-
te das Fenster. Kühle Luft strömte zusammen mit
Straßengeräuschen herein. Hinter den fast kahlen
Bäumen schimmerten die Masten der Segelschiffe in

der südlichen Hafenspitze. Es regnete noch immer Bindfäden.

Vibeke setzte sich an ihren Schreibtisch, trank zunächst einen Schluck Kaffee und fasste die bisherigen Eckdaten des Falls zusammen, um sie anschließend mit dem Pressesprecher durchzugehen und gemeinsam zu entscheiden, welche Informationen sie an die Medienvertreter weitergeben wollten. Bislang war nur ein kurzes Briefing über den Leichenfund herausgegeben worden.

Es klopfte, und im nächsten Augenblick steckte ein junger hochgewachsener Mann den Kopf durch die Tür. Leif Carstensen von der Spurensicherung. »Ah, gut, du bist da.« Er kam herein und reichte ihr eine Spurensicherungstüte. »Mit schönen Grüßen vom Chef. Arne sagte, du wolltest dir die Handfesseln noch einmal ansehen, sobald wir sie untersucht haben. Den Bericht dazu habe ich dir gerade geschickt.«

»Danke, Leif.«

Der Kriminaltechniker verschwand.

Vibeke öffnete den Umschlag. Der Handschellenknoten war in seiner Form belassen worden, nur an zwei Stellen hatte man die Schlingen durchtrennt, um die Handgelenke des Toten zu befreien. Das Material fühlte sich griffig an. Vibeke zog die Computertastatur zu sich heran, gab eine paar Befehle ein und hatte kurz darauf den Bericht der Kriminaltechnik auf dem Bildschirm. Sie las ihn aufmerksam durch. Das Seil stammte aus Polyesterfasern. Dreilitzig gedreht mit acht Millimeter Durchmesser. Strapazierfähig. Scheuerfest. Witterungsbeständig. Ein Material mit einer sehr guten Knotenfestigkeit.

An den Seilfasern waren Hautabriebspuren sichergestellt worden, die allesamt vom Opfer stammten. Fremdspuren waren nicht vorhanden.

Vibeke studierte die Tabelle, in der sämtliche Werkstoffeigenschaften der Polyesterfasern festgehalten worden waren. Dann griff sie zum Telefon und wählte die Nummer von Rasmus Nyborg.

Der Däne hob nach dem zweiten Klingeln ab.

»Hej, Rasmus«, begrüßte sie ihn. »Ich hoffe, ihr habt gestern noch schön gefeiert.«

»Es war klasse«, bestätigte Rasmus. »Aber deshalb rufst du sicherlich nicht an, oder?«

Er kannte sie bereits gut.

»Du hast recht.« Vibeke fasste für ihn in wenigen Worten den Leichenfund in der Papiersortieranlage zusammen. »Das Opfer wurde mit einem Handschellenknoten gefesselt.«

Einen Moment blieb es still in der Leitung.

»Nohr Lysgaard ebenfalls«, sagte Rasmus schließlich.

»Ach«, meinte Vibeke überrascht. »Hast du Einzelheiten zum Material des Seils?«

»Moment. Ich muss mir dafür schnell den Bericht der Kriminaltechnik auf den Bildschirm holen.« Das Klappern einer Computertastatur war zu hören. »Schieß los.«

In den nächsten Minuten glichen sie die einzelnen Werkstoffeigenschaften des Seils miteinander ab. Sie stimmten überein.

»Vielleicht haben wir es mit demselben Täter zu tun«, sagte Rasmus.

»Möglich, aber das Seil ist Massenware«, gab Vibe-

ke zu bedenken, »nahezu in jedem Baumarkt erhält-
lich. Es könnte genauso gut ein Zufall sein.«

»Dann würde ich sagen, wir trommeln die Sondereinheit zusammen und finden das heraus.«

»Das halte ich für verfrüht«, widersprach Vibeke.
»Am Ende verschwenden wir nur unnötige Ressour-
cen.«

In der Leitung erklang ein Seufzen.

»Am besten, wir suchen erst nach weiteren Überschneidungen«, schlug sie vor. »Schick mir deine
Unterlagen über den Fall Nohr Lysgaard, und du be-
kommst im Austausch das bisherige Material über
den Toten in der Papiersortieranlage.« Vibeke warf
einen Blick auf ihre Armbanduhr. »Ich muss jetzt leider Schluss machen. Unser Pressesprecher wartet auf
mich.« Sie legte auf.

Esbjerg, Dänemark

Rasmus ließ nachdenklich den Hörer auf die Gabel
sinken. Die Deutschen hatten auch einen Handschellenknoten, noch dazu mit dem gleichen Seil.
Dass Opfer von Gewalttaten gefesselt wurden, kam
häufiger vor. Es konnte also durchaus ein Zufall sein.

Doch Rasmus glaubte nicht an Zufälle, und er
hasste es, wenn seine Kollegin so vernünftig und bedacht agierte, während er selbst aus dem Bauch heraus ganz anders entschieden hätte.

Wenn es nach ihm ginge, würde die Sondereinheit sofort loslegen. Der Mord an dem Rønsted-CFO

schlug noch immer hohe Wellen, nicht nur bei der Presse, wo kaum ein Tag ohne Schlagzeilen verging; mittlerweile hatte sich auch Kopenhagen eingeschaltet. Alle machten Druck.

Rasmus wippte ungeduldig mit dem Fuß. Was gäbe er jetzt für eine Zigarette.

Er erhob sich von seinem Stuhl und verließ sein Büro. Im Flur traf er auf Silje Sørensen vom Empfang. Sie war Anfang dreißig, hellblond und hatte ein umwerfendes Lächeln. Sämtliche Männer der Polizeistation lagen ihr zu Füßen.

Doch Silje war nicht nur außergewöhnlich hübsch, sondern darüber hinaus hilfsbereit, loyal und blitzgescheit. Sie kannte die Abläufe in der Polizeistation wie kein anderer und übernahm deshalb häufig Assistenzaufgaben.

»Hej, Silje.« Er lächelte sie an. »Weißt du, ob Eva-Karin im Haus ist?«

»Sie ist in ihrem Büro.« Silje senkte die Stimme. »Aber die Tür ist zu.«

»Danke für die Warnung.« Rasmus überlegte, zurück an seinen Schreibtisch zu gehen. Eine geschlossene Tür bedeutete in der Regel eine schlecht gelaunte Vizepolizeiinspektorin. Alle in der Dienststelle wussten, dass man in dem Fall besser einen großen Bogen um sie machte. Doch Eva-Karin hatte Rasmus mehr als deutlich zu verstehen gegeben, dass die aktuelle Ermittlung oberste Priorität bei ihr hatte. Und vielleicht war es auch die passende Gelegenheit, um über ihre Nachfolge zu sprechen.

Kurz entschlossen steuerte er auf das Büro seiner Vorgesetzten zu, klopfte an die Tür und ging, ohne eine Antwort abzuwarten, hinein. »Hej, Eva-Karin, hast du einen Moment?«

Die Vizepolizeiinspektorin hob den Kopf von ein paar Unterlagen. Sie war eine kleine, drahtige Person mit strengem Gesichtsausdruck und blonder Kurzhaarfrisur.

»Geht es um den Fall Nohr Lysgaard?«

»Kann man so sagen.«

Seine Chefin wies auf den Besucherstuhl vor ihrem Schreibtisch. »Setz dich.« Sie klang angespannt.

Rasmus wusste, dass sie aufgrund der mangelnden Ermittlungsergebnisse nicht nur dem Kreuzfeuer der Medien ausgesetzt war, sondern auch sämtliche Augen der Führungsspitze auf sie gerichtet waren.

»Also?« Eva-Karin musterte ihn aufmerksam.

Er berichtete ihr von dem Toten in der Papiersortieranlage, den Übereinstimmungen bei den Fesseln und unterbreitete ihr schließlich seinen Vorschlag, die Sondereinheit zusammenzurufen.

Die Vizepolizeiinspektorin sagte lange Zeit nichts.

»Und die Seile sind absolut identisch?«

Rasmus nickte.

Sie krauste die Stirn. »Trotzdem. Wir brauchen ein bisschen mehr, um die Sondereinheit einzusetzen.«

»Der Mann ist im Grenzgebiet gestorben«, fügte Rasmus hinzu.

»Sagtest du nicht etwas von Ahrenshöft?« Eva-Karin tippte ein paar Befehle in ihre Computertastatur und sah auf den Bildschirm. »Laut Google liegt der Ort außerhalb.«

»In der Papiersortieranlage wurde nur die Leiche gefunden, der Tatort selbst befindet sich in einem

Sammelfahrzeug«, erklärte Rasmus. »Und das war zum Todeszeitpunkt im Grenzgebiet unterwegs.« Mit zwei Fingern kratzte er sich im Nacken. Er wusste, dass seine Argumentation dünn war. »Und soweit ich weiß, gilt noch immer das Tatortprinzip.«

»Ist der Tote Däne?« Seine Vorgesetzte tippte mit dem Kugelschreiber auf die Tischplatte. »Oder hat er irgendeine Verbindung zu Dänemark?«

Rasmus seufzte innerlich. »Das Opfer wurde noch nicht identifiziert.«

»Das ist alles viel zu unausgegoren, Rasmus.« Eva-Karin lehnte sich in ihrem Stuhl zurück und legte die Fingerspitzen aneinander. »Mein Vorschlag: Du bleibst mit Vibeke in Kontakt, ihr tauscht euch über weitere Einzelheiten aus und sucht nach Verbindungen zwischen den Opfern. Solltet ihr etwas finden, spreche ich mit Hans, und wir sehen weiter.« Kriminalrat Hans Petersen war Stabsbereichsleiter in Flensburg und Vibekes Vorgesetzter.

Rasmus fuhr sich mit der Hand übers Gesicht. Er war bei seiner Chefin genauso weit gekommen wie bei Vibeke. Als hätten sich die beiden Frauen abgesprochen. »Mir bleibt wohl nichts anderes übrig, als zuzustimmen.«

»Dann liefere mir Ergebnisse, Rasmus«, erwiderte Eva-Karin gereizt. »Vor allem, was Nohr Lysgaard betrifft.« Sie beugte sich vor. »Es kann doch nicht sein, dass in unserem Land der CFO eines OMX-Unternehmens ermordet wird und wir nicht in der Lage sind, den Fall aufzuklären.«

Rasmus schwieg. Im Grunde gab es dazu auch nichts weiter zu sagen. Er und Mads waren verschiedenen Spuren nachgegangen, unter anderem dem Verdacht, Nohr Lysgaard könne in illegale Transaktionen verwickelt gewesen sein, doch sie hatten dabei nicht das Geringste zutage gefördert. Zudem hatte Mads herausgefunden, dass Mille Lysgaard eine Affäre mit dem Lehrer ihres Sohnes unterhielt, und sie hatten die Möglichkeit in Betracht gezogen, dass sie hinter dem Mord an ihrem Mann steckte. Sie besaß kein handfestes Alibi, und als Nutznießerin einer stattlichen Lebensversicherung konnte sie in Zukunft ein sorgenfreies Leben führen. Menschen hatten schon aus weitaus niedrigeren Beweggründen gemordet. Doch auch für diese Theorie ließen sich keine Beweise finden.

Und obwohl Eva-Karin es nicht explizit ausgesprochen hatte, fühlte Rasmus sich dafür verantwortlich, dass sie den Fall bislang nicht gelöst hatten. Vielmehr ärgerte es ihn. Und zwar immens. Jedenfalls war es definitiv der falsche Zeitpunkt, um mit seiner Vorgesetzten über seine Joboptionen zu sprechen. Er stand auf und hob zum Abschied kurz die Hand, ehe er ihr Büro verließ.

Flensburg, Deutschland

Die Journalisten nahmen ihre Positionen ein. Kameraleute und Reporter, die live fürs Fernsehen oder fürs Radio berichteten, belegten die Plätze in den vorderen Reihen, alle anderen Pressevertreter scharten sich dahinter.

Zahlreiche Objektive und Mikrofone waren auf das Podium gerichtet, an dem Vibeke als leitende Ermittlerin zwischen dem Pressesprecher und dem zuständigen Staatsanwalt vor dem blauen Banner der Flensburger Polizeidirektion saß.

»Schönen guten Abend zusammen«, leitete der Staatsanwalt die Pressekonferenz ein. »Wie wir Ihnen bereits mitgeteilt haben, gab es gestern einen Leichenfund in der Papiersortieranlage in Ahrenshöft. Weitere Informationen dazu erhalten Sie jetzt von der Leiterin der Mordkommission, Vibeke Boisen.«

»Guten Abend auch von mir«, sagte Vibeke und ließ den Blick über die Köpfe der Anwesenden schweifen. Die Kameras der Fotografen und Journalisten klickten ohne Unterlass. »Bei dem Opfer handelt es sich um eine männliche Person zwischen Anfang und Mitte dreißig.« Sie zählte die weiteren Körpermerkmale auf. »Der Tote wurde von einem Mitarbeiter der Papiersortieranlage auf einem Förderband gefunden, und wir konnten rekonstruieren, dass der Mann zuvor in die Presse eines Müllsammelfahrzeugs gelangt ist. Da das Opfer zu dem Zeitpunkt gefesselt war, gehen wir von einem Tötungsdelikt aus.«

»Er wurde also lebendig zerquetscht?«, unterbrach sie eine Reporterin.

»Das lässt sich nicht mit Sicherheit sagen«, erwiderte Vibeke. »Das Opfer erlitt hochgradige Schädel- und Rumpfkompressionen, dabei wurden lebenswichtige Organe in Mitleidenschaft gezogen. Bei einem lebenden Menschen führt das zu einem schlagartigen Blutdruckabfall und somit unmittelbar zum Tod.«

Ein leichtes Raunen ging durch die Menge.

»Claas Behring. *SHT.*« Der Journalist, der bislang halb verborgen in der dritten Reihe hinter Fernsehkameras gesessen hatte, beugte sich vor. »Wie konnte der Mann in den Müllwagen gelangen?«

Vibeke hatte Mühe, ihre Überraschung zu verbergen. Was machte Claas hier? Gewaltverbrechen fielen normalerweise nicht in sein Ressort. Sie bemühte sich um eine sachliche Antwort. »Wir gehen davon aus, dass der Mann in einem der Papiercontainer gelegen hat, die von dem Fahrzeug gestern entleert wurden.«

»Gibt es Hinweise auf den Täter?« Claas gab nicht zu erkennen, dass sie sich kannten. Er war ein großer Mann mit kantigen Zügen und wassergrauen Augen.

»Darauf kann ich bei einer laufenden Ermittlung nicht eingehen.« Sie wandte den Blick ab.

Es hagelte zahlreiche Fragen, die Vibeke jedoch ignorierte. »Details zum weiteren Tathergang können wir leider erst zu einem späteren Zeitpunkt bekannt geben.«

Ein paar der Journalisten meldeten sich per Handzeichen.

Der Polizeisprecher übernahm. »Bitte haben Sie Verständnis, dass wir momentan noch nicht mehr sagen können. Die Ermittlungen dauern erst wenige Stunden an.« Er blickte in die Fernsehkameras. »Sollte jemand in der Bevölkerung etwas beobachtet haben oder über sachdienliche Hinweise verfügen, informieren Sie bitte umgehend die Polizei.« Er nannte eine Telefonnummer. »Vielen Dank.«

Der Staatsanwalt beendete den Pressetermin mit

ein paar abschließenden Worten. Stühle scharrten, und der Raum leerte sich.

»Gut gemacht, Chefin.« Michael Wagner löste sich von der Wand neben dem Eingang.

»Danke.« Vibeke hatte den Blick auf die Tür gerichtet, durch die gerade die Journalisten verschwanden. Claas war einer der Letzten, und ehe er den Raum verließ, drehte er sich noch einmal um und zwinkerte ihr zu.

Vibeke konnte nur mit Mühe ein Lächeln unterdrücken. Sie wandte sich ihrem Mitarbeiter zu. »Hast du mit der Kriminaltechnik gesprochen?«

Michael Wagner nickte. »Die Spusi ist mit der Tischlerei und der Wohnung durch. Bislang gibt es keinen Hinweis auf Fremdspuren.« Sie verließen den Konferenzraum und nahmen die Treppe in den dritten Stock, wo sich die Räume der Mordkommission befanden.

»Ach ja«, fuhr ihr Mitarbeiter fort. »Herr Holtkötter hat offenbar den richtigen Riecher gehabt. In dem Papiercontainer bei den Nachbarn gegenüber wurden neben einigen Faserspuren auch DNA-Spuren gefunden. Die Laboranalyse steht allerdings noch aus.«

Sie erreichten den Flur der Mordkommission und blieben schließlich vor dem Büro ihrer Mitarbeiter stehen.

Durch die offene Tür stellte Vibeke überrascht fest, dass die Jacke ihres Stellvertreters noch über seiner Stuhllehne hing. Auch der Computerbildschirm auf seinem Schreibtisch war noch an. »Sag bloß, Holtkötter ist noch da?«

Michael grinste. »Er hat eine Wette verloren und muss deshalb die Berichte schreiben.«

»Ihr beiden wettet miteinander?« Vibeke geriet ein zweites Mal ins Staunen. »Worüber denn?«

»Fußball.«

Sie schmunzelte. »Dann nutz am besten die Gelegenheit und mach Feierabend. Sobald der DNA-Abgleich vorliegt, haben wir alle Hände voll zu tun.«

»Und was ist mit dir?«

»Ich muss noch ein paar Akten durchgehen. Wir sehen uns morgen früh.« Vibeke lächelte ihn an und steuerte auf ihr Büro zu.

Zwei Stunden später lehnte sie sich in ihrem Schreibtischstuhl zurück. Abgesehen von den Fesseln deutete nichts auf eine Verbindung zwischen den beiden Fällen hin. Es gab keine weiteren Ähnlichkeiten. Weder beim Tatort noch bei der Todesart. Auch zwischen den Opfern konnte sie, bis auf die Tatsache, dass es sich um zwei Männer handelte, keine Gemeinsamkeiten feststellen. Sowohl was das Alter, das Aussehen, den Beruf oder die familiären Verhältnisse betraf.

Somit würde es vorerst keinen Einsatz für die Sondereinheit geben. Rasmus würde enttäuscht sein. Und Vibeke ging es ganz ähnlich. Sie genoss die Zusammenarbeit mit ihren Teamkollegen. Anfangs eher zufällig aus unterschiedlichen Behörden zusammengewürfelt, funktionierten sie mittlerweile wie ein gut geschmiertes Schweizer Uhrwerk, bei dem ein Rädchen perfekt ins andere griff. Sie waren zu einer professionell agierenden Einheit geworden, die selbst ein Rasmus Nyborg mit seinen sporadischen Alleingängen nicht aus dem Tritt brachte. Im Gegenteil. Er war derjenige im Team mit der schärfsten Intuition, und sie hatte selten erlebt, dass er sich täuschte.

Kurz überlegte Vibeke, sich noch weitere Tatortfotos und die Aufnahmen aus der Wohnung des Opfers anzusehen, die Rasmus ihr geschickt hatte, doch es waren zu viele, um sie heute noch alle durchzugehen.

Sie leitete die Informationen der Kieler Rechtsmedizin und den Bericht der Kriminaltechnik an Rasmus weiter, wie sie es ihm versprochen hatte, und fuhr anschließend den Computer herunter.

Als sie schließlich aus der grünen Rundbogentür der Polizeidirektion trat, war es bereits nach einundzwanzig Uhr.

Eine Gestalt löste sich aus der Dunkelheit. Claas.

»Sag bloß, du hast hier die ganze Zeit gewartet«, fragte Vibeke verdutzt.

Claas blieb vor ihr stehen, die Hände in den Hosentaschen versenkt. Im Schein der Laternen schimmerten die grauen Strähnen in seinem dunklen Schopf leicht silbrig.

Er lachte heiser. »Da muss ich dich leider enttäuschen, Frau Kriminalhauptkommissarin. Ich habe gesehen, dass in deinem Büro noch Licht brennt.« Er deutete mit dem Kopf die Gebäudefassade hinauf. »Offensichtlich bin ich schneller mit dem Schreiben meines Artikels als du mit deinem Bericht.«

Sie lächelte. »Was daran liegen könnte, dass ich der Presse nicht allzu viel berichtet habe.«

»Weil es nicht mehr gab oder weil ihr Informationen zurückhaltet?«

Vibeke versteifte sich. »Du weißt, dass ich darauf nicht antworten werde.« Sie musterte ihn. »Warum warst du überhaupt bei der Pressekonferenz?«

»Sie haben Nils gefeuert.« Claas strich sich mit einer müden Geste übers Gesicht.

Nils Brandt war ein langjähriger Redakteur bei der *SHT* und hatte sich nicht nur auf gesellschaftspolitischen Sprengstoff, sondern auch auf Kriminalfälle spezialisiert. Damit war er der fünfte Lokaljournalist, der in den letzten Monaten bei der Zeitung seinen Hut hatte nehmen müssen. Offiziell waren für den Stellenabbau Umsatzeinbrüche als Grund genannt worden. Steigende Kosten für Büroräume in Citylage und Gehälter für Festangestellte, während die Auflagen kontinuierlich weiter sanken.

Damit nahm das Redaktionssterben in der Zeitungslandschaft weiter seinen Lauf. Immer mehr Print- und Onlinemedien setzten deshalb auf externe Dienstleister. Neue Köpfe mit neuen Ideen für weniger Geld.

»Schon vor zwei Tagen«, ergänzte Claas. »Es konnte ja niemand ahnen, dass ein Mord geschieht, ehe seine Nachfolge geklärt ist. Also hat man mich geschickt. Ich bin übrigens voller Bewunderung für deine Professionalität. Du hast noch nicht einmal mit der Wimper gezuckt, als ich dir Fragen gestellt habe.« Er machte einen Schritt auf sie zu, schlang einen Arm um ihre Taille und zog sie näher zu sich heran. Vibekes Herz klopfte augenblicklich schneller.

»Wie du schon sagst, ich bin eben ein Profi. Und deshalb möchte ich auch vor meiner Dienststelle nicht mit einem Journalisten wie auf dem Präsentierteller stehen.« Lächelnd löste sie sich aus der Umarmung.

»Verstehe.« Er nahm ein wenig Abstand. »Aber gegen ein gemeinsames Feierabendbier ist doch sicherlich nichts einzuwenden, oder?«

Vibeke zögerte mit einer Antwort. »Können wir das vielleicht verschieben? Ich hatte einen langen Tag.«

Claas musterte sie intensiv. Dann lächelte er spröde. »Kein Problem.« Er drehte sich um und schlenderte ohne ein weiteres Wort davon.

Vibeke sah ihm hinterher. Die Tatsache, dass Claas ab jetzt über ihren Fall berichtete, und der Gedanke daran, welche Probleme das nach sich ziehen konnte, brachten sie aus dem Gleichgewicht. Oder war sie einfach zu verkopft?

Vielleicht sollte sie abwarten, wie sich die Dinge zwischen ihnen entwickelten, ehe sie vorschnelle Entscheidungen traf. Im Moment wusste sie nicht einmal, ob sie überhaupt eine Beziehung wollte. Sie genoss ihr Singleleben. Dass sie tun und lassen konnte, was sie wollte, ohne jemandem darüber Rechenschaft ablegen zu müssen. Keine Spannungen, kein Streit, keine Sentimentalitäten. Letzteres machte ohnehin nur angreifbar.

Doch Claas' Nähe löste ein aufregendes Gefühl in ihr aus. Für einen kurzen Moment bereute Vibeke, ihn so kühl abgewiesen zu haben, und spielte mit dem Gedanken, ihn zurückzurufen, aber seine Gestalt war bereits in der Dunkelheit verschwunden.

Asger Groth stand im Schatten eines Baumes und beobachtete das Haus auf der gegenüberliegenden Straßenseite. Der Wind rüttelte an den Ästen, riss die feuchten Blätter herab und fegte einige davon zusammen mit ein paar Regentropfen in seinen Nacken, doch er spürte es nicht.

Er hatte oft davon geträumt, sie umzubringen. Sich von hinten an sie heranzuschleichen, ihr mit einem Messer die Kehle zu durchtrennen und ihr anschließend dabei zuzusehen, wie sie langsam verblutete und die letzten Lebensgeister aus ihrem Körper wichen. Allein die Vorstellung löste bei ihm ein wohliges Gefühl der Zufriedenheit aus.

Trotz der späten Stunden brannte hinter ihren Fenstern noch Licht. Hin und wieder sah er ihre schmale Gestalt von einem Raum in den nächsten huschen.

Das kleine Notizbuch, in dem er sämtliche ihrer Gewohnheiten vermerkte, füllte sich Seite um Seite. Er wusste, wann sie am Morgen zur Arbeit fuhr, in welchem Supermarkt sie gerne einkaufte, welche Milch- und welche Brotsorte sie bevorzugte und dass sie eine Vorliebe für Weißwein hegte. Darüber hinaus hatte er notiert, um welche Uhrzeit der Postbote die Päckchen und Briefe brachte und wann sie am Abend nach Hause kam. Er wusste bereits viel über ihr Leben, doch noch längst nicht genug. Sie war nur selten allein, und es galt, den perfekten Moment abzuwarten.

Das Kläffen eines Hundes riss ihn aus seinen Gedanken. Am Nachbarhaus ging die Haustür auf, und ein junger Typ kam mit einem Vierbeiner heraus. Ein weiteres kräftiges Aufbellen, dann spitzte das Tier die Ohren und starrte in seine Richtung. Dunkle Augen, die ihn über die Straße hinweg zu hypnotisieren schienen.

Asger zog sich weiter hinter den Baum zurück. Fehlte ihm noch, dass die Töle zu ihm herüberrannte. Seine Finger zitterten vor Anspannung.

Im nächsten Moment zerrte der Typ an der Leine des Hundes und zog ihn in die andere Richtung die Straße entlang. Erleichtert atmete Asger auf. Das Zittern ließ nach.

Sein Blick wanderte zurück zum gegenüberliegenden Haus. Hinter zwei Fenstern war es mittlerweile dunkel, im Schlafzimmer wurden gerade die Vorhänge zugezogen. Kurz darauf erlosch auch dort das Licht. Er notierte die Uhrzeit in seinem Notizbuch, blieb aber noch ein wenig in seinem Versteck und behielt die Straße im Blick.

Um diese Zeit waren nicht mehr viele Menschen unterwegs, trotzdem musste er vorsichtig sein. Als er sicher sein konnte, dass ihn niemand beobachtete, löste er sich aus dem Schatten des Baumes und eilte um die nächste Hausecke, wo er sein Auto abgestellt hatte. Er parkte jeden Tag woanders, um sich vor den Augen neugieriger Nachbarn zu schützen.

Sobald er hinter dem Lenkrad saß, atmete er tief durch und startete den Motor. Er würde wiederkommen. Schon ganz bald.

4. Kapitel

Blåvand, Dänemark – Neujahr 2013

»Prost Neujahr!« Gläser klirrten. Vor dem Fenster schossen erste Raketen in den Himmel.

Henning küsste seine Frau, umarmte seine Kinder.

»Frohes neues Jahr, Papa!« Leonie schmiegte kurz ihr Gesicht an seine Wange, und ein blumiges Parfüm stieg ihm in die Nase. Mein kleines Mädchen wird groß, schoss es ihm durch den Kopf.

In den letzten Monaten war aus ihr ein Teenager geworden. Plötzlich trug sie einen BH und zu enge Jeans, stritt mit ihrer Mutter darüber, ob der grelle Glitzernagellack für die Schule nicht zu viel war, und brach augenblicklich in Kreischalarm aus, sobald ein bestimmter Youtuber im Netz ein neues Video hochlud.

Er griff nach der Hand seiner Frau, und gemeinsam betrachteten sie das Farbspektakel über der Küste.

»Ich hau dann mal ab.« Der fünfzehnjährige Ben stand in Winterjacke und mit Rucksack bepackt vor ihnen. In der Hand hielt er ein Feuerzeug.

»Bitte, pass auf«, mahnte Anna. »Wirf bloß keine Böller in Richtung von Menschen. Und bleib damit am Strand.« Aus Sicherheitsgründen durfte das Feuerwerk nicht in der Nähe der Ferienhäuser gezündet werden.

»Mensch, Mama, ich bin doch nicht blöd.« Ben rollte genervt die Augen und verschwand durch die Tür.

Es wirkt alles völlig normal, dachte Henning. So wie im letzten Jahr. Ben zog mit seinen Freunden ab, Leonie zuckte bei jedem Knall zusammen und hatte mütterlich den Arm um ihre kleine Schwester Emmi gelegt, die mit großen Augen das Feuerwerk bestaunte und jede Minute genoss, die sie länger aufbleiben durfte als sonst.

Doch ihr Leben war in den letzten zwölf Monaten alles andere als normal gewesen. Stattdessen war die Angst zu ihrem ständigen Begleiter geworden.

Er umfasste Annas Hand ein wenig fester, zog seine Frau zu sich heran, küsste sie zärtlich auf die Stirn. »Ich liebe dich.«

Sie erwiderte nichts, blickte stumm aus dem Fenster.

Büsche mit wilder Hagebutte und dicht gewachsenes Heidekraut umgaben die Reetdachkate, die sich wie zahlreiche andere Ferienhäuser zwischen die Dünenlandschaft duckte. Dahinter lag das Meer. Rau. Wild. Endlos weit.

In der Zeit um Weihnachten und Silvester waren sämtliche Häuser in dem Feriengebiet belegt, überwiegend von ihren deutschen Landsleuten. Manche der Urlauberfamilien kannten sie bereits seit Jahren.

»Was, wenn sich alles wiederholt«, flüsterte Anna, während ein Goldregen am Himmel explodierte.

»Das wird es nicht.« Henning versuchte, seiner Stimme einen festen Klang zu verleihen.

»Und wenn doch?«

»Dann stehen wir das durch. Gemeinsam.«

Anna löste sich von seiner Hand. »Ich gehe ins Bett.« Sie strich Emmi, die noch immer bei ihrer Schwester an einem der Fenster stand, übers Haar und ging die Holztreppe hinauf ins Obergeschoss, wo sich die Schlafräume befanden.

Henning sah ihr hinterher. Seine Zuversicht verpuffte mit dem Weggehen seiner Frau. Anna hatte sich verändert. Ihre Fröhlichkeit war verschwunden und einer Melancholie gewichen, die er nur schwer ertragen konnte.

Der Urlaub sollte ihnen Ablenkung verschaffen und im besten Fall zu einem Neubeginn werden. Doch was geschah, wenn sich Annas Befürchtung bewahrheitete und sich der Horror der letzten Monate tatsächlich wiederholte?

Flensburg, Deutschland

Der Anruf aus der Rechtsmedizin war am frühen Morgen gekommen. Der DNA-Abgleich hatte zweifelsfrei bestätigt, dass es sich bei dem Toten in der Papiersortieranlage um Lennard Friedrichs handelte.

Vibeke war umgehend zu Theo Friedrichs ins Krankenhaus nach Niebüll gefahren. Gefasst, aber nahezu stumm vor Kummer hatte der alte Herr die Nachricht vom Tod seines Sohnes aufgenommen. Erst nach einer ganzen Weile hatte er Vibekes Fragen beantworten können. Lennard hätte am Mordtag eine Schranktür bei ihm richten wollen, war aber zur vereinbarten Zeit nicht erschienen und auch später nicht erreichbar gewesen. Früher sei sein Sohn tatsächlich nicht der Zuverlässigste gewesen. Sie hätten oft darüber gestritten, dass er etwas Vernünftiges mit seinem Leben anfangen sollte, anstatt nächtelang durch irgendwelche Klubs zu ziehen und zu feiern, als gäbe es kein Morgen mehr. Sein Sohn habe sich mit seinen Gelegenheitsjobs immer gerade so über Wasser halten können.

Ein Lebemann sei sein Lenny früher gewesen. Erst nach einem Totalabsturz war er schließlich zur Vernunft gekommen. Hatte eine Ausbildung zum Schreiner gemacht und später, als sein Vater den Betrieb wegen seiner Arthritis nicht weiterführen konnte, die Tischlerei übernommen.

Während ihre Mitarbeiter in Leck Freunde und Bekannte des Tischlers abklapperten, saß Vibeke wieder an ihrem Schreibtisch in der Polizeidirektion und scrollte durch die Fotodateien, die ihr Rasmus am Vortag zusammen mit den Fallunterlagen geschickt hatte. Neben ihrem Kaffeebecher lag die aktuelle Ausgabe der *SHT,* die sie sich auf der Rückfahrt von Niebüll an einer Tankstelle gekauft hatte. Der Bericht über die Pressekonferenz war knapp und sachlich gehalten, doch der Artikel umfasste neben Fotos der Papiersortieranlage auch ein Interview mit dem Mitarbeiter, der die Leiche gefunden hatte. Zudem wurde anhand einer technischen Zeichnung erklärt, wie der Mechanismus eines Müllfahrzeugs mit Presse funktionierte.

Claas war gründlich. Das musste man ihm lassen. Doch wie würde es in Zukunft zwischen ihnen laufen? Würde er in ihr eine Quelle sehen? Sie mit Fragen löchern oder womöglich sogar aushorchen?

Fast alle Journalisten, die sie kannte, taten so etwas. Selbst ihre Freundin Nele, die seit Jahren als freie Redakteurin für Magazine, Hörfunk und Fernsehen arbeitete, bildete in dieser Hinsicht keine Ausnahme. Berufskrankheit nannte sie es.

Vibeke schob den Gedanken an Claas beiseite und konzentrierte sich wieder auf ihre Arbeit. Sie hatte gerade die Durchsicht der Tatortfotos beendet und das Ferienhaus des ermordeten CFOs auf dem Bildschirm, als es an der Tür klopfte. Gleich darauf betrat ihr Vater Werner Boisen, Flensburgs stellvertretender Polizeichef, ihr Büro.

»Moin, Vibeke«, begrüßte er sie, obwohl es bereits mittags war. »Hast du eine Minute?«

»Für dich doch immer.« Sie lächelte.

Er nahm auf dem Besucherstuhl Platz. »Das fühlt sich nach all den Jahren noch immer merkwürdig an, auf dieser Seite des Schreibtischs zu sitzen.« Werner lächelte angespannt. Er hatte sich von seinem Schlaganfall im letzten Jahr nahezu vollständig erholt. Bis auf eine leichte motorische Einschränkung, die sich durch geringfügiges Nachziehen seines linken Beines äußerte, war er wieder ganz der Alte. Vor einiger Zeit war er auch in seiner offiziellen Funktion in die Polizeibehörde zurückgekehrt. »Ich habe die Pressekonferenz im Fernsehen gesehen.«

»Dann bist du also als mein Vorgesetzter hier?«

Werner winkte ab. »Offiziell bin ich gar nicht hier. Aber mir ist da etwas zu Ohren gekommen. Es betrifft Klaus Holtkötter.«

»Hat er sich etwa bei dir über mich beschwert?«
Vibeke wusste, dass die beiden früher einen guten
Draht zueinander gehabt hatten.

Werner schüttelte den Kopf. »So dumm ist er nicht.
Ich habe nur durch Zufall mitbekommen, wie er mit
jemandem am Telefon über dich gesprochen hat. Ich
nehme an, es war seine Frau.« Er zögerte einen kurzen Moment, ehe er weitersprach. »Du weißt, dass
ich mir normalerweise nichts aus Tratsch mache, aber
sobald es meine Tochter betrifft ...« Er ließ den Rest
des Satzes unausgesprochen.

»Du musst mich nicht beschützen«, mahnte Vibeke. Werner und Elke Boisen waren nicht ihre leiblichen
Eltern, sondern hatten sie als elfjähriges Pflegekind bei
sich aufgenommen und später adoptiert. Noch immer
fiel es ihrem Vater schwer, die Beschützerrolle abzu-
legen. Etwas, das bereits in der Vergangenheit zu Reibe-
reien zwischen ihnen geführt hatte. »Ich bin erwachsen,
Werner. Und ich bin Holtkötters Vorgesetzte.« Es klang
schärfer als beabsichtigt. Sie bemühte sich um einen
versöhnlichen Tonfall. »Was hast er überhaupt gesagt?«

Ihr Vater runzelte die Stirn. »Dass du mit der Leitung der Abteilung überfordert bist und ihm mit Ver-
setzung drohst, weil du befürchtest, er könnte dir den
Rang ablaufen.«

»Was für ein Bullshit«, entfuhr es Vibeke. Sie hätte
gelacht, würde die Situation mit ihrem Mitarbeiter
nicht so an ihren Nerven zerren.

Er nickte. »Das dachte ich mir. Aber ich wollte dich
warnen. Du solltest Holtkötter im Auge behalten. Er
macht Stimmung gegen dich. Wenn ich dir einen Rat
geben darf ...«

»Werner, bitte«, unterbrach sie ihn. Sie hatten eine Vereinbarung getroffen, was diese Dinge betraf. Kein Hineingerede in ihre Ermittlungen oder in ihre Personalführung, solange er nicht in offizieller Funktion als stellvertretender Polizeichef mit ihr sprach.

»Schon gut.« Ihr Vater hob beschwichtigend die Hände und stand auf. »Ich hoffe, ihr kriegt den Täter bald. Das ist wirklich eine ganz scheußliche Sache.« Er verließ das Büro.

Vibeke schloss für einen Moment die Augen und rieb sich mit Daumen und Zeigefinger über den Nasenrücken. Holtkötter war wirklich das Letzte. Nicht genug, dass er hinter ihrem Rücken gegen sie hetzte, dazu verbreitete er auch noch Unwahrheiten. Am liebsten hätte sie ihn augenblicklich in ihr Büro zitiert, doch abgesehen davon, dass er in Leck gerade Klinken putzte, würde es nichts bringen. Formell gesehen hatte sie nichts gegen ihn in der Hand. Das bedeutete, sie musste vorerst in den sauren Apfel beißen und ihr neues Wissen für sich behalten. Kurz wünschte sie, Werner hätte ihr nichts von dem Telefonat erzählt.

Sie scrollte gedankenverloren durch die Fotos des Ferienhauses, in dem Nohr Lysgaard vorübergehend gewohnt hatte. Vielleicht sollte sie das Gespräch mit Kriminalrat Petersen suchen, doch sie schob den Gedanken gleich wieder beiseite. Wenn sie wegen des aufsässigen Verhaltens eines Mitarbeiters direkt zu ihrem Vorgesetzten rannte, untergrub das nur ihre Autorität. Am Ende traute man ihr dann tatsächlich die Abteilungsleitung nicht mehr zu. Das Problem Holtkötter konnte nur sie alleine lösen.

Sie klickte sich weiter durch die Fotogalerie. Wohnzimmer. Küche. Bad. Kinderzimmer. Schlafzimmer. Die lichtdurchfluteten Räume waren geschmackvoll eingerichtet. Helle Farben, Dielenböden aus gekalkter Eiche, dazu Stoffe und Teppiche aus Leinen und Sisal, vor den Fenstern hingen Bambusrollos. Ein typisches Strandhaus.

Vibeke stutzte. Ein Detail im Schlafzimmer stach ihr ins Auge. Sie vergrößerte das Foto, nippte nachdenklich an ihrem Kaffee. Dann leitete sie die Datei an ihr Handy weiter und schnappte sich den Autoschlüssel.

Leck, Deutschland

In Lennard Friedrichs' Wohnung roch es noch muffiger als am Vortag. An den Türen und einigen anderen Stellen waren Spuren von dem Rußpulver zu sehen, das die Kriminaltechniker als Hilfsmittel benutzt hatten, um Fingerabdrücke zu sichern. Alles andere war unverändert. Auch der Stein lag noch immer zwischen Bierflaschen und Kronkorken auf der Fensterbank. Gelbbraun. Rau. Unscheinbar.

Vibeke nahm ihn in ihre behandschuhte Hand, drehte ihn von allen Seiten im Licht. Er war ungewöhnlich leicht.

Vielleicht ein Bernstein. Erst vor Kurzem hatte sie eine Reportage über das sogenannte »Gold des Meeres« gesehen, wie der Kommentator die Schmucksteine aus fossilem Harz genannt hatte.

Sie zog ihr Handy aus der Jackentasche und drückte auf das Kamerasymbol. Das zuletzt hinzugefügte Foto zeigte die Fensterbank in Nohr Lysgaards Schlafzimmer im Strandhaus. Darauf lag ein einziger Gegenstand. Ein kleiner gelbbrauner Stein.

Es war nur ein winziges Detail am Rande, und einzeln betrachtet, war ein Stein auf einer Fensterbank absolut nichts Ungewöhnliches. Es konnte sich um eine zufällige Übereinstimmung handeln, doch angesichts der Parallelen bei den Fesseln ahnte Vibeke, dass sie auf etwas gestoßen war. Auch wenn sie zu diesem Zeitpunkt noch nicht wusste, was ihr Fund zu bedeuten hatte.

Sie fotografierte den Stein in seiner ursprünglichen Lage auf der Fensterbank und schickte Rasmus das Foto aufs Handy, ehe sie seine Nummer wählte. Die Mailbox sprang an. Sie hinterließ ihm eine Nachricht mit der Bitte um Rückruf, steckte ihr Handy zurück in die Jackentasche und ließ den Stein in eine Spurensicherungstüte gleiten. Anschließend ging sie zurück ins Untergeschoss, doch anstatt den Ausgang zu nehmen, betrat sie die Tischlerei.

Die Nummerntafeln der Spurensicherung waren verschwunden, der Holzstaub war geblieben. Augenblicklich kribbelte es ihr in Nase und Rachen. Auf dem Boden zeichneten sich die Abdrücke der Kriminaltechniker ab.

Vibeke konnte die Kollegen in ihren weißen Schutzanzügen förmlich vor sich sehen, wie sie mit ihren Hightechlampen kleinste Unebenheiten, Faserabriebe und Fußabdrücke sowie Spuren an Decken und Wänden sichtbar machten und mithilfe des 3-D-Scanners die Werkstatt millimetergenau vermaßen. Damit war es den Kriminaltechnikern gelungen, Erkenntnisse über den Tathergang herzuleiten, und diese hatten Vibekes Vermutung bestätigt, dass Lennard Friedrichs an seinem Arbeitsplatz überwältigt worden war. Allerdings wies keine der gesicherten Spuren darauf hin, dass sie vom Täter stammte.

Weshalb war Lennard Friedrichs ermordet worden? Noch dazu auf diese grausame Weise? Vibeke ließ den Blick durch die Tischlerei schweifen, über den umgefallenen Becher auf der Arbeitsfläche, das Werkzeug in den Halterungen, die Öle und Lacke im Regal, die Pinsel in den Gläsern, die Kreissäge, die Tischfräse, die Schleifmaschine. An der Furnierpresse blieb sie hängen.

Das schwere Gerät wirkte alt und angestaubt, war an die zweieinhalb Meter breit und knapp anderthalb Meter hoch. Vibeke ging näher heran, betrachtete nachdenklich die Öffnung zwischen den beiden Presseplatten. Sie schätzte den Abstand auf dreißig, vielleicht vierzig Zentimeter. Ausreichend Platz für einen Menschen. Weshalb schaffte der Täter sein Opfer umständlich zu einem Papiercontainer, damit es später in der Presse eines Müllsammelfahrzeugs landete, wenn er hier direkten Zugriff auf eine ganz ähnliche Mordwaffe hatte? Ohne dem Risiko ausgesetzt zu sein, entdeckt zu werden? Worum ging es dem Täter? Dass sein Opfer qualvoll erstickte? Oder hatte er gehofft, die Leiche würde in den Papierbergen auf Nimmerwiedersehen verschwinden?

Ein paar tief hängende Zweige schabten über das Dach des Bullis, als Rasmus kurz hinter dem Ortsausgang den Fyrvej verließ und in einen schmalen Schotterweg einbog. Kieselsteine flogen gegen die Karosserie, und er drosselte das Tempo.

Die Fahrt von Esbjerg bis nach Blåvand hatte rund vierzig Minuten gedauert. Beim Abhören von Vibekes Nachricht auf seiner Mailbox hatte er zunächst nicht begriffen, was an einem Stein auf einer Fensterbank ungewöhnlich sein sollte, schließlich waren Steine und Muscheln am Meer keine Seltenheit. Viele Leute schleppten das Zeug mit in ihre Wohnungen, manche sammelten sogar den Sand in Gläsern oder bastelten aus Treibholz irgendwelche Schmuckanhänger.

Erst nachdem er die Fotos miteinander verglichen hatte, begriff er, worauf seine deutsche Kollegin anspielte. Abgesehen von der Größe und Farbe waren beide Steine exakt mittig auf der Fensterbank platziert worden. Im Grunde verhielt es sich ähnlich wie bei den Fesseln. Und es war definitiv ein Zufall zu viel. Auch wenn er sich fragte, was ein so kleiner Stein mit seinem Fall zu tun haben sollte. Doch wenn dieser Fund am Ende dazu beitrug, dass die Sondereinheit zum Einsatz kam, sollte es ihm nur recht sein.

Er hatte also getan, was Vibeke vorgeschlagen hatte. Zum Hörer gegriffen und Mille Lysgaard gebeten, sich mit ihm und seiner Kollegin in Blåvand zu treffen.

Das Ferienhaus lag hinter der nächsten Biegung. Schwarze Holzfassade, weiße Sprossenfenster, ein

Reetdach mit halbrunden Gauben, keine zweihundert Meter vom Meer entfernt. Es war bereits in der letzten Woche von der Polizei wieder freigegeben worden.

Rasmus stellte seinen VW-Bus auf dem leeren Vorplatz ab. Ein Blick aufs Handy bestätigte, dass er eine gute halbe Stunde zu früh dran war. Kurz überlegte er, zurück in den Ort zu fahren, um eine Kleinigkeit zu essen, doch angesichts des Trubels, der dort trotz Saisonende noch immer herrschte, nahm er davon wieder Abstand. Hunderte von Urlaubern bevölkerten die Cafés und Restaurants oder shoppten sich die Geschäftsstraße entlang. Dabei hatte er immer gedacht, in Blåvand boomte der Tourismus nur im Sommer.

Rasmus blickte durch die Windschutzscheibe. Die dunkle Wolkendecke war aufgerissen, und vereinzelte Sonnenstrahlen blitzten hervor. Er beschloss, an den Strand zu gehen. Kurz entschlossen öffnete er das Handschuhfach und wühlte darin nach seinen Notfallzigaretten. Die Packung enthielt noch immer fünf Stück. Er zögerte, dann nahm er die kleine UV-Taschenlampe heraus, die daneben lag, drückte die Klappe wieder zu und stieg aus dem VW-Bus.

Neben dem Reetdachhaus führte ein schmaler Trampelpfad zwischen lila blühendem Heidekraut hindurch zu den Dünen. Eine steife Brise fegte von der Küste an Land, trug das Salz bis an seine Lippen. Er zog den Reißverschluss seiner Jacke ein Stück höher.

Kurz darauf versackten seine Schuhe im Sand, während er die Düne hinaufstapfte. Links und rechts neben ihm tanzte der Strandhafer im Wind. Ein paar weitere Schritte, und vor ihm tat sich das Meer auf. Grau und wuchtig.

Der Wind war hier noch kräftiger, peitschte das Wasser der Nordsee zu hohen Wellen auf, spülte Schaumkronen und Seetang an Land und fuhr ihm rau ins Gesicht.

Der Blick reichte zu beiden Seiten über schier endlosen flachen Strand. Reetgedeckte Ferienhäuser duckten sich zwischen die hügeligen Dünenketten, in der Ferne schimmerte ein schneeweißer Leuchtturm unter der dunklen Wolkendecke. *Blåvandshuk Fyr* schraubte sich auf einer Anhöhe fast vierzig Meter in die Höhe. Der westlichste Punkt Dänemarks.

Rasmus stemmte sich gegen den Wind und lief mit langen Schritten die Düne hinab.

Am Strand waren nur wenige Menschen unterwegs. Ein Pärchen, dick vermummt mit Mütze und Schal, kam ihm mit einem klatschnassen Golden Retriever entgegen, der stolz eine Frisbee-Scheibe im Maul vor sich hertrug. Vereinzelt wanderten Leute mit Ferngläsern herum.

Ein Stück entfernt erhoben sich Bunker im Sand, Überbleibsel des Atlantikwalls, der während des Zweiten Weltkriegs unter deutscher Besatzung errichtet worden war. Vier der Bunker waren anlässlich des fünfzigjährigen Kriegsendes Mitte der Neunziger von einem Künstler in Maultierskulpturen verwandelt worden. Ihr aufs offene Meer gerichteter Blick stand für den Abzug des Unheils, den der Krieg über die Menschen in Dänemark gebracht hatte. Ein Mahnmal für ihn und seine Landsleute, für die Touristen häufig nur ein Fotomotiv.

Rasmus verharrte eine Weile am Wasser, sog die frische Luft tief in seine Lunge. Über seinem Kopf zogen zwei Seevögel ihre Kreise. Er schloss die Augen. Wind rauschte in seinen Ohren.

Im nächsten Moment fegte eine Böe über die Nordsee an Land und riss ihn fast von den Beinen, Wasser schwappte über seine Füße bis an den Hosensaum. Er trat den Rückweg an.

Auf halber Höhe des Trampelpfads sah er Vibekes dunkelblauen Dienstwagen in die Einfahrt zum Ferienhaus biegen, wo bereits Mille Lysgaard neben einem Kombi stand. Er beschleunigte seine Schritte.

»Hej, Mille.« Rasmus hob zur Begrüßung die Hand. In seinen nassen Schuhen schmatzte der Sand. »Danke, dass du bereit warst, uns hier zu treffen.« Er wies auf Vibeke, die gerade aus ihrem Dienstwagen stieg. »Darf ich vorstellen? Vibeke Boisen von der deutschen Polizei.«

Seine Kollegin reichte Mille Lysgaard die Hand, und die beiden Frauen begrüßten sich.

»Hej.« Vibekes Blick heftete sich auf Rasmus. Ein flüchtiges Lächeln streifte ihre Lippen.

Er spürte augenblicklich ihre Ungeduld. »Lasst uns reingehen.«

Mille Lysgaard reichte ihm den Schlüssel, und er schloss die Tür auf. Am Holz hing noch ein Stück vom Polizeisiegel.

»Ist es in Ordnung, wenn ich draußen warte?« Mille Lysgaard wirkte plötzlich angespannt, die Haut unter ihren Sommersprossen blass. Rasmus fiel auf, wie schmal sie war. »Ich bin nicht mehr hier gewesen, seit …« Der Rest des Satzes blieb in der Luft hängen.

»Natürlich«, sagte Vibeke. »Wir geben Ihnen Bescheid, wenn wir Sie brauchen.« Offenbar tat sich seine Kollegin noch immer schwer damit, dass in Dänemark bis auf die Königsfamilie jeder geduzt wurde.

»Danke.« Mille Lysgaard klang erleichtert.

Rasmus fand, dass sie sich anders gab als bei ihrem ersten Zusammentreffen. Deutlich angespannter. Doch vermutlich hing es damit zusammen, dass Mads ihr vor ein paar Tagen auf den Zahn gefühlt hatte.

Er streifte den gröbsten Schmutz seiner Schuhe an der Fußmatte ab und trat ins Haus. Vibeke folgte ihm.

Eingangs- und Wohnbereich gingen durch eine offene Flügeltür ineinander über, beide Räume waren großzügig geschnitten und lichtdurchflutet. Die helle Einrichtung kannte Rasmus lediglich von den Fotos. Nur Mads war bislang hier gewesen. Ihm fiel ein, dass er die Polizeistation verlassen hatte, ohne dem Kollegen von der neuesten Entwicklung zu berichten.

»Die Schlafzimmer liegen oben.« Rasmus nahm die Treppe ins Obergeschoss. Unter seinen Sohlen knirschte der Sand wie Schmirgelpapier.

Im Flur waren die gleichen Eichendielen wie im Erdgeschoss verlegt. An den Wänden hingen Fotos mit Segelmotiven.

Das Schlafzimmer war nicht besonders groß, doch es hatte urige Dachbalken, hübsche halbrunde Fenster und dazu eine phänomenale Aussicht auf die Dünen und das Meer.

Der Stein, dem bislang niemand Beachtung geschenkt hatte, lag klein und unscheinbar auf der Fensterbank.

Vibeke streifte sich Einweghandschuhe über. »Darf ich?«

Eine rein rhetorische Frage, denn sie hielt den Stein bereits in der Hand, ehe er antworten konnte.

Rasmus seufzte. »Und?«

»Er ist etwas größer und heller in der Farbe.« Seine Kollegin drehte den Stein im Licht. »Ich denke, es könnte ein Bernstein sein.« Sie wandte sich zu ihm um. »Kennst du dich damit aus?«

Rasmus nickte. Als Anton klein gewesen war, hatten sie häufig an den Stränden nach Bernsteinen gesucht, waren allerdings nur selten fündig geworden. »Es gibt ein paar Dinge, um herauszufinden, ob es tatsächlich einer ist. Man kann ihn zum Beispiel an einem Wollpullover reiben. Bernsteine laden sich elektrostatisch auf. Oder man klopft ihn gegen die Zähne.«

Vibekes Brauen schnellten in die Höhe. »Du hast doch hoffentlich jetzt nicht vor, deine DNA darauf zu verteilen.«

»Natürlich nicht.« Rasmus lächelte spöttisch. Was sie ihm immer zutraute. »Obwohl ich glaube, dass wir ohnehin keine Spuren darauf finden werden, sollte es ein Souvenir vom Täter sein.« Er öffnete den Reißverschluss seiner Jacke und zog die kleine UV-Taschenlampe heraus, die zuvor im Handschuhfach seines Bullis gelegen hatte, und knipste sie an. »Halt mal beide Hände über den Stein.«

Vibeke kam seiner Aufforderung nach, und er lenkte den Lichtstrahl durch einen schmalen Spalt ihrer Finger.

Der Stein leuchtete grünlich auf.

»Es ist tatsächlich ein Bernstein.« Rasmus hob den Blick. »Hast du den anderen auch dabei?«

Vibeke legte den Stein in ihrer Hand beiseite, zog eine Spurensicherungstüte aus ihrer Umhängetasche, und sie wiederholten die Prozedur. Erneut leuchtete es grün unter dem UV-Licht.

»Der Täter könnte die Bernsteine auf den Fensterbänken platziert haben«, sagte Vibeke.

»Wir müssen mit Mille sprechen.«

»Das sollten wir wohl«, sagte Vibeke, während sie bereits dabei war, eine neue Spurensicherungstüte zu beschriften. »Es besteht noch immer die Möglichkeit, dass jemand aus der Familie den Stein dort hingelegt hat. Vielleicht eines der Kinder. Wie alt waren die noch gleich?«

»Dreizehn und fünfzehn.« Rasmus verließ den Raum und ging zurück ins Erdgeschoss.

Mille Lysgaard stand im Wohnzimmer und blickte aus den bodentiefen Fenstern. Die Sonne hatte sich jetzt komplett durch die Wolkendecke gekämpft, und die Dünen und Gräser leuchteten hell im Licht.

»Nohr und ich haben das Haus kurz nach unserer Hochzeit gekauft«, sagte Mille, ohne sich umzudrehen. »Damals waren die Preise noch bezahlbar. Wir wollten hier gemeinsam alt werden.« Ihre Schultern zuckten.

Rasmus fühlte sich unwohl in seiner Haut. Noch vor Kurzem hatten Mads und er in Betracht gezogen, dass Mille in den Mord an ihren Mann verwickelt war, doch durch die Parallelen zu Vibekes Fall ergab sich jetzt eine vollkommen neue Sachlage.

Rasmus hörte Vibeke die Treppen herunterkommen. Er räusperte sich. »Auf der Fensterbank im Schlafzimmer lag ein Bernstein.«

Mille Lysgaard drehte sich um und sah ihn fragend an.

»Weißt du vielleicht, wie er dorthin gekommen sein könnte?«

Seine Kollegin trat mit den beiden Spurensicherungstüten in der Hand ins Wohnzimmer und zeigte Mille den Fund.

»Keine Ahnung.« Sie fuhr sich mit der Hand fahrig am Hals entlang. »Ich muss die Kinder fragen. Sie sammeln häufiger irgendwelche Dinge am Strand. Ich habe den Stein jedenfalls nicht dorthin gelegt. Und ich kann mich auch nicht daran erinnern, ihn gesehen zu haben.«

Vibeke öffnete ihre Umhängetasche und steckte die Spurensicherungstüten hinein. »Sagt Ihnen der Name Lennard Friedrichs etwas?«

»Nein. Wer soll das sein?«

»Ein Tischler aus Leck in Schleswig-Holstein. Vielleicht hat ihr Mann irgendwann mal ein Möbelstück bei ihm bestellt.« Vibeke zog ihr Handy aus der Jackentasche und holte ein Foto von Lennard Friedrichs aufs Display, das sie der Frau hinhielt.

Mille Lysgaard schüttelte den Kopf. »Tut mir leid. Aber ich kenne den Mann nicht.«

»Dann ruf bitte deine Kinder an und frag sie wegen des Steins«, bat Rasmus. »Meine Kollegin und ich warten draußen.« Er gab Vibeke ein Zeichen, ihm aus dem Haus zu folgen. Auf dem Weg zur Tür bemerkte er die feine Sandspur, die seine Schuhe auf den Eichendielen hinterlassen hatten.

»Was denkst du?«, fragte er, sobald sie im Freien standen.

»Dass der Täter die Steine auf der Fensterbank platziert hat.« Vibeke richtete ihren Blick nachdenklich auf die Eingangstür. »Die Frage ist nur: Wie ist er ins Haus gekommen? Im Bericht der Kriminaltechnik stand nichts von Einbruchsspuren.«

Rasmus klopfte auf seine Jackentasche. »Nohr Lysgaards Schlüssel befand sich im Haus, als die Spurensicherung eintraf. Bislang hatten wir angenommen, er hätte ihn dort vergessen. Das kam wohl häufiger vor.«

Mille Lysgaard trat aus der Tür. »Die Kinder wissen nichts von einem Stein.« Sie hielt ihr Smartphone in der Hand.

Rasmus tauschte einen schnellen Blick mit seiner Kollegin.

»Danke, Mille.« Er schloss die Haustür ab und reichte ihr den Schlüssel.

»Dann fahre ich jetzt zurück zu meinen Kindern.« Mille Lysgaard stieg in ihren Kombi.

»Also hat der Täter den Schlüssel nach dem Mord an sich genommen«, stellte Vibeke fest, während sie dem davonfahrenden Fahrzeug hinterhersahen.

Rasmus nickte. »Fragt sich nur, was das Ganze soll. Weshalb hinterlässt man einen Bernstein auf der Fensterbank des Opfers?«

»Genau das müssen wir herausfinden.« Vibeke klang energiegeladen und voller Tatendrang. »Es könnte ein Hinweis sein.«

Rasmus zog sein Handy aus der Hosentasche. »Dann rufe ich mal Eva-Karin an.«

»Diese Mehrzweckleine eignet sich ausgezeichnet als Festmacher.« Ivonne ließ das dunkelblaue Seil aus Polyester und Polyamid durch ihre Hand gleiten. »Und dazu hat sie ein ausgesprochen gutes Preis-Leistungs-Verhältnis.« Sie lächelte ihre Kundin an.

Die blond gesträhnte Mittvierzigerin in Segeljacke betrachtete skeptisch das Preisschild, das seitlich an der Trommel angebracht war. »Und die Bruchlast?«

»Die liegt bei dreitausendzehn Kilo.«

Die Kundin runzelte die Stirn.

»Wenn Ihnen das nicht ausreicht«, Ivonne deutete auf eine schwarz-weiß geflochtene Leine aus abriebfestem Polyester, »diese hier hat zusätzlich einen geflochtenen Kern. Sie hält gut fünftausendzweihundert Kilo aus.«

Die Kundin winkte ab. »Danke, aber ich glaube, ich sehe mich doch lieber im Internet um.« Sie lächelte schmal und verschwand aus dem Geschäft.

Ivonne seufzte. Es war immer das Gleiche. Die Kunden ließen sich beim Händler vor Ort ausgiebig beraten, testeten die verschiedenen Modelle, informierten sich über den Hersteller und kauften das Produkt anschließend bei einem Onlinehändler, weil es dort billiger war.

»Ich mache jetzt Schluss, Herr Hansen«, rief Ivonne ihrem Chef zu, der im hinteren Verkaufsraum die neuen Seglerhosen einsortierte.

Hansens Yachtshop war ein inhabergeführtes Traditionsgeschäft. Neben erstklassigem Tauwerk führten sie auch weitere Ausrüstung für den Seglerbedarf. Bootsfender, Anker und Navigationsgeräte, Pflege- und Reinigungsmittel, zudem zahlreiche Sicherheitsartikel, Produkte rund um die Deckausrüstung sowie Funktionskleidung. Doch die teure Zentrumslage und das breite Angebot im Internet machten es immer schwieriger, auf dem Markt zu bestehen. Dabei waren es die individuellen Geschäfte, die Flensburg seinen Charakter gaben, und nicht die uniformierten Ketten, die überall gleich waren.

»Dann bis morgen.« Jan Hansen lächelte ihr freundlich zu. Er war ein kleiner schmächtiger Mann mit Wieselgesicht, stets höflich und leise, der vollkommen unter der Fuchtel seiner Frau stand.

Ivonne verließ den Verkaufsraum und steuerte auf das Hinterzimmer zu, in dem sich neben einer kleinen Küchenzeile auch die Garderobe für die Angestellten befand.

Dort zog sie ihre Jacke aus dem Schrank und langte nach ihrer Umhängetasche. Sie war viel zu spät dran. Jetzt blieben ihr gerade mal anderthalb Stunden, um mit dem Fahrrad nach Hause zu fahren, dort ein wenig klar Schiff zu machen und die Mahlzeit für den Abend vorzubereiten, ehe sie Lea aus der offenen Ganztagsschule abholen musste.

»Frau Faber!?« Die schrille Stimme ihrer Chefin ertönte hinter ihrem Rücken, gerade als sie aus der Hintertür verschwinden wollte. Kurz überlegte sie, so zu tun, als hätte sie nichts gehört, doch dann ließ sie die Klinke wieder los und drehte sich um.

Gudrun Hansen war eine große, dralle Person mit rot gefärbtem Pagenschnitt und einer Vorliebe für grellen Lippenstift. Der Orangeton, den sie heute aufgelegt hatte, biss sich mit ihrer Haarfarbe. »Ein Kunde hat sich beschwert, Sie hätten ihm das Epoxidharz zweimal berechnet.«

Ivonne warf einen verstohlenen Blick auf ihre Armbanduhr. Wenn sie nicht bald loskam, konnte sie das mit dem Kochen vergessen. »Wann soll das gewesen sein?«

»Was spielt denn das bitte für eine Rolle?«, blaffte die Chefin. Ihr mächtiger Busen bebte vor Empörung.

Ivonne hätte die Hansen gerne darauf hingewiesen, dass es durchaus eine Rolle spielte, doch sie hielt sich gerade noch rechtzeitig zurück. Sie brauchte den Job. »Tut mir leid, doch ich kann mich nicht erinnern, das Epoxidharz in letzter Zeit verkauft zu haben. Aber wenn Sie möchten, erstatte ich selbstverständlich den doppelt gebuchten Betrag.«

Frau Hansens Blick wurde ein wenig milder. Sie winkte ab. »Passen Sie einfach in Zukunft besser auf.« Sie rauschte davon.

Ivonne hätte ihr am liebsten hinterhergerufen, dass sie bleiben könne, wo der Pfeffer wächst, doch stattdessen trat sie aus der Tür in den Hinterhof und schnappte sich ihr Fahrrad. Welcher Kunde es wohl gewesen war? Vielleicht dieser schmierige Typ mit der großen Segeljacht, der ihr so unverschämt auf die Brüste geglotzt hatte. Oder Gernold steckte dahinter, weil er ihr eins auswischen wollte. Zuzutrauen wäre es ihm allemal. Vielleicht erhoffte er sich bessere Karten für das Familiengericht, wenn sie ihren Job verlor. Ihr Hals wurde eng. Der Anhörungstermin beim Familiengericht war in weniger als drei Wochen, und sie hatte noch immer keinen Anwalt.

Ivonne drängte den Gedanken beiseite und schlängelte sich mit dem Fahrrad die schmale Gasse am Hinterhof entlang bis zur Schiffsbrücke. Dort trat sie kräftig in die Pedale. Schon nach wenigen Hundert Metern waren ihre Hände und Ohren eiskalt, und sie bereute, dass sie am Morgen Mütze und Handschuhe vergessen hatte. Doch zumindest regnete es nicht.

Vor dem Polizeigebäude starteten gerade zwei Streifenwagen mit Blaulicht. Sofort machte sich ein mulmiges Gefühl in ihrer Magengegend breit. Schon seit Tagen waren die Zeitungen voll mit Berichten über den Toten in der Papiersortieranlage. Mittlerweile war man wirklich nirgends mehr sicher. Wenn man sogar in einem Kaff wie Leck ermordet wurde, konnte es einen genauso gut hier erwischen.

Eine Viertelstunde später sperrte Ivonne völlig durchgefroren die Haustür zu ihrer Wohnung auf. Das Frühstücksgeschirr stand noch auf dem Küchentisch, Leas heiß geliebter Elsa-Becher war halb voll mit kaltem Kakao, auf dem Frühstücksbrettchen lag ein Stück Banane. Überreste ihrer morgendlichen Hetze.

Auch die Betten waren noch ungemacht, und im Bad herrschte das übliche Chaos. Leas Pyjama auf dem Boden, feuchte Handtücher auf dem Badewannenrand, das Waschbecken voller Zahnpastaflecken.

Ivonne seufzte. Eins nach dem anderen. Erst das Essen. Sie öffnete den Kühlschrank. Im Inneren herrschte gähnende Leere. Sie hatte vergessen einzukaufen. Tränen der Erschöpfung schossen ihr in die Augen, und sie ließ sich auf einen Küchenstuhl sinken.

Gernold hatte recht. Was konnte sie Lea schon bieten? Sie zerrte die Kleine jeden Morgen um halb sieben aus dem Bett, brachte sie oftmals im Dunkeln zur Schule, wo sie dann bis zum späten Nachmittag bleiben musste. Danach hieß es Hausaufgabenkontrolle, Abendessen und Ranzen packen, ehe es nach einer kurzen Geschichte ab ins Bett ging. Was war das für ein Leben für eine Achtjährige?

Lea hatte Besseres verdient. Vielleicht sollte sie tatsächlich bei ihrem Vater leben. Dort würde sie alles bekommen, was sie sich wünschte.

Die Tränen strömten Ivonne jetzt schwallartig aus den Augen, und ein paar Minuten gab sie sich ganz der Heulerei hin. Dann putzte sie sich geräuschvoll die Nase und riss sich zusammen. Lea brauchte ihre Mutter. Und sie brauchte ihr Kind. Niemandem war damit geholfen, wenn sie hier am Küchentisch vor Selbstmitleid zusammenbrach.

Ivonne erhob sich vom Stuhl und sah im Tiefkühlfach des Kühlschranks nach. Eine Salamipizza war noch drin und etwas von der Kartoffelsuppe, die sie letzte Woche gekocht hatte. Das gab ein passables Menü. Und morgen würde sie einkaufen gehen.

Sie nahm den Plastikbehälter mit der Suppe zum Auftauen heraus, räumte mit wenigen Handgriffen die Küche auf und machte noch rasch in den restlichen Räumen ein wenig Ordnung, ehe sie sich Handschuhe und Mütze von der Garderobe schnappte und die Wohnung wieder verließ.

Vor dem Haus steuerte sie auf ihr Fahrrad zu, sperrte das Schloss auf und schwang sich auf den Sattel.

Kurz darauf bog sie in der Seitenstraße um eine

Linkskurve. Dabei bemerkte sie nicht, wie sich hinter ihr ein Fahrzeug aus einer Parkbucht schob und ihr folgte.

Padborg, Dänemark

Das Gemeinsame Zentrum der deutsch-dänischen Polizei- und Zollzusammenarbeit, kurz GZ Padborg genannt, war in einem zweistöckigen Backsteingebäude mitten im Industriegebiet untergebracht, versteckt zwischen zahlreichen Speditionen, LKW-Abstellplätzen und Industriehallen.

Das Büro der Sondereinheit lag im ersten Stock. Sechs Schreibtische, drei Aktenschränke, die sich mit jedem Fall weiter füllten, eine Landkarte vom deutsch-dänischen Grenzgebiet an der Wand und ein Sideboard, auf dem die obligatorische Kaffeekanne stand. Neu hinzugekommen waren ein digitales Whiteboard sowie eine Glasmagnettafel, beides Errungenschaften, die Luís für sie organisiert hatte.

Erst im letzten Jahr waren Überlegungen dazu angestellt worden, eine dauerhafte Abteilung für das Team einzurichten, doch das knappe Budget und die geringe Falldichte hatten diese Pläne ad acta gelegt. Zumindest hatte Vibeke erweiterte Befugnisse für ihre Funktion als Sonderermittlerin bekommen, die ihr Ermittlungen in ganz Deutschland erlaubten, ohne die jeweiligen Landesbehörden hinzuziehen zu müssen. Etwas, das ihr nicht nur Zeit, sondern auch etliche Kompetenzrangeleien ersparte. In Dänemark hingegen behielt sie weiterhin ihren Beraterstatus und durfte lediglich im Beisein von dänischen Kollegen tätig werden.

»Die Kriminaltechniker haben die beiden Steine, die auf den Fensterbänken der Opfer lagen, untersucht«, kam Vibeke zum Ende ihres Briefings. »Wie wir bereits vermutet haben, handelt es sich dabei um Bernsteine. Weitere Verbindungen konnten wir leider nicht herstellen.« Sie sah in die Runde. Bis auf Søren, der mit Brigitte ein paar Tage in Paris verbrachte, saßen alle Teammitglieder an ihren angestammten Plätzen. »Irgendwelche Ideen, wo wir ansetzen können?«

»Vielleicht sind sich die Opfer früher einmal begegnet.« Pernille zwirbelte nachdenklich das Ende ihres Pferdeschwanzes um ihren Stift.

»Das ist natürlich möglich«, erwiderte Vibeke. »Bislang deutet allerdings nichts darauf hin. Vielleicht müssen wir aber auch nur tiefer graben.« Ihr Blick ging zum Fenster. Hinter den Scheiben war es bereits dunkel. Sie wandte sich Rasmus zu. »Was hat Nohr Lysgaard vor Rønsted gemacht?«

»Er hatte CFO-Positionen in anderen Unternehmen.« Rasmus zog eine Akte heran und blätterte zu einer Seite. »Unter anderem bei Moller-Maersk, Coloplast und Ørsted. Begonnen hat seine Karriere bei der Jyske Bank, wo er sich bis zum stellvertretenden Finanzvorstand hochgearbeitet hat.« Er blätterte eine Seite zurück. »Nohr Lysgaard hatte einen Masterabschluss der Copenhagen Business School, einer der führenden Wirtschaftshochschulen der Welt.«

»Das klingt nicht, als hätten die Opfer irgendwelche Berührungspunkte gehabt«, sagte Vibeke nachdenklich. »Auch nicht im privaten Bereich. Lennard Friedrichs hatte keine Kinder und war Single, Nohr Lysgaard Familienvater. Möglicherweise suchen wir nach einer Verbindung, die gar nicht existiert.«

Rasmus räusperte sich. »Es gibt Menschen, die wahllos morden. Weil ihnen jemand dumm kommt oder ihm einfach deren Nase nicht passt.«

»So etwas kommt vor.« Jens Greve, der wie üblich in Anzug und Krawatte an seinem Schreibtisch saß, hob die schmalen Brauen hinter seinen Brillengläsern. »Aber gleich in zwei Ländern?«

»Vielleicht ist der Täter ein Fernfahrer«, kam es von Luís. »Jemand, der in beiden Orten zu tun hatte. Er könnte seinen Opfern zufällig begegnet sein.«

Vibeke schüttelte den Kopf. »Ich glaube nicht, dass Lennard Friedrichs ein Zufallsopfer war. Dafür erscheint mir das Ganze zu geplant.« Sie wandte sich an Rasmus, der gerade aufgestanden war, um sich am Sideboard einen Kaffee einzuschenken. »Habt ihr irgendwelche Erkenntnisse darüber, weshalb Nohr Lysgaard an dem Morgen in der Lagerhalle war?«

»Nur eine Theorie.« Rasmus wählte einen Becher mit Dannebrog und dem Aufdruck *Have no fear. The Dane ist here.* aus und befüllte ihn mit Kaffee. »Nohr Lysgaard hat am Abend vor dem Mord einen Anruf erhalten, den wir leider nicht zurückverfolgen konnten. Die Nummer gehört zu einer Prepaidkarte.« Er setzte sich mit dem Kaffeebecher hinter seinen Schreibtisch. »Wir gehen davon aus, dass ihn der Anrufer unter einem falschen Vorwand zur Lagerhalle gelockt hat, wo er dann auf seinen Mörder traf.«

»Gibt es irgendwelche Zeugen?«, erkundigte sich Jens. »Im Hafen ist doch immer war los.«

Rasmus schüttelte den Kopf. »Keine Zeugen. Der Tatort war gut ausgewählt. Die Lagerhalle wurde schon länger nicht mehr genutzt und liegt etwas abseits am Kai. Zudem war es zum Zeitpunkt des Mordes dunkel und neblig.« Er fuhr sich mit der Hand über den Hinterkopf. »Wir haben die Videoaufnahmen von den Kameras im Hafen gesichtet und konnten Nohr Lysgaards Limousine ausmachen. Die Fahrer der Fahrzeuge, die eine halbe Stunde davor und danach im selben Gebiet erfasst wurden, haben wir kontaktiert und vernommen. Leider hat sich kein konkreter Verdacht ergeben. Allerdings konnten wir nicht alle Kennzeichen entziffern, da die Frontscheinwerfer der entgegenkommenden Fahrzeuge die Kamera zum Teil geblendet haben.«

»Und wie wurde die Leiche entdeckt?«, hakte Jens nach.

»Ein anonymer Hinweis.« Rasmus nippte an seinem Kaffee, ehe er weitersprach. »Der Anruf wurde ebenfalls mit einer Prepaidkarte getätigt. Zudem wurde ein Stimmenverzerrer genutzt.«

»Also haben wir es mit jemandem zu tun, der nichts dem Zufall überlässt«, stellte Jens fest und rückte seine Brille zurecht.

Rasmus nickte. »Vorausgesetzt, Anrufer und Täter stimmen überein.«

Vibeke klatschte in die Hände. »Ich denke, das waren vorerst genug Spekulationen. Lasst uns die

Aufgaben verteilen. Pernille und Jens, ihr gleicht noch einmal die Akten in allen Einzelheiten ab. Die Zeugenbefragungen, die Obduktionsberichte und sämtliche Ergebnisse aus der Kriminaltechnik. Vielleicht gibt es irgendwelche Auffälligkeiten oder Überschneidungen, von denen wir bislang nichts wissen.« Sie wandte sich an Luís. »Kannst du uns die Verbindungsdaten von Lennard Friedrichs' Handy und seinem Festnetzanschluss besorgen? Gleich sie mit denen von Nohr Lysgaard ab.«

Luís nickte. »Gibt es irgendwelche Computerdaten, die ich mir ansehen soll?«

»Soweit ich weiß, wurden bei Lennard Friedrichs ein Handy und ein Laptop sichergestellt«, überlegte Vibeke. »Beides müsste in Flensburg bei der IT sein. Soll ich denen Bescheid geben, dass wir uns darum kümmern?«

»Das scheint mir sinnvoll zu sein. Zumindest, wenn wir kein halbes Jahr auf die Auswertung warten wollen.«

»Ich rufe gleich dort an«, erwiderte Vibeke. Die Auswertung von IT-Daten war nach wir vor ein Problem. Bei sämtlichen Ermittlungen wurden mittlerweile Smartphones, Computer, Laptops und Tablets sichergestellt, mit mehreren Gigabyte an Daten, und auch die Cyberkriminalität hatte sich in den letzten Jahren explosionsartig entwickelt. Die Flensburger IT-Forensik war mit ihren Auswertungen über Monate im Rückstand, und die Wartezeiten dehnten sich immer weiter aus.

»Was ist mit den Bernsteinen?«, erkundigte sich Jens. »Die Steine müssen doch irgendeine Bedeutung

haben, wenn der Täter sie den Opfern auf die Fensterbänke legt. Wir sollten uns auch damit beschäftigen.
Wenn ihr möchtet, kümmere ich mich darum.«

»Danke, Jens.« Vibeke sah zu Rasmus. »Dann sprechen wir mit den Leuten, die mit den Opfern zu tun
hatten. Familie, Freunde, Kollegen, Nachbarn. Wir
klopfen die Gewohnheiten der beiden ab. Welchen
Sport sie getrieben haben, wo sie im Urlaub waren,
in welche Restaurants sie gegangen sind. Vielleicht
gibt es irgendwelche Gemeinsamkeiten. Am besten
wir machen eine Liste.«

Rasmus stöhnte. »Hast du auch nur die geringste
Ahnung, was für ein Aufwand das ist?«

»Jep«, entgegnete Vibeke forsch. Bei der Aufklärung
von Mordfällen zählten vor allem Fleiß, Hartnäckig-
keit und ein systematisches Vorgehen. Oftmals fand
sich die Lösung in kleinen Details. »Zumal uns Søren
fehlt. Glaubst du, Eva-Karin kann uns noch jemanden
zur Seite stellen? Was ist mit deinem Kollegen?«

»Du meinst Mads Østergård?«

Vibeke nickte.

»Keine Chance«, erwiderte Rasmus. »Wir sind nur
zu zweit in der Abteilung. Es war ohnehin schwer
genug, Eva-Karin davon zu überzeugen, die Sondereinheit zusammenzutrommeln. Sie verlangt sogar,
dass ich ihr täglich Bericht erstatte.« Bei den letzten
Worten hatte sich ein Hauch von Empörung in seine
Stimme geschlichen.

»Aber die Berichte schreibst du doch ohnehin jeden
Tag.«

Ihr Kollege kratzte sich im Nacken. »Nein. Weshalb
sollte ich? Das macht doch ohnehin kein Mensch.«

»Doch, ich.« Vibeke wäre es nie in den Sinn gekommen, ihre Berichte zu einem anderen Zeitpunkt zu
verfassen. Natürlich gab es auch bei ihr Ausnahmen,
aber die ließen sich an zwei Händen abzählen. Sie
kam zurück zum eigentlichen Thema. »Gut, wir
schaffen es vorerst auch ohne Verstärkung. Ich fahre
jetzt in die Polizeidirektion und spreche mit meinen
Mitarbeitern, was ihre Befragungen in Leck bislang
ergeben haben. Wir treffen uns morgen früh wieder.«
Vibeke langte nach ihrem Autoschlüssel.

Flensburg, Deutschland

Es war bereits nach einundzwanzig Uhr, als Vibeke ihre Haustür aufschloss. Sie hatte die zentral ge-
legene Altbauwohnung erst im vergangenen Jahr
bezogen und renoviert. Mittlerweile erstrahlte auch
der letzte Raum, das Schlafzimmer, im neuen Glanz.
Die Holzdielen waren abgeschliffen und versiegelt,
die jahrzehntealten Tapeten heruntergezogen, Lö-
cher und Risse verschlossen und die Wände frisch
gestrichen worden. Nur die unverputzte Backsteinwand, vor der ihr Bett stand, hatte sie im Originalzustand gelassen.

Eigentlich hatte Vibeke vorgehabt, nach Feierabend
mit ihrer Freundin Kim zum Wing-Tsun-Training
zu gehen, doch nach dem Gespräch mit ihren Mitarbeitern und der Fertigstellung ihrer Berichte war es
dafür bereits zu spät gewesen.

Sie ging in die Küche, nahm die Salatschüssel mit

den Resten vom Vortag aus dem Kühlschrank, verteilte großzügig Dressing darauf und aß ihre Mahlzeit direkt im Stehen. Nachdem sie Schüssel und Besteck im Geschirrspüler verstaut hatte, holte sie sich ein Bier aus dem Kühlschrank, langte im Vorübergehen nach der Strickjacke, die über einem der Küchenstühle lag, und stieg im Schlafzimmer die Metalltreppe zur Dachterrasse hinauf.

Die Wolken hingen wie graue Putzlappen über der Stadt, doch zumindest hatte es aufgehört zu regnen. Bei klarer Sicht reichte der Blick über die Dächer von Flensburg bis zur dänischen Küste.

Vibeke trank einen Schluck Bier und genoss die Ruhe. Der Wind wehte leicht und verschluckte die abendlichen Straßengeräusche. Die Balkone der Nachbarwohnungen waren verwaist, die Vorhänge hinter den Fenstern zugezogen.

Sie fröstelte und zog die Strickjacke enger um ihren Körper. Ihre Gedanken wanderten zu Claas. Er hatte sich seit gestern Abend nicht mehr gemeldet und auch nicht auf die Pressemitteilung reagiert, mit der die Identität des Toten in der Papiersortieranlage am Morgen bekannt gegeben worden war.

Im Grunde war es an ihr, ihn anzurufen. Doch worauf würde es hinauslaufen, wenn sie sich weiter auf ihn einließ? Claas war zehn Jahre älter als sie. Womöglich wünschte er sich Familie. Kinder. Etwas, das für sie nicht infrage kam.

Das Gefühl, unerwünscht zu sein, hin- und hergeschoben wie ein Möbelstück zwischen Pflegefamilien und Heimen, hatte seine Spuren in ihr hinterlassen. Noch immer musste sie lernen, zu vertrauen und sich auf andere Menschen einzulassen. Dazu kamen die psychische Krankheit ihrer biologischen Mutter und Vibekes Angst, die Veranlagung zur Schizophrenie in ihrem Erbgut zu haben.

Vielleicht war jetzt genau der richtige Zeitpunkt, um auf die Bremse zu treten. Ehe alles unnötig kompliziert wurde.

Sie schob den Gedanken an Claas beiseite, nahm einen weiteren Schluck Bier und dachte über den Fall nach.

Zwei Tote. Ein CFO mit durchtrennter Kehle in einer Lagerhalle im Hafen von Esbjerg. Ein von einer Papierpresse zerquetschter Tischler in einer norddeutschen Kleinstadt.

Beide auf identische Art gefesselt. Mit dem gleichen Seil. Dazu die Bernsteine auf den Fensterbänken der Opfer.

Der Gedanke kam ganz plötzlich. Was, wenn es ein Muster war und es nicht bei zwei Morden blieb? In dem Fall hatten sie es mit einem Serientäter zu tun.

Ein unbehagliches Gefühl machte sich in Vibekes Magengegend breit.

5. Kapitel

Esbjerg, Dänemark

Dichter Nebel schob sich von der Küste an Land, legte sich wie ein Gazeschleier über die Stadt. Die Temperaturen bewegten sich nur noch wenige Grad über null.

Die Straße war menschenleer, hinter einigen Fenstern der angrenzenden Häuser brannte Licht. Dort gingen die Bewohner ihrer Morgenroutine nach, tranken ihren ersten Kaffee oder bereiteten ihren Kindern das Frühstück zu.

Asger Groth saß dick eingepackt im Auto, trug Winterjacke, Mütze, Schal und Handschuhe, doch Kälte und Feuchtigkeit krochen bereits durch die Fasern seiner Kleidung. Auch die Scheiben waren von innen beschlagen. Nur allzu gerne hätte er die Standheizung angeschmissen, doch die damit einhergehenden Geräusche konnten seine Anwesenheit verraten. Er durfte um keinen Preis auffallen. Am Ende notierte sich noch jemand das Kennzeichen.

In der Auffahrt schräg gegenüber ging das Garagentor hoch. Scheinwerfer blendeten auf.

Asger wischte mit seinem Jackenärmel ein Stück der beschlagenen Scheibe frei. Als er die Fahrerin des Autos hinter dem Lenkrad erkannte, wanderte seine Hand automatisch zum Zündschlüssel. Er wartete, bis das Fahrzeug hundert Meter weiter um die Ecke bog, ehe er den Motor startete.

Die Stadt erwachte langsam zum Leben. Menschen machten sich auf den Weg zur Arbeit, Ladenbesitzer luden Ware aus ihren Transportern, und die Straßen füllten sich mit Autos und Fahrradfahrern. Gerade setzte Regen ein.

Asger achtete darauf, genügend Abstand zu halten, mindestens drei Fahrzeuge zwischen ihnen zu haben. Sie fuhr einen silberfarbenen Kombi, den er gut im Blick behalten konnte. Er folgte ihr den Veldtofte Idrætspark mit seinen Sportanlagen entlang, die Storegade bis zur Eisenbahnüberführung. An einer Kreuzung in Höhe der Autobahnabfahrt verlor er den Kombi für einen kurzen Moment aus den Augen, doch er hatte sich nur vor den Laster einer Spedition geschoben.

Je näher sie Richtung Zentrum kamen, desto dichter wurde der Verkehr. Asger verkürzte den Abstand auf zwei Fahrzeuge. Er kannte ihre Abläufe schon ziemlich genau und vermutete, dass sie auf dem Weg zur Arbeit war, doch er wollte auf Nummer sicher gehen.

An der nächsten Kreuzung stauten sich die Autos vor einer roten Ampel. Asger hielt an. Er griff nach seinem Kaffeebecher im Getränkehalter und trank einen Schluck der nunmehr lauwarmen Flüssigkeit. Dabei warf er einen Blick in den Rückspiegel. Augenblicklich verschluckte er sich und bekam einen Hustenanfall. Kaffee verteilte sich über seine Kleidung und das Lenkrad. Direkt hinter ihm stand ein weiß-blauer Streifenwagen.

Asger sackte das Herz in die Hose. Mit zittriger Hand stellte er den Kaffeebecher zurück in die Halterung. Er war geliefert, noch ehe er sein Vorhaben in die Tat umsetzen konnte. Was hatte ihn verraten?

Kurz überlegte er zu fliehen, doch er war von allen Seiten eingekesselt. Seine Pistole lag griffbereit im Handschuhfach. Er könnte versuchen, sich den Weg freizuschießen. Doch die Bullen waren mit Sicherheit schneller und treffsicherer als er.

Die Ampel sprang um, und die Autos vor ihm setzten sich in Gang. Asger war mittlerweile schweißüberströmt. Sein Blick ging hektisch zum Rückspiegel. Die Polizeibeamten machten keinerlei Anstalten auszusteigen. Er fuhr an. Der Streifenwagen folgte ihm, klebte ihm regelrecht an der Stoßstange. Plötzlich ging die Sirene los. Automatisch glitt Asgers rechte Hand zum Handschuhfach, doch ehe er die Klappe öffnen konnte, schoss das Polizeiauto mit Blaulicht an ihm vorbei.

Asger scherte in eine seitliche Haltebucht aus. Dort riss er sich die Mütze vom Kopf und wischte sich den Schweiß von der Stirn. Er war noch einmal davongekommen. Vor Erleichterung heulte er laut auf. Er war fix und fertig.

Als er sich halbwegs beruhigt hatte, setzte er den Blinker und fuhr zurück auf die Straße. Der silberfarbene Kombi war aus seinem Blickfeld verschwunden.

Rasmus war schlecht gelaunt. Er hatte die Nacht in seinem VW-Bus auf dem Campinglatz in Kruså verbracht. Davon abgesehen, dass es im Bulli arschkalt gewesen war, hatte ihn ein schreiendes Baby in einem der Wohnmobile bis in die Morgenstunden wach gehalten. Er hatte an Ida denken müssen und an das Kinderbett, das nach wie vor darauf wartete, von ihm aufgebaut zu werden. Eigentlich hatte er im Baumarkt längst einen Akkuschrauber besorgen wollen, es aber immer wieder aufgeschoben. Baumärkte waren ihm ein Gräuel. Zu groß, zu unübersichtlich, und egal, was man brauchte, es gab x verschiedene Versionen von ein und demselben Produkt, und von einer Fachkraft war meilenweit nichts zu sehen. Mads hatte von seinem Dilemma mitbekommen und ihm versprochen, seinen Akkuschrauber von zu Hause mitzubringen.

Der Vormittag hatte bislang auch nicht dazu beigetragen, seine Stimmung zu heben. Schon seit Stunden liefen sie sich in diesem norddeutschen Kaff die Hacken ab. Für nichts und wieder nichts. Die Menschen in Leck waren ein sonderbares Volk, sogar noch sonderbarer als die Flensburger. Zurückhaltend und wortkarg ließen sie sich durch nichts aus der Ruhe bringen. Auch nicht durch einen Mord in der Nachbarschaft. Zudem pflegten sie einen seltsamen Sprachgebrauch, verschluckten irgendwelche Silben, und dabei kamen Wörter heraus, deren Sinn und Zweck Rasmus verborgen blieb.

Jetzt saßen sie in der Küche von Lennard Friedrichs' Jugendfreundin Anne-Kathrin Jansen, einer kleinen zarten Person mit dunklem Bob und Porzellanteint.

Im Gegensatz zu den bisherigen Befragten wirkte sie aufgeschlossen und sprach in ganzen Sätzen. So erzählte sie gleich zu Beginn, dass sie und Lennard mit Mitte zwanzig ein Paar gewesen und trotz Trennung Freunde geblieben waren.

Es war Rasmus schleierhaft, wie so etwas klappen konnte. Ihm war es bislang zumindest nie gelungen. Seine Beziehung zu Camilla natürlich ausgenommen, doch sie hatten auch zwei gemeinsame Kinder, das schweißte zusammen.

»Weshalb ist das damals mit Ihnen und Lennard auseinandergegangen?«, erkundigte sich Vibeke gerade.

Anne-Kathrin Jansen strich sich eine dunkle Haarsträhne aus dem Gesicht. Sie wirkte ein wenig mitgenommen. Unter ihren Augen lagen tiefe Schatten, als hätte sie in letzter Zeit nur wenig Schlaf bekommen. Was sowohl mit dem Mord an ihrem Ex-Freund als auch mit dem drei Monate alten Säugling zusammenhängen konnte, der im Nebenzimmer schlief. Oder auch mit beidem.

»Ich war damals sehr verliebt in Lennard.« Anne-Kathrin Jansen lächelte traurig. »Er sah unverschämt gut aus, war charmant, aber leider auch extrem unzuverlässig. Ich hatte irgendwann die Nase voll davon, ständig auf ihn zu warten.« Sie drehte gedankenverloren an ihrem Ehering. »Er hatte mir damals zum Geburtstag Konzertkarten für meine Lieblingsband geschenkt. Ich hatte mich wochenlang auf den Abend gefreut.« Sie seufzte. »Aber Lennard hat mich versetzt. Wieder einmal. Danach habe ich einen Schlussstrich gezogen.«

Rasmus wippte ungeduldig mit dem Fuß. Die Frau war zwar redseliger als die anderen Befragten, aber neue Erkenntnisse hatte ihnen das Gespräch bislang trotzdem nicht gebracht.

»Lennard behauptete, er hätte im Stau gestanden«, schob Anne-Kathrin Jansen hinterher. »Das habe ich damals ständig zu hören bekommen. Er war zu der Zeit Grenzpendler.«

Rasmus horchte auf. »Er hat in Dänemark gearbeitet?«

Anne-Kathrin Jansen nickte. »Etwa drei Jahre lang. Für unterschiedliche Firmen.«

Rasmus wusste, dass rund vierzehntausend Menschen in der Grenzregion täglich zwischen ihrem Arbeitsplatz und ihrem Wohnort pendelten. Vor allem in Richtung Norden. Die Vorteile lagen auf der Hand. Höhere Löhne, die Siebenunddreißig-Stunden-Woche, ein kollegiales Arbeitsklima, dazu flexible Arbeitszeiten und die Nutzung des dänischen Gesundheitssystems. Je geringer die Qualifikation, desto größer der Lohnunterschied. »Hatte Lennard auch in Esbjerg zu tun?«

»Ich bin mir nicht sicher. Zu der Zeit, wo wir zusammen waren, arbeitete er bei einer Firma für Trockenbau. In Hadersleben.«

Das lag rund hundert Kilometer entfernt im Osten Jütlands.

Vibeke zog ihr Handy heraus und zeigte ihr ein Foto von Nohr Lysgaard. »Kennen Sie den Mann?«

»Nein, noch nie gesehen. Wer ist das?«

»Nohr Lysgaard, der CFO von Rønsted Offshore«, erklärte seine Kollegin. »Das Unternehmen sitzt in

Esbjerg. Der Mutterkonzern ist einer der weltweit führenden Hersteller von Windkraftanlagen. Wir versuchen gerade herauszufinden, ob Lennard und er sich möglicherweise gekannt haben.«

Anne-Kathrin Jansen sah Vibeke erstaunt an. »Was sollte Lennard mit so jemandem zu tun haben?«

»Das hatten wir gehofft, von Ihnen zu erfahren«, erwiderte Vibeke. »Nohr Lysgaard wurde ebenfalls ermordet, und uns liegen Hinweise vor, dass es zwischen den beiden Fällen möglicherweise einen Zusammenhang gibt.«

»Sie haben mir noch gar nicht gesagt, was genau passiert ist. Wie wurde Lennard überhaupt umgebracht?«

Vibeke warf Rasmus einen raschen Blick zu, ehe sie antwortete. »Haben Sie von dem Toten in der Papiersortieranlage gehört?«

»Oh, mein Gott. Das war Lenny?« Anne-Kathrin Lange schlug die Hände vors Gesicht. Sie lehnte sich in ihrem Stuhl zurück, und es dauerte eine Weile, ehe sie sich wieder gefasst hatte. »Ich weiß nicht, was ich dazu sagen soll. Lennard war manchmal wirklich unmöglich und tat Dinge, mit denen ich nicht immer einverstanden war. Aber er war ein guter Mensch.« Tränen schimmerten in ihren Augen. »Ich verstehe einfach nicht, weshalb man ihm so etwas Schreckliches antun konnte.«

»Das ist wirklich schwer zu begreifen«, sagte Vibeke mitfühlend. »Umso wichtiger ist es, dass wir so viel wie möglich über Herrn Friedrichs erfahren. Welche Dinge meinten Sie eben?«

»Frauengeschichten, Alkohol, solche Sachen.«

»Auch Drogen?«

Die brünette Frau schwieg einen Moment, nestelte erneut an ihrem Ehering. »Er hat mal was genommen, aber das ist ewig her. Solches Zeug, wie sie es in Klubs verticken.«

Rasmus machte sich unwillkürlich steif. Drogen waren nach wie vor ein rotes Tuch für ihn. Vor allem die Leute, die damit dealten. Und natürlich die dicken Fische am oberen Ende. Menschlicher Abschaum. Denen war es völlig egal, was die Substanzen mit dem Leben anderer Menschen anrichteten. Es ging ihnen nur um den Profit.

»Ecstasy?«, hakte Vibeke nach.

»Auch. Und so kleine bunte Tütchen.«

»Spice«, stellte Rasmus fest. Spice zählte zu den sogenannten *Neuen psychoaktiven Substanzen*, kurz NPS genannt, ein Oberbegriff für chemisch-synthetische Stoffe, die Drogen wie Ecstasy, Cannabis und Amphetaminen ähnelten, nur um ein Vielfaches stärker in der Wirkung. Verpackt in bunten Tütchen sahen und rochen sie wie harmlose Kräutermischungen, dabei machten sie aus Menschen regelrechte Zombies. Panikattacken, Halluzinationen, Herzrhythmusstörungen und Wahnvorstellungen waren nur einige der möglichen Folgen. Nicht selten führte die Einnahme zum Tod. So wie bei Anton.

Rasmus verbot sich jeden weiteren Gedanken.

»Lennard hatte dann irgendwann einen Totalausfall«, erzählte Anne-Kathrin Jansen weiter. »Er war ein paar Wochen in einer Klinik. Danach hat er das Zeug nicht mehr angerührt.«

Vibeke machte sich ein paar Notizen. »Hatte er in letzter Zeit vielleicht Geldprobleme?«

»Das kann ich mir nicht vorstellen. Die Tischlerei lief gut. Lennard bekam mehr Aufträge, als er bewältigen konnte. Er überlegte sogar, jemanden einzustellen.«

Im Nebenraum quengelte das Baby. Anne-Kathrin Jansen stand auf. »Ich muss mich jetzt um mein Kind kümmern.«

Vibeke klappte ihr Notizbuch zu. »Natürlich. Gehen Sie nur. Sollten wir noch Fragen haben, melden wir uns.«

Die beiden Kriminalbeamten erhoben sich.

»Was hältst du davon?«, fragte Vibeke, sobald sie vor der Tür standen.

»Schwer zu sagen.« Rasmus dachte einen Moment nach. »Das mit den Drogen gefällt mir nicht. Aber die Sache ist schon eine halbe Ewigkeit her, genau wie die Grenzpendelei.« Er runzelte die Stirn. »Was sollte das mit dem Mord zu tun haben?«

Flensburg, Deutschland

Auf dem Holzsteg vor Bens Fischhütte hatte sich eine lange Schlange gebildet. Vom Anzugträger bis zum Segler war alles vertreten, und auch unter Touristen hatte sich herumgesprochen, dass man hier die besten Fischbrötchen der Stadt bekam.

»Gibt's da etwas umsonst?«, fragte Rasmus. Er trug noch immer die gleiche genervte Miene zur Schau, die ihn bereits den gesamten Vormittag begleitete. Selbst Vibekes Vorschlag, eine Kleinigkeit essen zu gehen, ehe sie ins GZ fuhren, hatte seine Laune nicht heben können. Sie sparte sich eine Antwort.

»Ich hoffe, man kann mit Karte zahlen«, murrte er. »Ich hab kein Bargeld dabei.«

Kann man nicht, dachte Vibeke, spürte aber nicht die geringste Lust, eine Grundsatzdiskussion über digitalen Fortschritt loszutreten. Im Nachbarland war die Bargeldzahlung schon vor Jahren weitestgehend abgeschafft worden. Weder Läden noch Tankstellen oder Restaurants mussten Scheine oder Münzen akzeptieren. Doch im Punkt Digitalisierung schlug Dänemark sie ohnehin um Längen.

»Du bist eingeladen«, sagte Vibeke und reihte sich am Ende der Schlange ein.

»Danke«, erwiderte Rasmus eine Spur freundlicher.

Vibeke folgte seinem Blick, mit dem er die Umgebung betrachtete. Völlig unerwartet verspürte sie einen Anflug von Stolz auf ihre Heimatstadt.

Segelschiffe, Jachten und Motorboote, so weit das Auge reichte. Schwäne schwammen im Hafenbecken und putzten ihr Gefieder, über der Bucht spannte sich der schwarz-graue Himmel.

»Was möchtest du haben?«, fragt Vibeke, als sie in der Schlange vorrückten und die Holzpaneele neben dem Verkaufsfenster sichtbar wurden, auf denen die Namen der angebotenen Fischbrötchen und deren Preise standen.

»Ich nehme Sild und ein Bier.«

Vibeke zog die Geldbörse aus ihrer Jacke und grüßte zwei uniformierte Kollegen, die gerade an ihnen vorbeigingen, um sich am Ende der Schlange einzureihen.

»Einmal Backfisch, einmal Sild und zwei alkoholfreie Bier«, orderte Vibeke, als sie an der Reihe waren.

Die Bedienung, ein kräftiger junger Mann mit blondem Backenbart, nickte und schob zwei Flaschen Bier über den Tresen.

Kein Wort zu viel, dachte Vibeke, legte einen Zwanzigeuroschein hin und sah dem Fischbudenmann dabei zu, wie er Salat und Backfisch in das aufgeschnittene Baguettebrötchen platzierte, ehe er einen Schwung der hausgemachten Remoulade obendrauf gab. Anschließend wiederholte er die Prozedur mit dem Sild, ein in verschiedene Gewürze eingelegter skandinavischer Hering, toppte diesen zusätzlich mit frischen Zwiebeln, ehe er ihr die Fischbrötchen und anschließend das Wechselgeld reichte.

Mit ihrem Essen in der Hand setzten sie sich auf den Holzstamm, der neben der Fischbude als Sitzbank fungierte.

»Lecker«, sagte Rasmus, und zum ersten Mal an diesem Tag meinte sie, ein leichtes Lächeln in seinem Gesicht zu erkennen.

»Wie geht's dir eigentlich?«, erkundigte sich Vibeke nach den ersten Bissen. Bislang hatten sie kaum ein privates Wort gewechselt.

»Kann mich nicht beklagen.« Rasmus griff nach der Bierflasche und beäugte zunächst skeptisch das Etikett, ehe er sich einen Schluck genehmigte. »Nicht schlecht, wenn man bedenkt, dass es alkoholfrei ist.«

»Hat sich Kopenhagen gemeldet?«, fragte Vibeke, während sie eine Möwe beobachtete, die sich gerade wenige Meter neben ihnen auf dem Steg niederließ.

Er schüttelte den Kopf. »Ich werde mit Eva-Karin sprechen, sobald sich die Gelegenheit ergibt.«

»Ich freue mich jedenfalls, dass du uns erhalten bleibst.« Vibeke lächelte ihn an.

Rasmus erwiderte ihr Lächeln. Im nächsten Moment wurde es eine Spur breiter. »Was ist jetzt mit deinem Typen?«

Vibeke biss ein Stück von ihrem Fischbrötchen ab und ließ den Blick über das Wasser schweifen. Seine Frage war natürlich nur ein Schuss ins Blaue. Bislang hatte sie niemandem von Claas erzählt. »Es gibt da tatsächlich jemanden«, sagte sie schließlich.

»Ha, wusste ich es doch.« Er musterte sie triumphierend. »Und, wie läuft es?«

»Es ist kompliziert.«

Rasmus lachte leise. »Warum wundert mich das jetzt nicht?«

Vibeke verzog das Gesicht. Offenbar kannte er sie mittlerweile besser, als sie dachte. »Claas ist Journalist und arbeitet bei der *SHT*«, räumte sie ein. »Das birgt einen gewissen Interessenkonflikt.«

»Verstehe. Aber wie ich dich kenne, kannst du Job und Privates gut auseinanderhalten.« Er trank einen weiteren Schluck Bier. »Und solange er nicht ausgerechnet über deine Fälle berichtet, gibt es da in meinen Augen auch gar kein Problem.«

Vibeke schwieg.

Rasmus hob die Brauen. »Tut er doch?«

»Erst seit Kurzem. Es gab wohl Personalveränderungen in der Redaktion.«

»Schwierig.« Er musterte sie von der Seite. »Aber du magst ihn?«

»Irgendwie schon.« Sie beobachtete die Möwe, die auf den dicken Bohlen Stück für Stück näher kam, den Blick gierig auf das Fischbrötchen gerichtet.

Rasmus stellte seine Bierflasche auf dem Boden ab. »Eine sehr kluge Kollegin hat mir vor einiger Zeit einen Rat gegeben, der mir in einer ganz ähnlichen Situation sehr geholfen hat. Vielleicht kann ich mich jetzt revanchieren.«

Vibeke wusste sofort, wovon er sprach. Sie hatte ihm geraten, erst seine Gefühle für Camilla zu klären, ehe er sein Leben in Esbjerg Hals über Kopf aufgab und einen Job annahm, von dem er von vornherein wusste, dass er nicht der richtige war. Auch heute noch erstaunte es sie, dass Rasmus tatsächlich auf sie gehört hatte. Sie wusste nicht genau, was zwischen ihm und seiner Ex-Frau in Kopenhagen passiert war, nur dass offenbar eine Art Abschluss stattgefunden hatte, mit dem beide ihren Frieden gemacht hatten.

»Ich bin zwar nicht wieder mit Camilla zusammengekommen, aber es hat mir die Augen geöffnet.«

Vibeke trank die letzten Schlucke aus ihrer Bierflasche. »Und was rätst du mir also?«

»Vielleicht solltest du einfach mal etwas wagen«, schlug er vor. »Ohne vorher sämtliche Pros und Kontras abzuwägen.« Rasmus schob sich den Rest seines Fischbrötchens in den Mund, dabei fiel ein kleines Stück auf den Steg. Im Nullkommanichts schoss die Möwe herbei, pickte den Happen von den Holzplanken und flog mit ihrer Beute davon. »Du meine Güte.«

Vibeke lachte und wischte sich den Mund mit der Serviette ab. Es hatte gutgetan, einen Moment abzuschalten. »Lass uns gehen.« Sie griff nach den beiden leeren Bierflaschen am Boden und stellte sie in die Kästen seitlich der Fischhütte, die für das Leergut bereitstanden.

»Mehr hast du dazu nicht zu sagen?« Rasmus klang enttäuscht.

»Ich lass mir deinen Rat durch den Kopf gehen.«

Ihr Kollege nickte zufrieden.

Der Himmel öffnete seine Schleusen, und erste Regentropfen fielen herab. Sie eilten den Steg entlang zum Parkplatz.

Kurz darauf saßen sie in Vibekes Dienstwagen.

Ehe sie den Zündschlüssel umdrehte, hielt sie inne. »Als ich gestern Abend über unseren Fall nachgedacht habe, ist mir so ein Gedanke gekommen.«

»Welcher?«

Vibeke zögerte. »Wir haben zwei äußerst grausame Morde. Identische Fesseln, gleiche Seile und dazu die Bernsteine auf den Fensterbänken. Es könnte ein Muster sein.«

»Du denkst an einen Serientäter?«

Sie nickte.

»Der Gedanke ist mir auch schon gekommen, aber die Art der Morde ist gänzlich unterschiedlich.« Rasmus fuhr sich mit der Hand über den Mund. »Falls du allerdings recht behältst, waren die beiden Toten erst der Anfang.«

»Nichts?« Vibeke sah in die Runde. Die letzte halbe Stunde hatten sie damit verbracht, ihre Ergebnisse zusammenzutragen. »Nicht die geringste Kleinigkeit, an die wir anknüpfen können?«

Allgemeines Kopfschütteln. Die Gesichter ihrer Kollegen drückten die gleiche Ratlosigkeit aus, die sie selbst empfand.

Vibeke war frustriert. Gleich zu Besprechungsbeginn hatte sie dem restlichen Team ihre Überlegung bezüglich einer Mordserie dargelegt, doch die Reaktionen waren verhalten gewesen. Sie konnte es ihren Kollegen nicht verdenken. Serientäter kamen äußerst selten vor, selbst in all ihren Jahren bei der Hamburger Mordkommission hatte sie nur einen einzigen Fall erlebt. Ein Täter, der sieben Frauen vergewaltigt, erdrosselt und ihre Leichen im Anschluss zerstückelt hatte. Niemand konnte sich vorstellen, dass sich ein ähnlich grausames Szenario ausgerechnet im friedlichen Grenzgebiet abspielte.

Weder bei Durchsicht der Akten noch bei den Befragungen von Angehörigen, Freunden, Bekannten und Arbeitskollegen der Toten war es ihnen bislang gelungen, eine Verbindung zwischen den beiden Opfern herzustellen, geschweige denn, eine Spur zum Täter zu finden.

»Wir tappen nach wie vor im Dunkeln«, stellte Jens trocken fest.

Vibeke betrachtete die Fotos vom Leichenfundort in Ahrenshöft. »Was hat denn der Bericht der Kriminaltechnik über den Papiercontainer ergeben?«

»Da gibt es eine gute und eine schlechte Nachricht«, sagte Luís. »Lennard Friedrichs hat wohl tatsächlich in dem Container der Wohnanlage gelegen, zumindest konnten ihm dort gesicherte Blutspuren eindeutig zugeordnet werden. Es wurde auch noch weiteres DNA-Material gefunden. Allerdings ist es ohne entsprechendes Vergleichsmaterial unmöglich zu sagen, ob etwas davon vom Täter stammt.«

Vibeke strich sich mit dem Zeigefinger nachdenklich über die Unterlippe. »Wie hat er den Mann zum Container gebracht?«

»Ich tippe mal auf einen Transporter.«

»Gibt es Kameras in der Umgebung? Wenn wir die auswerten, finden wir vielleicht das Fahrzeug.«

»Ich habe das schon gecheckt«, erwiderte Luís. »Keine Kameras.«

»Wie sieht es mit den Handydaten aus?«

»Der Provider hat sie heute Vormittag geschickt«, erwiderte der Portugiese. »Aber ich habe erst einen Teil ausgewertet.« Er zog seine Computertastatur zu sich heran und gab ein paar Befehle ein. »Demnach hat sich Lennard Friedrichs' Handy am Morgen seiner Ermordung direkt nach dem Einschalten um 5.20 Uhr in sein WLAN-Netz eingeloggt. Zwischen 10.15 Uhr und 17.03 Uhr sind insgesamt fünf Anrufe eingegangen. Drei davon stammen vom Vater, zwei konnten wir Kunden der Tischlerei zuordnen. Um 17.33 Uhr wurde das Handy ausgestellt. Oder der Akku war leer. Es gab keine ausgehenden Gespräche.«

»Und es war die ganze Zeit über im WLAN-Netz eingeloggt?«, hakte Vibeke nach.

Luís nickte.

»Ich habe Einsicht in die Kontounterlagen für sein Privat- und sein Geschäftskonto bei seiner Bank beantragt«, warf Jens ein, »laut dem Berater ist dort aber alles im grünen Bereich.«

»Vielleicht sollten wir der Sache mit den Drogen nachgehen«, überlegte Vibeke und sah Rasmus an. »Ist dir in diesem Zusammenhang etwas mit Nohr Lysgaard untergekommen?«

Ihr Kollege schüttelte den Kopf. »Nein. Ich denke auch nicht, dass jemand in seiner Position so etwas lange geheim halten kann.«

»Na ja, er wird ja nicht bereits als CFO auf die Welt gekommen sein«, warf Luís ein.

»Da hast du natürlich auch wieder recht«, erwiderte Rasmus. »Ich kann Mille Lysgaard diesbezüglich gerne noch einmal auf den Zahn fühlen.«

Pernille tippte mit ihrem Kugelschreiber auf ihre Unterlagen. »Und ich habe noch ein paar Namen auf meiner Liste von Rønsted offen, bei denen könnte ich ebenfalls nachhaken.«

»Dann spreche ich noch einmal mit dem Vater.« Vibeke erhob sich hinter ihrem Schreibtisch und ging zum Sideboard, um sich einen Kaffee einzuschenken. Jemand hatte einen Teller Kanelsnegle neben die Kanne gestellt, doch sie war noch immer satt vom Fischbrötchen.

»Ich habe mich gestern Abend ein wenig mit der Bedeutung von Bernsteinen befasst.« Jens zog einen Schnellhefter heran. »In der Antike wurden Bernsteine zur Behandlung von Krankheitserregern, Fieber oder Gicht eingesetzt, im Mittelalter nutzte man sie

unter anderem bei Magenbeschwerden und Blasen-
funktionsstörungen. Robert Koch hat später herausgefunden, dass die in den Bernsteinen enthaltene
Säure eine immunstärkende Wirkung hat. Sie wird
bis heute sowohl in der Pharmaindustrie als auch
in der Naturmedizin genutzt.« Er griff nach seinem
Wasserglas und trank einen Schluck, ehe er weitersprach. »Im Volksaberglauben gilt Bernstein zudem
als Schutz vor bösem Zauber und soll Hexen, Dämonen und Trolle vertreiben. Es gibt zahlreiche Mythen
und Sagen, die sich darum ranken. Genauso vielfältig
wie die Mythologie ist allerdings auch die Herkunft
von Bernsteinen. Weltweit gibt es mehr als achtzig
verschiedene Arten.«

Vibeke setzte sich mit dem Kaffeebecher in der
Hand hinter ihren Schreibtisch. »Vielleicht sollten
wir einen Fachmann zurate ziehen, dem wir die Steine zeigen können.«

»Der Meinung bin ich auch.« Jens blätterte eine
Seite in seinem Schnellhefter um. »Deshalb hab ich
mich schlaugemacht und tatsächlich jemanden dafür
gefunden.« Er sah in seine Unterlagen. »Jon Bjørndahl.
Er ist Bernsteinexperte und gilt als ausgesprochene Ko-
ryphäe auf dem Gebiet. Davon gibt es nicht viele. Und
er ist bereit, mit uns zu sprechen.« Der Blick hinter seinen Brillengläsern ruhte auf Rasmus.

»Warum siehst du mich dabei an?«, fragte Rasmus
argwöhnisch.

»Jon Bjørndahl wohnt in Ho.« Jens lächelte zufrieden. »Keine halbe Stunde von Esbjerg entfernt. Du
könntest also auf der Rückfahrt einfach einen kleinen
Schlenker machen.«

Rasmus runzelte die Stirn. »Wie du es sagst, klingt es bereits wie beschlossene Sache.«

»Es könnte sich lohnen, mit dem Mann zu sprechen«, sagte Vibeke und nippte an ihrem Kaffee.

Rasmus warf einen Blick auf seine Armbanduhr. »Von mir aus. Aber dann muss ich gleich los, damit ich später noch in meiner Dienststelle vorbeischauen kann. Ich hab mich dort seit zwei Tagen nicht mehr blicken lassen.« Er stand auf und langte nach seiner Jacke, die über der Stuhllehne hing.

»Danke, Rasmus«, sagte Vibeke. »Du meldest dich, wenn du etwas Interessantes in Erfahrung bringst?«

»Selbstverständlich.« Er salutierte, zwinkerte im Vorübergehen Luís zu und verschwand durch die Tür.

»Gut, dann würde ich vorschlagen, wir anderen machen weiter wie besprochen.« Vibeke griff nach dem Telefon und wählte die Nummer von Theo Friedrichs.

Ho, Dänemark

Die kleine Ortschaft Ho lag auf dem schmalen Landstrich zwischen der Ho Bugt und der Nordsee, nur wenige Kilometer von Blåvand entfernt, und hatte gerade mal fünfundachtzig Einwohner. Mit seinen gepflegten alten Gehöften, einer idyllischen Kirche, einem Forellensee und einer Golfanlage, umrahmt von einem wunderschönen Wald-und-Wiesen-Gebiet bildete es die Pforte zur Halbinsel Skallingen mit ihrer wilden und unberührten Natur. Dort, wo in den

Sommermonaten Kühe herumliefen, wurde im Winter das Land vom Wasser der Nordsee überspült. An die drei Meter Dünen verschwanden dadurch Jahr um Jahr. Für immer verschluckt vom Meer.

Das Haus von Jon Bjørndahl befand sich am Waldrand und wirkte auf den ersten Blick wie eine unscheinbare Hütte. Grau verwittertes Holz und ein mit Moos besetztes Dach schienen mit den Bäumen in der Umgebung zu verschmelzen. Erst beim Betrachten der Längsseite wurde die wahre Größe des Hauses ersichtlich. Eine rund zwanzig Meter lange Fensterfront öffnete sich zum Wald hin. Bäume und Himmel spiegelten sich im Glas.

Rasmus stieß einen leisen Pfiff aus. Urban Living mitten im Wald.

Da es keine Klingel gab, klopfte er an die Tür. Kurz darauf wurde geöffnet, und er sah sich einem Endzwanziger im bunten Strickpullover gegenüber. Blonde, zum Pferdeschwanz gebundene Haare, Bartstoppeln, eine rechteckige, dünn eingefasste Metallrandbrille, die Füße steckten in Gesundheitslatschen.

»Hej, Rasmus Nyborg von der Polizei in Esbjerg«, stellte Rasmus sich vor.

»Ich bin Jon.« Der Bernsteinexperte lächelte breit. »Komm rein!« Er hielt die Tür ein Stück weiter auf und ließ den Ermittler eintreten. »Aber das warst nicht du vorhin am Telefon, oder?«

»Nein. Ein deutscher Kollege.« Rasmus folgte ihm durch einen ahorngetäfelten Flur. Sämtliche Räume waren zum Wald hin ausgerichtet, die Einrichtung minimalistisch gehalten. Klare Linien und ruhige Farben, die nur vom Grün der Pflanzen durchbrochen wurden. Durch die bodentiefen Fenster wirkte der Übergang zur Natur nahtlos. Außen- und Innenbereich schienen miteinander zu verschmelzen.

Am Ende des Flurs führte eine Wendeltreppe ins Untergeschoss. Hier bot sich ein komplett anderes Bild. Beleuchtete Vitrinenkästen zierten unverputzte Ziegelwände. Hinter dem Glas lagen Bernsteine in unterschiedlichsten Größen und Farben. Von klarem Honiggelb über Rotorange bis hin zu Schwarz waren sämtliche Schattierungen vertreten. Eingelassene Deckenspots warfen runde Kreise auf den Boden aus dunklen Schieferplatten.

»Diese Exponate stammen aus einer Tongrube in der Nähe von Berlin.« Jon Bjørndahl zeigte auf ein paar größere bräunliche Exemplare, ehe seine Hand ein Stück weiter zu einer Reihe bläulicher Steine wanderte. »Und diese habe ich in einer Mine in der Dominikanischen Republik entdeckt.«

»Ich dachte immer, Bernsteine gibt es nur am Meer«, murmelte Rasmus.

Jon Bjørndahl lachte. »Das ist tatsächlich die häufigste Fundlage. Aber Bernsteinvorkommen gibt es auch an Orten, die man in diesem Zusammenhang nicht gleich vermutet. Braunkohlewerke zum Beispiel oder im Libanongebirge. Und in einigen kanadischen Seen. Manchmal lassen sie sich auch ganz banal an Baustellen finden, beim Ausheben eines Tunnels oder eines Schachtes zum Beispiel.«

Er führte Rasmus in einen großen Raum. Hier zogen sich beleuchtete Glasvitrinen eine komplette Wand entlang, präsentierten Bernsteine in unterschiedlichsten Varianten, zum Teil mit Einschlüssen.

Pflanzen, Wirbeltiere und Insekten jeglicher Art. Halogenspots hoben ausgewählte Exponate hervor. Es funkelte wie in einer Schatzkammer.

Rasmus musste an den Aufsatz denken, den Anton vor einigen Jahren im Dänischunterricht über das legendäre Bernsteinzimmer geschrieben hatte. Die zahlreichen Mythen, die sich um dessen Verschwinden rankten, hatten seinen Sohn lange Zeit fasziniert, und er hatte etliche Theorien über den Verbleib des Bernsteinzimmers entwickelt.

»Diese Exponate stammen zum Beispiel aus Alaska, von einer Lagerstätte in der Nähe des Kuk River«, durchbrach Jon Bjørndahls Stimme seine Gedanken. Er fing an, über Einschlüsse von Insekten zu erzählen. Begeisterung schwang in seiner Stimme, die sich mit jedem Wort zu steigern schien.

Der Typ ist ein Freak, schoss es Rasmus in den Sinn. Er ließ den Blick durch den Raum schweifen, während er mit halbem Ohr zuhörte.

An der gegenüberliegenden Wandseite war ein Werkstattbereich mit zahlreichen Gerätschaften eingerichtet worden. Mikroskope, Doppelschleifmaschine, elektrische Bandsäge, Fräse und Poliermaschine. Über der Arbeitsplatte hing eine Hakenleiste mit unterschiedlichen Zangen, Sägen und Eisenbohrern, die wie kleine Schwerter aussahen. Auf der Ablagefläche darunter lagen in Kästen sortiert verwitterte Steine, ähnlich wie die Fundstücke, die in den Spurensicherungstüten in seiner Jacke steckten.

Die Werkbank grenzte an eine geschlossene Tür, hinter der offenbar ein weiteres Zimmer lag. Sein

Blick fiel auf ein Gerät, das ihn an die Trommel seiner Waschmaschine erinnerte.

»Das ist eine Steintrommel«, erklärte Jon Bjørndahl, dem sein Blick offenbar nicht entgangen war. »Sie wird zum Trommeln und Polieren von Rohsteinen eingesetzt. Ich nutze sie allerdings nur bei größeren Mengen. Das Gerät ist mit Gummiwalzen ausgestattet, das schont das Gehör.« Er grinste breit und deutete auf ein paar kleine Fläschchen, die in einem Regal untergebracht waren. »Das Schleifpulver gibt …«

»Super«, unterbrach ihn Rasmus. »Weshalb ich hier bin«, er beförderte die Spurensicherungstüten aus seiner Jacke, »sind diese beiden Bernsteine. Du als Experte kannst mir vielleicht sagen, woher sie stammen.«

»Darf ich?« Jon Bjørndahl nahm die Tüten entgegen, ging damit zur Werkbank und holte dort die Steine heraus.

»Die Herkunft lässt sich nicht ganz so einfach bestimmen«, sagte er, während er die Steine unter dem Mikroskop betrachtete. »Anhand einer Infrarotspektroskopie gibt es die Möglichkeit herauszufinden, ob es sich um Ostseebernsteine oder einen anderen Bernsteinfund handelt, aber das allein wird dir sicherlich nicht weiterhelfen, oder?« Er hob den Blick.

Rasmus schüttelte den Kopf. »Ich hatte gehofft, es lässt sich vielleicht anhand der chemischen Zusammensetzung sagen.«

»Es gibt tatsächlich einige Untersuchungen und Analysetechniken, mit denen sich die Bernsteinarten einordnen lassen. Dafür benötigt man allerdings nicht nur spezielle Geräte, sondern auch die entsprechenden

Kenntnisse.« Jon Bjørndahl machte ein betrübtes Gesicht. »Leider bin ich kein Chemiker.«

»Kannst du mir deine Einschätzung geben, woher die Steine kommen könnten?«

»Ich könnte mir gut vorstellen, dass sie hier aus der Region stammen. Vejers. Henne.« Jon Bjørndahl steckte die beiden Bernsteine zurück in die Spurensicherungstüten. »Oder natürlich Blåvand. Dort wird man unter den richtigen Bedingungen häufig fündig. Allerdings bekommt man solche Steine auch in den Souvenirshops. Ich nenne sie Touristenbernsteine.«

»Das bedeutet, sie sind nicht besonders wertvoll«, stellte Rasmus fest.

»Für den, der sie besitzt, sind sie es sicherlich«, erwiderte Jon Bjørndahl kryptisch. »Faktisch liegt der Wert derzeit bei etwa ein bis fünf Euro pro Gramm, je nach Schliff und Qualität. Das liegt an der schwankenden Nachfrage, vor allem aus Asien. Der Handel mit Bernsteinen ist nach dem letzten Boom zurückgegangen, doch das kann sich jederzeit wieder ändern. Es gibt zahlreiche Tausch- und Verkaufsbörsen, Messen … In Vejers findet jedes Jahr ein dreitägiges Bernsteinfest statt. Wenn dich das Thema interessiert, im Tirpitz-Museum gibt es eine Dauerausstellung über Bernsteine an der Westküste.« Er begann von einem aufsehenerregenden Fund zu erzählen, den er vor einigen Jahren auf Fanø gemacht hatte.

Rasmus ließ den Blick erneut durch den Raum schweifen. Er fragte sich, was er eigentlich hier sollte. Nichts, was er bislang erfahren hatte, brachte sie bei ihren Ermittlungen voran. Als er sich Jon Bjørndahl wieder zuwandte, der ohne Punkt und Komma weitergeplappert hatte, stellte er verwundert fest, dass dem Bernsteinexperten Schweißperlen auf der Stirn standen. Ob es an dem Wollpullover lag? Doch die Temperatur war hier unten ausgesprochen kühl.

»Alles in Ordnung?«

»Ja, klar.« Jon Bjørndahl untermauerte seine Aussage mit einem kräftigen Nicken. Die Schweißperlen verstärkten sich.

Der Mann ist nervös, dachte Rasmus. Doch weshalb? Ihm fiel ein, dass das Ferienhaus der Lysgaards keine zehn Kilometer von hier entfernt lag. In den Sommermonaten wurde Blåvand von Touristen regelrecht überflutet, dann schraubte sich die Bevölkerungszahl aufgrund der Ferienhausdichte gut auf das Vierzigfache hoch, außerhalb der Saison hatte der Ort gerade mal rund zweihundert Einwohner. Gut möglich, dass Jon Bjørndahl die Lysgaards also kannte, die häufig auch die Wochenenden in ihrem Ferienhaus verbrachten.

Rasmus zog sein Handy heraus und zeigte ihm ein Foto des CFOs. »Kennst du den Mann?«

»Das ist doch dieser Manager von Rønsted, oder?« Jon Bjørndahl wischte sich mit dem Handrücken den Schweiß von der Stirn. »Sein Bild war überall in den Zeitungen.«

Rasmus nickte. »Bist du ihm schon einmal begegnet? Seine Familie hat ein Ferienhaus in Blåvand.«

Der Bernsteinexperte schüttelte den Kopf. »Ich bin selten im Ort, höchstens mal zum Einkaufen. In der Regel ist mir da aber zu viel los. Ich kann mich jedenfalls nicht daran erinnern, den Mann getroffen zu haben.« Er sah auf seine Uhr. »Hast du sonst noch Fragen?«

»Vorerst nicht.« Rasmus steckte sein Handy wieder ein und nahm die Spurensicherungstüten entgegen, die ihm Jon Bjørndahl jetzt hinhielt. »Danke für deine Hilfe.« Er folgte dem Mann zur Haustür.

Kurz darauf stand Rasmus wieder im Freien. Dämmerung und Nieselregen hatten eingesetzt und tauchten die Umgebung in eine düstere Stimmung. Das Haus umgab plötzlich etwas Abweisendes. Die Bäume am Waldrand, die ihm zuvor noch idyllisch erschienen waren, erhoben sich wie eine dunkle Wand. Auch der Geruch hatte sich verändert. Es roch nach Moos, Erde und Feuchtigkeit.

Rasmus fröstelte unwillkürlich. Mit wenigen Schritten war er an seinem VW-Bus angelangt und schwang sich hinter das Lenkrad auf den Fahrersitz. Er fragte sich noch immer, weshalb der Typ am Ende ihres Gesprächs so nervös geworden war. Vielleicht lag es nur daran, dass die Polizei bei ihm aufgetaucht war. Schließlich kam dies bei den meisten Menschen nicht allzu häufig vor. Es wäre schon ein verdammter Zufall, wenn ausgerechnet Jon Bjørndahl mit den Morden zu tun hätte. Dann hätte er wohl kaum freiwillig seine Hilfe angeboten.

Vielleicht irrten sie sich auch, und Nohr Lysgaard und Lennard Friedrichs hatten die Bernsteine selbst auf die Fensterbänke gelegt. Oder der Mörder spielte irgendein Spiel mit ihnen. Wer wusste das schon. Er hatte jedenfalls Besseres zu tun, als seine Zeit länger mit irgendwelchen Steinen zu vergeuden.

Rasmus startete den Motor und fuhr zurück auf die Straße, ohne einen Blick in den Rückspiegel zu werfen.

Eine halbe Stunde später schenkte ihm Silje Søren-sen hinter dem Empfangstresen der Polizeistation ein strahlendes Lächeln. »Hej, Rasmus. Schön, dich zu sehen. Ich dachte schon, du wärst jetzt ganz nach Pad-borg gezogen.«

»Das kommt mir auch so vor.« Rasmus erwiderte ihr Lächeln. Er lehnte sich gegen den Tresen. »Weißt du, ob Mads noch im Büro ist?«

»Es ist Freitag. Der ist schon seit Stunden weg.«

Mist. Dann war er völlig umsonst gekommen.

»Ich soll dir ausrichten, dass der Akkuschrauber auf deinem Schreibtisch liegt«, schob Silje hinterher.

Rasmus' Stimmung hellte sich augenblicklich auf.

»Danke.« Er klopfte mit den Fingerknöcheln auf den Tresen und eilte den Gang entlang.

In Höhe des Fahrstuhls kam ihm Eva-Karin Holm entgegen. Die Vizepolizeiinspektorin war bereits im Mantel und trug ihre dunkelblaue Aktentasche in der Hand.

»Rasmus.« Sie blieb stehen. »Was gibt es Neues im Fall Nohr Lysgaard?«

Er kratzte sich im Nacken. »Nicht viel.«

Die Brauen seiner Chefin schossen in die Höhe. »Und das bedeutet im Klartext?«

»Dass wir dabei sind, den Fall mit dem des toten Tischlers abzugleichen. Wir suchen nach weiteren Überschneidungen.«

»Ihr habt also nichts«, stellte Eva-Karin Holm schmallippig fest.

»Bislang nicht«, gab Rasmus freimütig zu. »Das

kann sich aber jederzeit ändern. Lennard Friedrichs war vor einigen Jahren Grenzgänger, vielleicht lässt sich daraus eine Verbindung ziehen.«

»Lennard Friedrichs?« Seine Chefin krauste die Stirn. »Heißt so das deutsche Opfer?«

Rasmus nickte. »Vibeke hat übrigens vorgeschlagen, einen Fallanalytiker hinzuzuziehen.«

Erneut warf die Vizepolizeiinspektorin ihre Stirn in Falten. Er wusste, was sie dachte. Noch mehr Kosten. Ohne eine Garantie, dass sie die Fallanalyse weiterbrachte. Dazu der ganze Papierkram. »Ihr denkt dabei an die Kollegen aus Kopenhagen?«

Rasmus schüttelte den Kopf. »Vibeke kennt jemanden beim LKA in Hamburg, der ihrer Einschätzung nach der Richtige dafür ist. Allerdings brauchen wir dafür dein Okay.«

Eva-Karin Holm seufzte. »Meinetwegen, das kriegt ihr. Aber dafür will ich Ergebnisse sehen.« Sie musterte ihn. »Was ist eigentlich mit deinem Bericht?«

»In Arbeit.«

»Ich hätte ihn schon vor zwei Tagen gebraucht.« Sie strich sich mit einer fahrigen Geste durchs kurze Haar.

»Du, Eva-Karin, noch was anderes«, sagte Rasmus. »Ich wollte mit dir über dein Angebot sprechen.«

Seine Chefin sah ihn fragend an.

»Wegen deiner Nachfolge«, ergänzte er. »Du hattest mir gesagt, dass du bis Ende des Monats meine Antwort brauchst. Ich wollte ...«

»Rasmus, tut mir leid, aber ich bin auf dem Sprung«, unterbrach ihn seine Chefin und warf einen raschen Blick auf ihre Armbanduhr. »Kann das vielleicht bis Montag warten?«

»Klar.« Insgeheim war Rasmus froh über die Antwort, denn augenscheinlich war sie nicht in bester Stimmung.

»Dann um neun Uhr in meinem Büro«, sagte Eva-Karin. »Und schick mir bis dahin deinen Bericht.«

»Geht in Ordnung.«

Die Vizepolizeiinspektorin blickte streng. »Ich verlass mich auf dich, Rasmus.« Sie machte auf dem Absatz kehrt, und für den Bruchteil einer Sekunde sah er das leichte Schmunzeln, das ihre Lippen streifte, ehe sie davoneilte.

Kurz darauf trat er in sein Büro. Wie versprochen lag der Akkuschrauber auf seinem Schreibtisch. Beim Anblick seines Computers dachte er augenblicklich an den Bericht. Doch es war Freitagabend, und er hatte keine Lust, ihn zu schreiben, deshalb beschloss er, die Schonfrist, die ihm die Chefin bis Montagfrüh gewährt hatte, voll auszureizen.

Rasmus schnappte sich den Akkuschrauber und verließ die Polizeistation. Er freute sich aufs Wochenende. Am nächsten Tag würde er Ida in Kopenhagen besuchen und über Nacht bleiben, da Camilla eine Einladung auf Møn hatte. Und am Sonntag würde er mit seiner Tochter zum ersten Mal in den Tierpark gehen. Die Kleine würde Augen machen.

Gut gelaunt fuhr er nach Hause, bereitete sich dort zunächst eine Kleinigkeit zum Essen zu, stellte anschließend Musik an, etwas Leichtes, Jazziges, und wandte sich schließlich beschwingt dem Aufbau des Kinderbetts zu.

Er hatte sich für ein Kombimodell mit Kommode entschieden. Massives Birkenholz. Umweltfreundliche Lackierung mit Ökosiegel. Mitwachsend und zweifach höhenverstellbar. Orthopädischer Lattenrost. Drei Schubladen zum Verstauen von Windeln und Kinderkleidung, obendrauf eine Ablagefläche, die er zum Wickeln nutzen konnte.

Rasmus öffnete den Karton, nahm die Anleitung und die Einzelteile heraus, breitete alles fein säuberlich auf dem Wohnzimmerboden aus und legte den Akkuschrauber parat. Dann öffnete er eine Flasche Bier, trank ein paar Schlucke und widmete sich der Aufbauanleitung. Neunzehn Seiten. Er runzelte die Stirn, nahm einen weiteren Schluck Bier und begann mit den ersten Schritten.

Vierzig Minuten später gab er entnervt auf. Nichts passte zusammen. Weder die Kopfteile mit den Seitenverstrebungen noch die einzelnen Schubladenelemente. Es gab Vorbohrungen an den falschen Stellen, außerdem fehlten Schrauben.

Er ließ alles an Ort und Stelle liegen, stellte die Musik aus und ging ins Bett.

6. Kapitel

Wasser spritzte unter Emmis Gummistiefeln hoch, als sie in eine der zahlreichen Vertiefungen trat, die sich zwischen Seetang, Schlick und Muscheln am Strand entlangzogen.

Es war klirrend kalt. Rauer Wind fegte über das Meer an Land, stob den Sand zu meterhohen Verwehungen auf, streifte Hennings Gesicht wie ein feiner Regen aus Schleifpapier. Die Sandkörner drangen durch die Ritzen seiner Kleidung, landeten in seinen Augen und zwischen seinen Zähnen. Am knallblauen Himmel lachte die Sonne.

Emmi juchzte. Die Gummistiefel mit Schlamm und Seetang überzogen, hielt sie ihren gelben Eimer zwischen den mit Fäustlingen geschützten Händen, das kleine Gesicht unter der Mütze vor Kälte gerötet.

Sie waren auf dem Weg zum Bäcker. Mit dem Auto hätten sie keine fünf Minuten gebraucht. Zu Fuß dauerte es eine halbe Stunde und am Strand entlang noch einmal fast doppelt so lang. Bis sie irgendwann bei der Bäckerei ankämen, wären die Zimtschnecken mit Sicherheit längst ausverkauft.

Die Kälte kroch ihm unter seine Daunenjacke. Es

war eine Schnapsidee gewesen, den Weg über den Strand zu nehmen.

»Komm jetzt, Emmi«, forderte er seine Tochter auf. »Wenn wir noch länger so trödeln, sind wir nicht vor Mittag zurück. Ich glaub nicht, dass der Mami das gefällt.«

Seine letzten Worte gaben den Ausschlag, zumindest nickte die Kleine ernst und passte sich ohne die übliche Maulerei dem Tempo seiner Schritte an.

Sofort bekam er ein schlechtes Gewissen. Anders als Leonie und Ben wusste Emmi nicht, wie krank ihre Mutter tatsächlich war. Dass sie dem Tod schon einmal näher gewesen war als dem Leben.

Das ständige Warten, Hoffen und Bangen hatte Henning müde gemacht. Er sehnte sich nach seinem alten Leben zurück. Nach den alltäglichen Sorgen, die ihm im Nachhinein betrachtet gänzlich nebensächlich erschienen. Doch konnte es überhaupt jemals wieder wie früher sein?

Sie hatten sich alle verändert. Nicht nur Anna. Auch er und die Kinder. Es war die Krankheit, die das mit ihnen gemacht hatte. Und jetzt warteten sie schon wieder auf ein Ergebnis, von dem niemand wusste, was es ihnen brachte.

Henning drängte die düsteren Gedanken beiseite und eilte seiner Tochter hinterher, die bereits die Dünen hinauflief.

Eine halbe Stunde später trug er zwei große Papiertüten aus der Bäckerei. Sie hatten es tatsächlich geschafft, die letzten fünf Zimtschnecken zu ergattern.

In der Zwischenzeit hatte das Wetter umgeschlagen. Dort, wo vor Kurzem noch die Sonne gelacht hatte, türmten sich jetzt tief hängende Wolken unheilvoll am Himmel.

Dieses Mal nahmen sie den Fußweg entlang der Straße, die zunächst an Geschäften, Restaurants und Cafés vorbeiführte und sich später hinter dem Ortsausgang zwischen Dünen und Ferienhäusern parallel zur Nordsee entlangschlängelte. In der Ferne schimmerte der Blåvandshuk Fyr weiß am dunklen Horizont.

Emmi stimmte ihr Lieblingslied an. *Die Affen rasen durch den Wald, der eine macht den andern kalt.*

Henning schmunzelte. Das Lied hatte er selbst bereits als Kind gesungen. Spontan stimmte er beim nächsten Refrain mit ein. Eine Gruppe Fahrradfahrer, die ihnen entgegenkamen, lachte.

Mit dem Verklingen der letzten Strophe erreichten sie die Kiesauffahrt zu ihrem Ferienhaus. Gleichzeitig begann es wie aus Kübeln zu schütten.

Sie rannten die letzten Meter zum Eingang. Henning sperrte die Tür auf. Im Haus war es vollkommen ruhig. Schliefen etwa noch alle?

»Anna?!« Sein Ruf verhallte in der Stille. Ein leichtes Unbehagen breitete sich in seiner Magengegend aus. Er drehte sich zu seiner Tochter um. »Lass deine Gummistiefel vor der Tür stehen, Schatz, und klopf deine Hose und die Jacke einmal tüchtig ab, ehe du reinkommst.«

Er schlüpfte aus seinen Schuhen, stellte sie auf die Matte neben der Tür und schälte sich aus seiner Daunenjacke, ehe er auf Socken in den großen Wohnbereich ging. Feiner Sand rieselte vom Saum seiner Jeans auf den hellen Fliesenboden.

Seine Frau saß am Küchentisch. Die Ellenbogen aufgestützt, der Kopf in den Händen, das Gesicht tränenüberströmt. Vor ihr auf der Tischplatte lag das Handy.

Augenblicklich schnürte sich ihm der Hals zu.

Flensburg, Deutschland

Vibeke löste die Klettverschlüsse und zog die Handschützer von ihren Händen.

»Du hast ganz schön Dampf abgelassen.« Kim, ihre Freundin und Trainingspartnerin, beäugte sie aus ihren Mandelaugen. Sie arbeitete als Psychologin an einem Flensburger Krankenhaus und war eine kleine, zarte Person, die aufgrund ihrer Statur häufig unterschätzt wurde. Dabei besaß sie, genau wie Vibeke, den fünften Meistergrad im Wing Tsun und war dazu eine Meisterin im Stockkampf. Die Frauen kannten sich, seit Kim an Vibekes zwölftem Geburtstag ins Nachbarhaus der Boisens gezogen war. »Gibt es einen besonderen Grund?«

»Nur die Arbeit.« Vibeke stopfte die Handschützer in ihre Sporttasche und leerte ihre Trinkflasche, ehe sie diese hinterherschob. »Wir haben einen neuen Fall.«

Kim nickte. »Ich hab im Radio davon gehört.«

Mehr sagte sie nicht dazu, wofür Vibeke mehr als dankbar war. Anders als ihre gemeinsame Freundin Nele, die immer wieder versuchte, ihr Informationen aus der Nase zu ziehen, akzeptierte Kim ihre Verschwiegenheit, was dienstliche Angelegenheiten betraf. Vermutlich hing das mit ihrem eigenen Beruf zusammen. Auch als Psychologin unterlag sie einer Schweigepflicht.

»Das Leben besteht allerdings nicht nur aus Arbeit.« Kim tauschte ihre Trainingsschuhe gegen schwarze Biker Boots.

Vibeke fühlte sich ertappt. Sie hatte den gesamten Samstagvormittag hinter ihrem Schreibtisch in der Polizeidirektion verbracht. So wie fast jeden Samstag. Sie genoss die ruhigen Stunden, wenn die Flure und die Büros der Mordkommission leer waren, kein Telefon klingelte und weit und breit niemand da war, der etwas von ihr wollte.

An diesem Morgen war sie zum x-ten Mal die Akten durchgegangen in der Hoffnung, ein Detail zu entdecken, das ihnen bislang entgangen war. Zudem hatte sie Kontakt zu Frank Liebermann beim LKA aufgenommen, nachdem ihr Rasmus in einem Zweizeiler das offizielle Go von Eva-Karin Holm erteilt hatte.

Frank Liebermann war Leiter der Fachabteilung für Operative Fallanalyse, kurz OFA genannt, dazu ein brillanter Stratege, und Vibeke hatte in der Vergangenheit bereits mehrere Male mit ihm zu tun gehabt. Er und sein Team fungierten als Berater für Sonderkommissionen der Polizei und kamen häufig bei Serien- und Sexualtätern zum Einsatz. Dabei rekonstruierten sie die Tatabläufe, bewerteten das Täterverhalten und analysierten stets den gesamten Fall. Dafür erfolgte im Vorfeld tagelange Detailarbeit – das Lesen von Polizeiberichten, Obduktionsergebnissen und Zeugenaussagen, ehe am Ende die wahrscheinlichste Hypothese herausgefiltert wurde. Von Frank hatte Vibeke gelernt, dass selbst das kleinste Detail zur Lösung eines Falls beitragen konnte, eine für sie schlüssige Vorgehensweise, die keinen unwesentlichen Anteil an ihrer Entwicklung als Ermittlerin gehabt hatte.

Vibeke hatte dem Fallanalytiker die beiden Morde am Telefon grob umrissen, und er hatte sich sofort interessiert gezeigt. Dabei hatten ihn die Bernsteine auf den Fensterbänken direkt aufhorchen lassen.

Frank Liebermann hielt einen Serientäter durchaus im Bereich des Möglichen, doch um eine bessere Einschätzung abzugeben, benötigte er zunächst Zugang zu den Akten. Vibeke hatte versprochen, alles Nötige anzuleiern.

»Wann bist du eigentlich zuletzt aus gewesen?« Kim holte ihre Jacke aus dem Spind.

»Das ist noch gar nicht so lange her«, erwiderte Vibeke, und als ihre Freundin fragend die Brauen hob, schob sie schnell hinterher: »Was hältst du davon, wenn wir gleich noch etwas trinken gehen?«

»An sich gerne.« Ein Lächeln flog über Kims Gesicht. »Aber ich habe später eine Verabredung mit dem Neuen aus der Gefäßchirurgie.« Sie zog den Reißverschluss ihrer Jacke zu, schwang sich den Gurt ihrer Sporttasche quer um den Oberkörper und langte nach ihrem Helm.

»Da kann ich natürlich nicht mithalten.« Vibeke lächelte und schlüpfte in ihren Parka. Sie freute sich für Kim. Ihre Freundin wirkte glücklich. »Dann sehen wir uns nächste Woche beim Training?«

Kim nickte.

Einträchtig verließen sie die Kampfkunstschule und verabschiedeten sich auf dem Parkplatz, wo Kim auf ihre schwarze Vespa stieg.

Vibeke sah ihr hinterher, wie sie in der Dunkelheit davonbrauste, und machte sich zu Fuß auf den Heimweg. Am Nordermarkt traf sie auf erste Partygänger. Dort, wo Anfang der Woche noch die Bürgersteige hochgeklappt waren, erwachte spätestens am Freitagabend das Viertel zum Leben. Dann hieß es »Hoch die Tassen«.

Zehn Minuten später sperrte sie die Tür zu ihrer Dachgeschosswohnung auf. Stille empfing sie.

Sie streifte Schuhe und Jacke ab und warf einen kurzen Blick auf das Festnetztelefon auf der Kommode. Die Nachrichtenanzeige war stumm. Ihre Gedanken wanderten zu Claas. Schon den ganzen Tag kämpfte sie mit sich, ob sie ihn nicht vielleicht anrufen sollte. Dass er sich nicht melden würde, hatte sie begriffen. Er gehörte nicht zu der Sorte Mensch, die drängte. Damit befolgte er unbewusst ihre geheimen Spielregeln. Das gefiel ihr, gleichzeitig verunsicherte es sie. Claas ließ sich nicht so einfach aus ihrem Kopf verdrängen wie die Männer vor ihm. Er hatte etwas Introvertiertes. Unnahbares. Und er war jemand, der nicht viel von sich preisgab. Keiner dieser Angebertypen, deren Universum stets um sie selbst kreiste und die ständig mit ihren Erfolgen prahlten, und auch keiner dieser Schmeichler, die Frauen im Sekundentakt ein Kompliment nach dem anderen ins Ohr hauchten, nur um sie schnellstmöglich ins Bett zu kriegen.

Die Dinge, die Claas erzählte, ließen auf einen tiefgründigen Menschen schließen. Es war vor allem die empathische und engagierte Art, mit der er über seine jahrelange Arbeit in Kriegs- und Krisengebieten sprach, über das Leben der Menschen in Ländern und Regionen, in denen es Anschläge und Aufstände gab. Vibeke teilte sein Unverständnis dafür, dass der Auslandsjournalismus seit Jahren von Einsparungen betroffen war. Ständig neue Maßnahmenpakete bei Fernsehanstalten und Verlagshäusern hatten dazu geführt, dass die Berichterstattung aus Krisenregionen immer häufiger durch Fallschirmreporter erfolgte, eigens dafür eingeflogene Journalisten, die weder die Entwicklung noch die Hintergründe vor Ort mitbekamen. Bedingungen, unter denen es in Claas' Augen keine realistischen Einblicke in die politischen, wirtschaftlichen und gesellschaftlichen Vorgänge der betroffenen Länder geben konnte.

Doch nicht nur seine Ernsthaftigkeit gefiel Vibeke, auch seine sehr dunkle, raue Stimme, seine großen Hände. Sie fühlte sich einfach zu ihm hingezogen. Nicht nur körperlich, auch mental.

Rasmus' Worte kamen ihr in den Sinn. Dass sie vielleicht einfach mal etwas wagen sollte. Ohne zu viel darüber nachzudenken.

Vibeke gab sich einen Ruck. Sie griff nach dem Telefon und wählte Claas' Handynummer. Nur die Mailbox. Was hatte sie erwartet? Es war Samstagabend. Claas hatte mit Sicherheit Besseres zu tun, als darauf zu warten, dass seine Fast-Beinahe-Vielleicht-Freundin sich bei ihm meldete. Sie legte auf, ohne eine Nachricht zu hinterlassen, und ging ins Badezimmer unter die Dusche.

Sie hatte gerade das Wasser ausgestellt und ihr

Handtuch um den nackten Körper geschlungen, als ihr Telefon im Flur klingelte. In wenigen Schritten war sie an der Kommode und nahm das Gespräch an.

Es war Claas, der fragte, ob sie vielleicht ein Glas Wein zusammen trinken wollten. Vibeke warf sämtliche Bedenken über Bord und sagte zu.

7. Kapitel

Flensburg, Deutschland

Vibeke erwachte. Das Bett, in dem sie lag, fühlte sich fremd an. Im nächsten Moment fiel ihr alles wieder ein. Das Abendessen mit Claas, die zwei Weinflaschen, die sie zusammen geleert hatten, der leidenschaftliche Kuss vor dem Restaurant, der sie zu ihm in die Wohnung und in sein Schlafzimmer geführt hatte.

Auf einen Schlag war sie hellwach und öffnete die Augen. Die Bettseite neben ihr war leer, das Laken kühl und zerknittert. Durch einen Spalt der Jalousie fiel das Licht einer Straßenlaterne und malte längliche Schatten an die Schlafzimmerwand.

Vibeke tastete nach ihrem Handy auf dem Nachttisch und griff ins Leere. Sie setzte sich auf. Irgendwo rauschte eine Dusche. Ihre Augen gewöhnten sich erst langsam an die Dunkelheit. Sie entdeckte einen Lichtschalter neben dem Bett. Kurz darauf flammte über ihrem Kopf eine Leselampe auf.

Claas' Schlafzimmer war schlicht und funktional eingerichtet. Ein Futonbett, ein schwarzer Metallspind, der als Kleiderschrank diente, eine Kommode und ein Egg-Chair mit einem abgewetzten cognacfarbenen Lederbezug, der in der Ecke neben dem Fenster stand. Als Nachttisch fungierte ein Stapel GEO-Magazine.

Vibeke schob die Decke beiseite und bückte sich nach ihrem Slip, der neben dem Bett auf dem Fußboden lag. Ihre Bluse hing über der Lehne des Sessels. Sie streifte sie über und machte notdürftig ein paar Knöpfe zu.

Es war das erste Mal, dass sie bei Claas übernachtet hatte. Er wohnte in der zweiten Etage eines Mehrfamilienwohnhauses in Nordstadt, einem multikulturell geprägten Stadtteil mit bezahlbaren Mieten, nur unweit des Zentrums. Die Ausstattung der Wohnung war unspektakulär. Zweieinhalb Zimmer auf sechzig Quadratmeter. Pflegeleichtes Laminat, Küche und Bad im Achtzigerjahre-Design, Beige- und Brauntöne, wohin man blickte. Handtuch- und Toilettenrollenhalter gehörten der gleichen Farbpalette an wie Kacheln und Waschbecken.

Im angrenzenden Wohnzimmer brannte Licht. Sie fand ihre Jeans und schlüpfte hinein. An den Wänden hingen Fotos vom Himalaja neben kargen Landschaftsimpressionen aus Syrien und Afghanistan, aufgenommen zu einer Zeit, als Claas noch als Auslandskorrespondent tätig gewesen war.

Die Dusche verstummte. Vibeke ging in den Flur. Auf einer Bank neben der Garderobe lag ihre Jacke. Sie zog ihr Handy aus der Innentasche. Gerade mal halb sieben. Kein Wunder, dass es draußen noch dunkel war.

Die Badezimmertür ging auf, und Claas erschien. Er trug Jeans, ein schlichtes weißes Shirt, die Haare waren noch feucht vom Duschen. Der dezente Duft seines Aftershaves stieg ihr in die Nase, und sie spürte ein leichtes Prickeln in ihrer Bauchregion.

»Hey du.« Er drückte ihr einen leichten Kuss gegen

die Schläfe und ging in die angrenzende Küche. »Ich dachte, du schläfst aus.«

»Ich bin morgens immer früh auf den Beinen.«

»Kaffee?« Claas deutete auf die Kapselmaschine.

»Gerne.« Sie beobachtete, wie er eine Tasse Kaffee zubereitete, die er an sie weiterreichte. »Was ist mit dir?«

»Keine Zeit. Der Job.« Claas deutete auf seine Armbanduhr. »Ich müsste längst weg sein.« Er wirkte ein wenig gehetzt.

Vibeke hob irritiert die Brauen. »Am Sonntag?«

»Nicht nur Polizisten und Ärzte schieben Wochenendschichten, auch Journalisten.« Er verzog das Gesicht. »Zumindest, wenn man wie ich einen Job bei der *SHT* hat.«

»Wo musst du hin?« Vibeke nippte am Kaffee.

Er hob die Brauen. »Darf ich dich an unsere Abmachung erinnern? Ich stelle keine Fragen, was deinen Fall betrifft, dafür hältst du dich zurück, was meine Recherchen angeht.«

Sie ließ die Kaffeetasse sinken.

»Deine Idee. Nicht meine.« Claas drückte ihr lächelnd einen Kuss auf die Wange, schnappte sich einen Apfel aus der Obstschale und verschwand in den Flur. »Zieh einfach die Tür hinter dir zu, wenn du gehst.« Er langte nach seiner Jacke an der Garderobe, schlüpfte in seine Schuhe und verschwand aus der Wohnung.

Vibeke starrte auf die geschlossene Tür. Ihre Begegnung hatte keine zwei Minuten gedauert. Keine Umarmung. Kein Wort über letzte Nacht. Man konnte wirklich nicht behaupten, dass Claas klammerte.

Eigentlich war dieses Unverfängliche genau ihr Ding. Normalerweise war sie diejenige, die noch in der Nacht ihre Klamotten zusammensuchte und sich auf Fußspitzen davonschlich, um die Dinge nicht unnötig zu komplizieren. Half-Night-Stand sagte ihre Freundin Nele immer dazu.

Sie müsste also eigentlich laut »Hurra« schreien. Nicht nur, dass Claas nicht klammerte, er war auch optisch genau ihr Typ, und der Sex war nahezu phänomenal.

Doch sosehr sie ihre Freiheit als Single genoss, musste sie sich jetzt eingestehen, dass sie enttäuscht war. Sie hätte gerne noch etwas mehr Zeit mit Claas verbracht. Vielleicht war das eingetreten, was Nele ihr schon vor Jahren prophezeit hatte. *Irgendwann erwischt es dich. Dann verliebst du dich, und egal wie sehr du dich wehrst, du kannst nichts dagegen tun.*

War sie dabei, sich zu verlieben? Und wie sah Claas die Sache zwischen ihnen? War sie für ihn am Ende nur ein Abenteuer?

Vibeke hatte nicht die geringste Ahnung, wie es früher mit ihm und anderen Frauen gelaufen war. Sie hatte keine Fragen gestellt, die sie selbst nicht beantworten wollte. Und es irritierte sie, dass sie sich überhaupt über solche Dinge Gedanken machte. Eigentlich war sie nicht der Typ für Sentimentalitäten.

Sie trank in wenigen Schlucken ihren restlichen Kaffee, stellte die Tasse in der Küche in den Geschirrspüler und ging zurück ins Wohnzimmer, um ihre restlichen Klamotten zusammenzusuchen. Am liebsten wäre sie schnell unter die Dusche gesprungen, doch sie hatte weder Kleidung zum Wechseln noch eine Zahnbürste dabei.

Während sie in ihre Jeans schlüpfte, fiel ihr Blick auf die geschlossene Tür zum Arbeitszimmer. Es war der einzige Raum, in dem sie bislang nicht gewesen war. Neugier regte sich in ihr. Weshalb hatte Claas so früh losgemusst? Ein neuer Auftrag von seinem Chefredakteur? Oder hatte er etwas über ihren Fall herausgefunden, was die Polizei noch nicht wusste? Journalisten konnten äußerst hartnäckig sein, wenn es darum ging, eine brisante Story aufzudecken.

Kurz entschlossen griff sie nach der Türklinke. In derselben Sekunde meldete sich ihr schlechtes Gewissen. War sie tatsächlich dabei, Claas hinterherzuschnüffeln? Ein Vertrauensbruch, den sie ihm im umgekehrten Fall nie verzeihen würde.

Sie zog ihre Hand wieder zurück.

Fünf Minuten später verließ sie die Wohnung.

Kopenhagen, Dänemark

Der Himmel über der Stadt war grau in grau. Es nieselte leicht, und der Wind riss die letzten verbliebenen Blätter von den Bäumen.

Rasmus war mit der zehn Monate alten Ida bereits im Kinderzoo gewesen, da war es noch halbwegs trocken gewesen. Sie hatten sich die Zwergziegen und die Hasen angesehen und anschließend bei den Ponys, den Flamingos und den Eisbären vorbeigeschaut.

Bislang war ihr Ausflug allerdings ein wenig anders verlaufen als erhofft. Er hatte sich darauf gefreut, wie Ida angesichts der Tiere große Augen machte und mit ihren beiden Zähnchen im Unterkiefer breit lachte, doch sie hatte fast die gesamte Zeit über in ihrem Kinderwagen geschlafen.

Der Regen wurde stärker, und er steuerte auf das Elefantenhaus mit den zwei Glaskuppeldächern zu, dessen Eingangsbereich ihn vielmehr an einen Wellnesstempel erinnerte. Ein ausladender Vorhof, flache lang gezogene Treppen und eine geschwungene Rollstuhlrampe, alles in Terrakottafarben gehalten, führten zu gläsernen Schiebetüren.

In einem Zeitungsbericht hatte er gelesen, dass es für die Elefanten neben Schlammbad und Wasserbecken auch eingesprühten Wassernebel und eine Fußbodenheizung gab.

Im Inneren des Gebäudes mischten sich Trompetengeräusche mit aufgeregten Kinderstimmen. Es roch nach Feuchtigkeit und Elefantenmist.

Der Besucherbereich war mit der niedrigen Deckenhöhe und dem gleichen Terrakottaton wie im Außenbereich recht dunkel gehalten, ein breiter Steg führte, nur getrennt durch zwei Zäune, direkt an den Elefanten vorbei zum Außengehege.

Das Trompeten eines der Tiere weckte Ida auf. Sie blinzelte und fing an zu schreien. Köpfe drehten sich zu ihnen herum. Rasmus hastete mit dem Kinderwagen beiseite, zog den Reißverschluss des Fußsacks auf und öffnete den Sicherheitsgurt.

»Ist ja gut, meine Süße.« Er nahm Ida aus ihrem Gefährt heraus, die mittlerweile hochrot im Gesicht war, und schaukelte sie liebevoll im Arm. Seine Tochter kreischte weiter. Mitleidige und zum Teil genervte Blicke trafen ihn. »Hast du Hunger, Ida?«

Die Kleine schluchzte jämmerlich. Dabei strömten ihr sintflutartig Tränen aus den Augen. Er schnupperte an der Kehrseite ihrer Hose, und ein verräterischer Geruch stieg ihm in die Nase. Er ging mit der schreienden Ida auf dem Arm zurück in den Eingangsbereich zu den Toiletten und zog ihr am Wickeltisch eine frische Windel an. Gott sei Dank hatte er daran gedacht, sämtliche Utensilien einzupacken.

Eine halbe Trinkflasche Wasser und eine zerdrückte Banane später waren die Tränen versiegt, und Ida zeigte ihr entzückendes Lächeln mit den zwei Zähnchen.

Rasmus atmete erleichtert auf. Eine blonde Frau, die ihn an Mille Lysgaard erinnerte, lächelte ihn im Vorbeigehen an, und kurz kam ihm der Gedanke, dass sie mit ihren Ermittlungen vielleicht noch einmal im Umfeld des CFOs ansetzen sollten, doch im nächsten Moment zog Ida mit ihrer kleinen Hand an seinen Haaren, und der Gedanke war wieder verschwunden.

Er ging mit seiner Tochter auf dem Arm zurück zu den Elefanten, doch sie zeigte mehr Interesse an dem Reißverschluss seiner Jacke als an den Tieren.

Rasmus gab auf. Ida war einfach noch viel zu jung für den Zoo, genau, wie es ihm Camilla von Anfang an prophezeit hatte.

Eine halbe Stunde später fuhr er mit Ida im Fahrstuhl zu Camillas Wohnung hoch. Er suchte gerade in der Jackentasche nach dem Ersatzschlüssel, den ihm seine Ex-Frau anvertraut hatte, als die Haustür von innen geöffnet wurde.

Camilla stand ihm in Jeans und einem flaschen-grünen Rollkragenpullover gegenüber, der ihre rot-blonden Locken wunderbar betonte. Ihr dezentes Make-up konnte die dunklen Ränder unter ihren Augen nicht ganz verstecken. Wie es aussah, hatte sie eine lange Nacht gehabt.

»Hej, meine Süße.« Sie strahlte Ida an, und die Kleine streckte sofort die Ärmchen nach ihrer Mutter aus.

Er reichte Camilla das Kind.

»Hej, Rasmus.« Die Stimme seiner Ex-Frau kühl-te sich um einige Grad ab. Anscheinend hatte sie ihm seine Kussaktion noch immer nicht verziehen. »Komm rein.«

Camillas Wohnung war ein typischer Altbau: hohe Decken, Parkett und Kassettentüren. Die Wände waren in Lichtgrau gestrichen, die Einrichtung schlicht und modern. Eine Mischung aus Design-klassikern und geerbten Stücken, darunter auch ein paar Überbleibsel aus ihrer gemeinsamen Wohnung in Aarhus.

Camilla befreite Ida von ihrer Jacke und ging mit ihr ins Wohnzimmer, wo sie die Kleine auf die Krabbeldecke legte, die seine Mutter Freja in liebe-voller Handarbeit aus alten Kleidungsstücken ihrer Kinder für ihre jüngste Enkelin genäht hatte.

Sofort robbte Ida zu den Türmchen aus bunten Stapelringen, ihr derzeit liebstes Spielzeug.

»Wie ist es gelaufen?«, erkundigte sich Camilla.

»Alles bestens.« Rasmus stellte die Wickeltasche auf den Wohnzimmertisch. »Ida hat eine frische Win-del, und sie hat ihren Vormittagssnack bekommen.« Dass Ida fast den gesamten Tierparkbesuch verschlafen hatte, erwähnte er nicht, doch seine Ex-Frau schien sich auch so alles zusammenzureimen. Zumindest schaute sie wissend.

»Und wie war die Nacht?«

Rasmus seufzte. »Durchwachsen.« Tatsächlich hatte er fünf Mal aufstehen müssen, um den verlorenen Schnuller zurück in Idas Mund zu befördern.

Camilla lächelte flüchtig. »Setz dich.« Sie deutete auf die schwarzen Wishbone-Chairs, die ihnen seine Eltern vor vielen Jahren zur Hochzeit geschenkt hatten. »Ich muss mit dir reden.«

Rasmus war augenblicklich auf der Hut. Wenn seine Ex-Frau ein Gespräch mit diesen Worten einläutete, war garantiert etwas im Busch. Schon jetzt ahnte er, dass ihm nicht gefallen würde, was er gleich zu hören bekäme.

Sie nahmen Platz.

Camilla kam ohne Umschweife zur Sache. »Liam und ich haben ein Haus gefunden. In Hellerup.«

»Ach.« Rasmus fuhr sich mit der Hand über den Hinterkopf. Er hatte gewusst, dass seine Ex-Frau und ihr Freund auf der Suche nach einer gemeinsamen Bleibe waren. Aber ein Haus? Noch dazu in Hellerup? Es war eines der exklusivsten Viertel in Kopenhagen, rund fünfzehn Busminuten vom Stadtzentrum entfernt. In fast allen Straßenzügen reihte sich ein wunderschönes Haus an das nächste. Die örtliche Tranegårdskolen wurde sogar von den Kindern des Kronprinzenpaars besucht. In Reiseführern wurde der Stadtteil auch das Beverly Hills von Kopenhagen genannt. Und ausgerechnet dort wollte Camilla leben? Mit seiner Tochter? Er selbst hätte sich das mit seinem

Polizistengehalt niemals leisten können. »Hellerup war Liams Idee, oder?«

»Mir gefällt es dort auch«, entgegnete Camilla leicht gereizt. »Man ist in zehn Minuten am Strand.«

Rasmus schwieg. Was sollte er auch groß sagen? Ida würde es dort gut gehen. Sicherlich bekam sie ein wunderschönes Zimmer. Und einen Garten. Er spürte, wie sich ein Stachel in sein Herz bohrte.

»Das wird nichts an deiner Beziehung zu Ida ändern«, versicherte ihm Camilla, die seine Gedanken zu erahnen schien.

»Natürlich nicht«, erwiderte er sarkastisch. Dann riss er sich zusammen. »Wann zieht ihr um?«

»Anfang Januar.«

In zwei Monaten, dachte Rasmus. Dann würde Camillas Freund tagtäglich den Ersatzvater für Ida spielen. Liam mit seinen rosafarbenen Hemden. *Lackaffe*. Obwohl Rasmus gewusst hatte, dass es so kommen würde, war er nicht auf den Schmerz vorbereitet, der jetzt in ihm tobte. Am liebsten hätte er Ida hochgehoben und sie direkt mit nach Esbjerg genommen. Doch natürlich würde er seine Tochter niemals von ihrer Mutter trennen.

Rasmus schob den Stuhl zurück. »Ich gehe dann mal.«

»Du kannst gerne noch mit uns zu Mittag essen.« Camillas Gereiztheit war verflogen. Stattdessen hatte sich leichte Besorgnis in ihre Stimme geschlichen.

Er ignorierte ihr Angebot und ging neben der Krabbeldecke in die Hocke. Ida steckte sich gerade einen orangefarbenen Holzring in den Mund. Speichel tropfte von ihrer Unterlippe.

»Mach's gut, mein Schatz.« Er küsste seiner Tochter auf den weichen Flaum rotblonder Locken. »Der Papa kommt dich bald wieder besuchen. Oder du schaust mal bei mir vorbei. Ich habe da eine Überraschung für dich.«

Ida gluckste und hielt ihm den Holzring hin.

Rasmus streichelte ihr liebevoll übers Haar und erhob sich.

An der Haustür drehte er sich noch einmal zu Camilla um, die ihm in den Flur gefolgt war. »Ich möchte, dass wir eine neue Regelung finden. Dass Ida auch mal ein Wochenende bei mir verbringt.«

»Aber ...«

»Ich habe schon ein Kinderbett gekauft«, unterbrach Rasmus sie. »Und ich habe die Chance verdient, Ida ein guter Vater zu sein.«

Ein Schatten flog über Camillas Gesicht, dann nickte sie. »Das hast du.« Einen Moment schien es, als wollte sie noch etwas sagen, doch ehe es dazu kam, verließ Rasmus die Wohnung.

Er hatte bereits mehr als genug gehört.

Drei Stunden später, nach einem Abstecher zum Strand in Amager und in eines seiner Lieblingscafés an der Island Brygge, saß Rasmus wieder in seinem VW-Bus und verließ das Stadtgebiet Richtung Südwesten über die Insel Sjælland.

Der Himmel war noch immer dicht mit Wolken verhangen, und es regnete leicht. Die Stille im Bus wurde nur durch das Quietschen der Scheibenwischer durchbrochen.

Rasmus drehte das Radio auf, und ein melancholischer Song von Coldplay drang aus den Boxen. Passend zu seiner Stimmung. Seine Gedanken hingen noch immer dem Gespräch mit Camilla nach, während draußen die Insellandschaft mit ihren herbstlich verfärbten Wäldern und kleinen idyllischen Ortschaften an ihm vorbeizog. Er fragte sich, wie sich seine Beziehung zu Ida entwickeln würde. Konnte er ihr tatsächlich ein guter Vater sein, wenn er fast dreihundert Kilometer von ihr entfernt lebte?

Auf der Storebælt, die Sjælland mit Fünen verband, erfasste eine Windböe den Bulli, und das Fahrzeug geriet für einen kurzen Moment ins Schwanken. Er drosselte das Tempo. Das Meer unterhalb der Brücke war grau und aufgewühlt. So wie er selbst. Am Horizont setzte die Abenddämmerung ein. Im Radio löste Ed Sheeran Coldplay ab.

Kurz hinter Vejen auf dem jütländischen Festland klingelte sein Handy in der Mittelkonsole. Das Display zeigte die Rufnummer der Einsatzzentrale an. Er setzte den Blinker und scherte auf den Seitenstreifen aus, doch ehe sein Fahrzeug schließlich zum Stehen kam, war der Anruf bereits auf der Mailbox gelandet. Er betätigte umgehend die Rückruftaste.

Keine zwei Minuten später lenkte er den Bulli zurück auf die Autobahn und drückte aufs Gaspedal.

Auf der Landstraße kam ihm kein einziges Auto entgegen. Nebel und Dunkelheit umhüllten den Asphalt zu beiden Seiten. Auch der Mond spendete kein Licht, hielt sich hinter einem Vorhang aus dichten Wolken verborgen.

Rasmus spähte über den schmalen Scheinwerferkegel hinweg in die Finsternis. Kein Haus oder Gehöft, nur Felder, Wiesen und Wälder. Es schien, als befände er sich mitten im jütländischen Nirgendwo.

Hinter der nächsten Biegung wurde die Strecke schnurgerade. Die Nebelschwaden wurden dichter, schienen im diffusen Licht der Scheinwerfer zu tanzen.

Rasmus fuhr langsamer. Irgendwo rechter Hand der Landstraße durchschnitt zuckendes Blaulicht die Dunkelheit. Er setzte den Blinker, bog rechts in eine schmale Straße ein, die ihn zunächst an ein paar vereinzelten Häusern vorbeiführte, ehe sie einen Knick machte und sich zwischen gerodeten Äckern entlangschlängelte.

Etwa hundert Meter vor ihm blockierte ein Streifenwagen die Straße, ein Stück dahinter war ein Großaufgebot an Einsatzfahrzeugen von Polizei und Feuerwehr zu sehen. Ein brennendes Fahrzeug am Kravnsøvej hatte ihm die Einsatzzentrale durchgegeben. Mit Personenschaden.

Das mulmige Gefühl in seiner Magengegend verstärkte sich.

Ein Polizist in Warnweste schwenkte seine Kelle und gab ihm zu verstehen, sein Fahrzeug zu wenden.

Er kurbelte das Seitenfenster herunter und zeigte seinen Dienstausweis. »Rasmus Nyborg. Ich wurde angefordert.«

Der Uniformierte ließ ihn passieren.

Rasmus stellte seinen VW-Bus auf dem schmalen Grünstreifen neben der Fahrbahn ab und stieg aus. Feuchtigkeit hing schwer in der Luft, mischte sich mit Brandgeruch.

Neben einem Tanklöschfahrzeug stand ein Rettungswagen mit offener Heckklappe. Darin hockte neben einer Streifenpolizistin ein blasser, junger Mann, seine Hände umklammerten einen Kaffeebecher, der Blick war ins Leere gerichtet.

Rasmus nickte der Beamtin zu und ging durch die schmale Schneise zwischen den Fahrzeugen zum Einsatzort.

Das Auto war nahezu vollständig ausgebrannt, die Scheiben zerborsten, rundherum ein weißer Teppich aus Löschschaum. Leichter Qualm stieg in den Abendhimmel, zusammen mit beißendem Brandgeruch.

Die Fahrertür stand offen. Hinter dem Lenkrad waren die verkohlten Überreste eines Menschen zu sehen. *Mein Gott, wie entsetzlich*. Rasmus fuhr sich mit der Hand über den Mund, wandte den Blick ab.

Einer der Feuerwehrleute trat neben ihn und stellte sich als Einsatzleiter vor. »Wir konnten leider nichts mehr für die Fahrerin tun. Das Fahrzeug brannte bereits lichterloh, als wir ankamen.« Er deutete mit dem Kopf zum Rettungswagen. »Ein anderer Autofahrer, der vor uns hier war, hat noch versucht, sie zu bergen. Keine Chance.« Betrübt schüttelte er den Kopf.

»Gab es noch mehr Insassen?«

»Es hat zumindest nicht den Anschein.«

Rasmus ließ den Blick schweifen. Das Fahrzeug stand mitten auf der Straße. Keine Bremsspuren oder andere Hinweise, die auf einen Unfall hindeuteten. Dennoch war es ungewöhnlich, dass die Mordkommission bereits zu diesem Zeitpunkt auf den Plan gerufen worden war. »Weshalb hat man uns verständigt?«

»Das war ich.« Eine junge Streifenbeamtin, die sich bislang im Hintergrund gehalten hatte, trat zu ihnen. Er erkannte Marianne Lindhardt, die auch am Tatort im Hafen von Esbjerg vor Ort gewesen war. »Laut dem Ersthelfer war die Fahrerin ans Lenkrad gefesselt, deshalb konnte er sie auch nicht aus dem Fahrzeug befreien. Es ging zu schnell mit den Flammen.« Sie stockte. »Ich dachte …«

»Schon gut, Marianne«, unterbrach sie Rasmus, »du hast alles richtig gemacht. Es handelt sich bei dem Opfer also um eine Frau?« Er betrachtete das ausgebrannte Fahrzeug eingehender. Ein Kombi. Helle Lackierung. Soweit man das überhaupt sagen konnte. Sein Blick glitt zur Rückbank, wo ein länglicher, stark verkohlter Gegenstand lag. Eine Sporttasche vielleicht. Etwas daran irritierte ihn, ohne dass er es benennen konnte.

»Ja, das hat der Zeuge ausgesagt.« Ihre Stimme bebte. »Es muss schrecklich gewesen sein. Er meinte, die Frau hätte noch gelebt, aber er hätte die Fesseln nicht aufbekommen.« Die Streifenbeamtin zögerte, ehe sie weitersprach. »Seiner Beschreibung nach handelte es sich wohl um einen Handschellenknoten.« Sie biss sich auf die Unterlippe.

Rasmus schluckte. *Nummer drei.* Er wandte sich an den Einsatzleiter. »Wir müssen auf die Spurensicherung warten.« Er sah Marianne Lindhardt an. »Hat denen schon jemand Bescheid gegeben?«

Sie nickte. »Die Kollegen müssten bald eintreffen.«

Sie würde eine gute Kriminalbeamtin abgeben, schoss es Rasmus in den Sinn.

»Wurde das Kennzeichen überprüft? Ist das überhaupt noch lesbar?« Er trat um das Fahrzeug herum und ging vor der Stoßstange in die Hocke. Jemand war ihm bereits zuvorgekommen und hatte das verrußte Blech notdürftig freigewischt. Im nächsten Moment fuhr ihm schlagartig die Kälte in die Glieder, drang bis in die letzte Pore seiner Haut.

»Mein Kollege gibt es gerade durch.« Mariannes Lindhardts Stimme drang wie durch Watte an sein Ohr.

Rasmus starrte auf das Kennzeichen. Die Zahlen und Buchstaben verschwammen vor seinen Augen. Er war vor Entsetzen wie gelähmt. *Ein Irrtum. Es muss ein Irrtum sein.* Allein der Gedanke war absurd.

Er schloss einen Moment die Augen, dann erhob er sich. Keiner der Anwesenden nahm davon Notiz, wie er neben die Fahrertür trat. Sein Blick ging erneut zur Rückbank. Jetzt erkannte er, was ihn zuvor irritiert hatte. Aus der vermeintlichen Sporttasche ragte etwas Längliches heraus. Unter dem Ruß blitzte es metallisch. Golfschläger.

Langsam richtete er den Blick auf den vorderen Fahrzeugbereich, erfasste jedes Detail. Das Cockpit war nahezu vollständig ausgebrannt. Nur die Metallstangen waren übrig geblieben, ragten wie dunkle Speere aus den Trümmern.

Der verkohlte Leichnam saß noch immer auf dem Fahrersitz, die Kleidung war mit der darunterliegenden Haut und dem Gewebe zu einer schwarzen Masse verschmolzen. Dort, wo die Hände ans Lenkrad gefesselt gewesen waren, hingen nur noch dunkle Stümpfe.

Rasmus kämpfte gegen die Enge in seinem Hals. Jemand stöhnte. Sekunden später begriff er, dass das Geräusch von ihm selbst kam.

Ein Streifenbeamter trat auf ihn zu, kalkweiß im Gesicht. »Das Fahrzeug ist auf Eva-Karin Holm zugelassen.«

Marianne Lindhardt schlug die Hand vor den Mund. Entsetzen spiegelte sich in ihren Augen.

Niemand sagte etwas.

Rasmus zitterte jetzt am ganzen Körper, fingerte in der Jackeninnentasche nach seinem Handy, zog es schließlich heraus und tippte hektisch auf dem Display herum, ehe er schließlich die richtige Nummer fand. Sie gehörte Thure Christensen, Eva-Karin Holms Vorgesetzten und Esbjergs Polizeidirektor.

Er rief an. Erst nach dem vierten Klingeln wurde abgenommen. Im Hintergrund erklangen gedämpfte Stimmen und leise Musik. Jemand lachte.

Rasmus musste an sich halten, um nicht loszubrüllen. »Thure? Rasmus Nyborg hier.« Seine Stimme drohte wegzubrechen. Er riss sich zusammen. »Du musst zum Kravnsøvej kommen. Nordwestlich von Kokspang. Eva-Karin ist tot.« Dann legte er auf.

Es war fast Mitternacht, als Rasmus, gefolgt von Thure Christensen, im Spurensicherungsoverall das Haus der Vizepolizeiinspektorin verließ, einen schnee-weißen Bungalow mit Doppelgarage in ruhiger Seiten-straßenlage.

Der Polizeidirektor, ein auffallend großer und kräf-tiger Endfünfziger mit silbergrauem Haar, war keine halbe Stunde nach Rasmus' Anruf in einem Taxi am Kravnsøvej, zehn Kilometer nördlich von Esbjergs Stadtzentrum, erschienen. Im abendlichen Anzug und mit einer leichten Alkoholfahne im Gepäck hatte er blass und erschüttert neben Rasmus gestanden und dabei zugesehen, wie der verbrannte Leichnam aus dem Autowrack geborgen worden war. Der Ersthelfer war zu diesem Zeitpunkt bereits mit dem Rettungs-wagen vorsorglich ins nächstgelegene Krankenhaus gebracht worden, nachdem er Eva-Karin Holm an-hand eines Fotos auf Rasmus' Handy identifiziert hatte.

Das Haus seiner Chefin war hell erleuchtet. Innen wimmelte es von Kriminaltechnikern. Es herrschte eine gedrückte und von Entsetzen beherrschte Stim-mung in den Räumen. Alle hatten Eva-Karin Holm gekannt.

Nichts in dem Bungalow deutete darauf hin, was zuvor einige Kilometer entfernt auf der Landstraße geschehen war. Es gab weder Spuren eines Kampfes noch Hinweise auf einen Einbruch. Auch der Verbleib von Liam Holm, Eva-Karins Ehemann, war derzeit völlig unklar. Er war bei Ankunft der Polizei nicht zu

Hause gewesen und telefonisch bislang nicht erreichbar. Niemand wusste, wo er steckte.

Rasmus war Liam Holm im letzten Jahr auf der Beerdigung des Unternehmers Aksel Kronberg begegnet, doch er hatte kaum mehr als einen großen dunkelhaarigen Mann in Erinnerung. Dass er mit dem Vornamen genauso hieß wie Camillas Freund, hatte Rasmus damals gereicht, um Liam Holm keine weitere Beachtung zu schenken. Jetzt bereute er es.

Eva-Karin hatte ihm gegenüber vor einiger Zeit erwähnt, dass ihr Mann Gastronom war und ein Restaurant im Hafen unterhielt, und er hatte vorsorglich einen Streifenwagen dorthin geschickt. Doch das Lokal war wegen Renovierung vorübergehend geschlossen.

Rasmus funktionierte wie ferngesteuert. Er war seit knapp zwanzig Stunden auf den Beinen, fühlte sich vollkommen leer und ausgelaugt, trotzdem hatte er routiniert seine Arbeit gemacht, die Einsatzkräfte koordiniert und sich an die gewohnten Abläufe gehalten. Sämtliche persönliche Empfindungen hatte er dabei weit von sich weggeschoben.

Noch immer begriff er nicht, was passiert war. Es fiel ihm schwer, die verkohlte Leiche auf dem Fahrersitz mit seiner Vorgesetzten in Einklang zu bringen. Eva-Karin mit ihren kurzen blonden Haaren und den strengen Hosenanzügen, seine kluge Chefin mit ihrem messerscharfen Verstand, deren Gesichtszüge weich wurden, sobald sie lächelte, und die ihm stets mit großem Respekt und ohne Vorurteile begegnet war. Doch diese Frau gab es nicht mehr. Sie war tot. Gefesselt. Verbrannt. Ermordet.

Das leise Fünkchen Hoffnung in ihm, dass es nicht Eva-Karin Holm war, die in dem zerstörten Autowrack gesessen hatte, war längst erloschen.

Er musste der Tatsache ins Auge blicken, so furchtbar sie auch war. Sie hatten jetzt eine Serie, und seine Chefin war das dritte Opfer, wenngleich er bislang nicht verstand, wie alles zusammenhing. *Warum war Eva-Karin ermordet worden? Auf diese entsetzliche Art und Weise? Was hatten sie übersehen?*

Seine Chefin hatte in ihren rund dreißig Berufsjahren als Polizistin mit zahlreichen Schwerverbrechern zu tun gehabt. Menschen, die ihr mit Sicherheit nicht nur das Beste wünschten. Möglicherweise gab es die eine oder andere offene Rechnung. Ein Polizistenmord konnte zahlreiche Gründe haben. Gründe, die bislang keiner von ihnen kannte. Doch der Mörder von Nohr Lysgaard und Lennard Friedrichs war hier im Haus gewesen.

Rasmus betrachtete die Spurensicherungstüte, die ihm einer der Kriminaltechniker in die Hand gedrückt hatte. Sie enthielt einen kleinen gelbbraunen Stein, der auf der Fensterbank im Schlafzimmer gelegen hatte. Ein weiterer Bernstein.

»Wir müssen die Angehörigen verständigen.« Thure Christensens Stimme riss ihn aus seinen Gedanken. »Aber vielleicht warten wir noch ab, bis das DNA-Ergebnis vorliegt.«

Rasmus hatte die Anwesenheit des Polizeidirektors komplett vergessen, und er brauchte ein paar Sekunden, um sich zu sammeln.

»Harald hat mir zugesagt, dass der Analyseprozess umgehend in die Wege geleitet wird«, fuhr Christensen fort und sprach dabei von Harald Eriksen, dem Leiter des zuständigen rechtsmedizinischen Instituts in Odense. »Morgen früh sollten wir das Ergebnis vorliegen haben.« Er verstummte.

Rasmus wusste, dass er etwas sagen sollte, doch ihm fehlten die Worte. Sein Mund war so trocken, dass ihm die Zunge am Gaumen klebte. Wie lange war es her, seit er zuletzt etwas getrunken hatte? Er konnte sich nicht erinnern.

»Ich brauche einen Schluck Wasser«, murmelte er und eilte unter den Augen zahlreicher Schaulustiger, die sich trotz nächtlicher Stunde hinter dem Absperrband versammelt hatten, zu seinem Bulli, den er ein Stück weit die Straße hoch geparkt hatte.

Er öffnete die seitliche Schiebetür, legte die Spurensicherungstüte, die er noch immer fest umklammert hielt, auf der Matratze ab und zog eine Wasserflasche aus der Getränkekiste.

Rasmus trank mit gierigen Zügen wie ein Verdurstender. Nachdem er die Flasche zur Hälfte geleert hatte, schälte er sich im Schutz des VW-Busses aus dem Spurensicherungsoverall. Dabei stieg ihm der stechende Brandgeruch in die Nase, der sich in seinen Haaren und in den Fasern seiner Kleidung festgesetzt hatte. Innerhalb weniger Sekunden war er am nächstliegenden Gebüsch und erbrach sich.

8. Kapitel

Flensburg, Deutschland

Vibeke stieß die grüne Rundbogentür auf und hastete die Treppenstufen in den ersten Stock hinauf, wo die Räume des Führungsstabs untergebracht waren.

Der Anruf von Kriminalrat Petersen hatte sie um kurz vor sieben erreicht, gerade als sie im Aufbruch nach Padborg gewesen war. Ohne eine weitere Erklärung hatte ihr Vorgesetzter sie gebeten, direkt in die Polizeidirektion zu kommen.

Vibeke fragte sich, was passiert war. Es war bislang noch nie vorgekommen, dass sie um diese frühe Uhrzeit einen Anruf vom Kriminalrat erhalten hatte, der sie noch dazu ohne Angaben von Gründen in sein Büro zitierte.

Im ersten Moment hatte sie befürchtet, dass Werner etwas zugestoßen war. Noch allzu gut hatte sie Elkes Anruf in Erinnerung, bei dem ihr diese völlig aufgelöst davon berichtet hatte, dass Werner während einer Besprechung vor versammelter Mannschaft einen Schlaganfall erlitten hatte. Doch Werner und Elke waren an der italienischen Amalfiküste. Vibeke hatte ihre Eltern gestern selbst zum Hamburger Flughafen gebracht. Zudem hatte sie eine halbe Stunde zuvor das Foto eines Sonnenuntergangs per

WhatsApp erreicht, das ihre Mutter vom Balkon ihres Hotelzimmers aus aufgenommen hatte. Da war mit Werner noch alles in bester Ordnung gewesen.

Vielleicht hing es mit ihrem Fall zusammen. Oder Holtkötter hatte sich über sie beschwert, und es ging um ihre Eignung als Führungsperson. Doch in dem Fall hätte Petersen sicher nicht um sieben Uhr morgens inmitten einer Mordermittlung das Gespräch gesucht.

Wie auch immer, dachte Vibeke, gleich würde sie es ohnehin erfahren. Sie eilte den Gang im ersten Stock entlang, der still und verlassen dalag.

Die Bürotür ihres Vorgesetzten war offen. Der Kriminalrat, ein hoch aufgeschossener Grauhaariger in Hemd und Anzug, stand am Fenster und hatte ihr den Rücken zugewandt. Auf seinem Schreibtisch dampfte Kaffee in zwei bereitstehenden Bechern.

Vibeke klopfte gegen den Türrahmen. »Moin, Herr Petersen.«

Der Kriminalrat drehte sich um. Seine Miene war blass und bedrückt, um seine Mundwinkel hatte sich ein harter Zug eingegraben. Er deutete auf den Besucherstuhl. »Setzen wir uns.«

Vibeke nahm Platz. Ihr ungutes Gefühl verstärkte sich. »Was ist passiert?«

Petersen fuhr sich mit einer müden Geste übers Gesicht. »Es gibt einen weiteren Mord. Bei den Kollegen in Esbjerg.« Er hielt einen Moment inne, ehe er weitersprach. »Das Opfer ist Eva-Karin Holm.« Seine Stimme klang jetzt völlig tonlos. »Es wurde gerade von der Rechtsmedizin bestätigt.«

Vibeke schlug entsetzt die Hände vor den Mund.

Eva-Karin war tot? Augenblicklich hatte sie das Bild der Vizepolizeiinspektorin vor Augen. Eine agile Frau, mitten im Leben stehend, stark und souverän, dazu eine hervorragende Polizistin. Beharrlich. Pflichtbewusst. Eine Frau mit Vorbildfunktion. Unvorstellbar, dass sie tot sein sollte. Ihr Hals wurde eng. »Was ist passiert?«

Kriminalrat Petersen faltete die Hände zusammen, dabei glitt sein Blick zum Fenster. Hinter den Scheiben herrschte das gleiche Regenwetter wie seit Tagen. »Jemand hat sie an das Lenkrad ihres Autos gefesselt und es dann angezündet.« Er stockte, sah seine Mitarbeiterin an. »Eva-Karin ist in ihrem Fahrzeug verbrannt.«

Vibeke war stumm vor Entsetzen. In ihrem Kopf herrschte heilloses Durcheinander.

»Ein anderer Autofahrer hat noch versucht, sie aus dem Fahrzeug zu befreien«, fuhr Petersen fort, »doch er konnte die Fesseln nicht lösen.«

Die letzten Worte ihres Vorgesetzten hingen wie eine dunkle Wolke über ihren Köpfen. Bilder stiegen vor Vibekes innerem Auge auf.

»Wann ist das Ganze passiert?«, fragte sie, um die Bilder aus ihrem Kopf zu verdrängen.

»Gestern Abend.«

Sie schwiegen eine Weile.

»Sie hat mich gestern Vormittag noch angerufen«, sagte der Kriminalrat schließlich.

»Eva-Karin hat Sie angerufen?«, fragte Vibeke irritiert. »Was hat sie gewollt?«

»Sie hat mir auf die Mailbox gesprochen. Wollte etwas über den Fall Friedrichs wissen, was genau, sagte sie nicht, nur dass sie sich heute noch einmal melden würde.« Der Kriminalrat hielt kurz inne. »Es klang nicht besonders dringend, deshalb habe ich auch nicht zurückgerufen.« Er fuhr sich mit zwei Fingern über den Nasenrücken, schloss für einen Moment die Augen. »Hätte ich es bloß getan.«

Vibeke dachte fieberhaft nach. Was hatte Eva-Karin über Lennard Friedrichs wissen wollen? Und weshalb genau hatte sie den Kriminalrat angerufen? Noch dazu an einem Sonntag? Die Fesseln kamen ihr in den Sinn.

»Der Ersthelfer – konnte er etwas über die Art der Fesseln sagen?«

Der Kriminalrat nickte. »Er beschrieb sie als mit dem Seil geformte Handschellen. Wie es aussieht, haben wir es mit demselben Täter zu tun wie im Fall Lennard Friedrichs und Nohr Lysgaard.«

Und haben damit eine Serie, dachte Vibeke. Wie sie es bereits befürchtet hatte. Doch weshalb wählte der Mörder ausgerechnet eine Polizistin als Opfer aus? Damit hetzte er sich den kompletten Polizeiapparat auf den Hals. Noch dazu aus zwei Ländern. Vielleicht handelte es sich bei Eva-Karins Mörder auch um einen Nachahmungstäter. Als Polizistin gehört man zum Feindbild vieler Menschen. Doch woher sollte ein Außenstehender von dem Handschellenknoten wissen? Sie hatte bei der Pressekonferenz nur von Fesseln gesprochen.

»Es gibt eine weitere Übereinstimmung zu den Morden«, sagte ihr Vorgesetzter in diesem Moment.

Vibeke spürte, wie sich ihre Nackenhärchen aufstellten. »Lassen Sie mich raten. Auf der Fensterbank von Eva-Karins Schlafzimmer lag ein Bernstein.«

Petersen nickte. »Wurde die Information mit den Steinen an die Presse herausgegeben?«

»Nein. Wir haben sie als Täterwissen zurückgehalten.«

Der Kriminalrat schwieg.

Ihre Gedanken wanderten zu Rasmus. Wie es ihm wohl gerade ging? Die Nachricht vom Tod seiner Chefin musste ihn furchtbar getroffen haben. Er hatte große Stücke auf Eva-Karin Holm gehalten, und soweit sie wusste, beruhte das auf Gegenseitigkeit. Weshalb sonst hätte ihm die Vizepolizeiinspektorin ihre Nachfolge vorschlagen sollen? Was wurde jetzt daraus?

Petersen räusperte sich. »Man hat mich darüber informiert, dass um zehn Uhr in Esbjerg eine Besprechung stattfindet. Ich habe unser Kommen bereits angekündigt.« Ein Schatten legte sich über sein Gesicht. »Das geht mir nahe, Vibeke. Ich kannte Eva-Karin seit vielen Jahren. Und nicht nur auf beruflicher Ebene. Wir hatten auch privaten Kontakt. Ich habe sie sehr gemocht.« Um seine Mundwinkel zuckte es, und Vibeke meinte eine verdächtige Röte in seinen Augen zu erkennen. Doch bereits mit dem nächsten Wimpernschlag straffte er sich, sah auf seine Armbanduhr und stand auf. »Wollen wir?«

Vibeke erhob sich ebenfalls. Die zwei Becher Kaffee auf dem Schreibtisch blieben unangerührt.

Ich verlass mich auf dich, Rasmus. Das waren Eva-Karins letzte Worte an ihn gewesen.

Rasmus saß auf dem Besucherstuhl vor ihrem Schreibtisch, so wie hundertmal zuvor. Sie sollten jetzt zusammen hier sitzen. Über den ausstehenden Bericht sprechen, den er immer noch nicht geschrieben hatte, die Ermittlungsausrichtung ihres Falls diskutieren, über ihren neuen Job und ihre Nachfolge reden. Stattdessen untersuchten er und seine Kollegen jetzt Eva-Karins Tod.

Er war fast die ganze Nacht auf den Beinen gewesen. Die Bergung der Leiche aus dem ausgebrannten Fahrzeug, der Bungalow, das Warten auf das Laborergebnis aus der Rechtsmedizin. Acht Stunden hatte der Analyseprozess der DNA gedauert, dann hatte das Ergebnis vorgelegen und war mit dem Material seiner Chefin abgeglichen worden. Es bestand kein Zweifel daran, dass es sich bei dem verbrannten Leichnam im Autowrack um die Vizepolizeiinspektorin handelte. Der Rechtsmediziner hatte ihn höchstpersönlich über das Ergebnis informiert zu einer Zeit, in der die meisten Menschen noch schliefen. Doch Rasmus hatte ohnehin wach gelegen, sich in seinem Bett unruhig von einer Seite auf die andere gewälzt und kein Auge zugetan. Die Gedanken kreisten wie in einer Endlosschleife in seinem Kopf. Was war passiert? Weshalb ausgerechnet Eva-Karin? Hätten sie den Mord verhindern können?

Noch immer hatte er das Gefühl, sich mitten in

einem Albtraum zu befinden. Die Geschehnisse vom gestrigen Abend und in der Nacht waren in seiner Erinnerung seltsam verschwommen, umso entsetzlicher was das Begreifen bei Tageslicht. Der leere Stuhl hinter Eva-Karins Schreibtisch, ihr Foto mit dem Trauerflor, das jemand zusammen mit einer Kerze auf einen Tisch im Eingangsbereich gestellt hatte, die neu angelegte Fallakte, die ihren Namen trug.

Der Mord an der Vizepolizeiinspektorin hatte sich wie ein Lauffeuer im Polizeipräsidium herumgesprochen, und noch in der Nacht war der komplette Polizeiapparat in Gang gesetzt worden. Mehr als ein Dutzend Beamte führten Befragungen in Eva-Karins Nachbarschaft durch und suchten in den nächstgelegenen Häusern und Höfen vom Tatort nach Zeugen, während die Kriminaltechniker sich den ausgebrannten Kombi vornahmen und letzte Spuren in ihrem Haus sicherten. Die Obduktion war für den Nachmittag angesetzt.

Rasmus war die Ereignisse immer wieder durchgegangen. Das brennende Auto auf der Landstraße. Die ans Lenkrad gefesselte Eva-Karin Holm. Die Golfschläger auf dem Rücksitz. Er zermarterte sich den Kopf. Was hatten sie übersehen?

Mittlerweile wussten sie, dass seine Chefin die letzten Stunden vor ihrem Tod im nahe gelegenen Golfklub verbracht hatte. So wie jeden Sonntag. Selbst Regenwetter konnte Eva-Karin nicht davon abhalten, ein paar Bälle zu schlagen. Doch wo hatte der Täter sie abgepasst? An der Landstraße? Oder hatte er bereits zusammen mit ihr im Kombi gesessen?

Jemand klopfte. Die Tür wurde geöffnet, und Silje

Sørensen erschien. Ihre Augen waren gerötet. »Rasmus, wir warten auf dich.«

Er nickte, stand auf und folgte der jungen Polizistin den Flur entlang zum Konferenzzimmer.

Der Raum platzte aus allen Nähten. Neben Mads Østergård von der Mordkommission hatten sich zahlreiche Kollegen aus anderen Abteilungen, Streifenpolizisten und Kriminaltechniker sowie ein Teil des Führungsstabs eingefunden. Unter den vielen Gesichtern entdeckte er auch Pernille und den frisch aus den Flitterwochen zurückgekehrten Søren. Kriminalrat Hans Petersen von der Flensburger Polizei und Vibeke waren ebenfalls anwesend.

Rasmus' Blick fiel auf die Kerze, die jemand auf den Platz gestellt hatte, an dem Eva-Karin Holm üblicherweise gesessen hatte und der als einziger unbesetzt war.

Er schluckte und blieb an der Wand neben der Tür stehen, mied den Augenkontakt zu den anderen Anwesenden.

Thure Christensen bat um eine Schweigeminute. Es war ihm anzusehen, dass er Mühe hatte, die Fassung zu bewahren.

Alle, die nicht bereits standen, erhoben sich von ihren Plätzen. In sämtlichen Mienen spiegelten sich Schock und Trauer.

Rasmus rief sich Eva-Karins Gesicht ins Gedächtnis. Ihren wachen, aufmerksamen Blick, dem kaum etwas zu entgehen schien, die Brauen, die sich hoben, sobald sie etwas irritierte oder ärgerte, und die tiefe Falte, die sich dazwischen bildete, wenn sie angestrengt über etwas nachdachte. Schon jetzt schienen ihre Gesichtszüge in seiner Erinnerung zu verschwimmen. Er dachte an ihre letzte Begegnung. *Um neun Uhr in meinem Büro.* Das Bild ihres verbrannten Leichnams erschien vor seinem inneren Auge, und er hörte sich aufstöhnen. Er hatte das Gefühl, dass ihn alle anstarrten. Rasmus hob den Blick, doch niemand schenkte ihm Beachtung. Stattdessen bemerkte er, dass Pernille mit den Tränen kämpfte, während Søren kreidebleich neben ihr stand und unentwegt die Finger knetete. Dem Hünen stand der Schock förmlich ins Gesicht geschrieben. Rasmus fragte sich, wie er wohl selbst aussah.

Thure Christensen setzte sich, und der Großteil der Anwesenden verließ den Raum. Zurück blieben die Kollegen der Mordkommission, die Ermittler der Sondereinheit sowie Henrik Knudsen, der Leiter der Spurensicherung, und Kriminalrat Petersen.

Rasmus spürte Vibekes Blick auf sich. Er sah sie an. Seine Kollegin war sehr blass, wirkte aber gefasst.

Früher hatte er gedacht, dass ihre kühle und oftmals spröde Art auf Gefühlskälte hindeutete, doch mittlerweile wusste er, dass ihre Reserviertheit nur äußere Fassade war. Er setzte sich auf den freien Stuhl neben sie.

Thure Christensen wartete, bis alle Platz genommen hatten.

»Das ist für uns alle eine schwierige Situation. Wir sind erschüttert und traurig. Eva-Karin war eine von uns. Eine Polizistin und Kollegin, die wir geschätzt und gemocht haben.« Er ließ den Blick über die Anwesenden gleiten. »Trotzdem müssen wir jetzt professionelle Distanz bewahren und versuchen, so zu handeln wie bei jedem anderen Fall auch.« Keiner sagte etwas.

»Ich hatte heute früh bereits ein Gespräch mit dem Polizeipräsidenten«, fuhr Christensen fort, »der Mord an Eva-Karin liegt in unserem Zuständigkeitsbereich, deshalb werden wir ermitteln. Ich setzte also auf eure Professionalität.« Sein Blick streifte Rasmus. »Sollte sich jemand persönlich befangen fühlen, dann habe ich dafür vollstes Verständnis, und wir finden eine Lösung.«

Niemand sagte etwas.

Der Polizeidirektor sah in die Runde. »Ich kann also auf euch zählen?« Alle nickten.

»Wie ihr sicher wisst, geht William am Ende des Jahres in den Ruhestand.« Thure Christensen sprach von dem stellvertretenden Polizeidirektor ihrer Behörde, der gerade auf den Kanaren seinen Urlaub verbrachte. »Eigentlich sollte Eva-Karin seinen Platz einnehmen. Die Nachfolge für ihre Abteilung ist noch ungeklärt, aber wir arbeiten bereits an einer Übergangslösung.« Er griff nach dem Wasserglas und trank einen Schluck, ehe er weitersprach. »Es gibt ein paar vielversprechende Kandidaten, eigentlich wollten Eva-Karin und ich gemeinsam mit der Personalabteilung Ende der Woche eine Entscheidung treffen ...« Der Rest des Satzes blieb unausgesprochen. »Ich hoffe jedenfalls, euch im Laufe des Tages mehr darüber sagen zu können, wer künftig die Leitung der Mordkommission übernimmt.«

Rasmus spürte, wie Vibeke ihm mit dem Ellenbogen in die Seite stieß.

»Sag was!«, raunte sie ihm leise zu.

Er presste die Lippen zusammen. Es erschien ihm der völlig falsche Zeitpunkt, mit dem Polizeidirektor ausgerechnet hier, vor versammelter Mannschaft, über Eva-Karins Nachfolge und ihr Angebot zu sprechen. In seinen Augen hatte das den faden Beigeschmack von Leichenfledderei.

»Dann lasst uns jetzt zusammenfassen«, fuhr Thure Christensen fort, »was wir bislang wissen, und anschließend überlegen wir die weitere Vorgehensweise.« Er gab Rasmus ein Zeichen.

Er erhob sich von seinem Stuhl und trat neben das Whiteboard, an das jemand die Tatortfotos geheftet hatte.

»Gestern Abend um 19.16 Uhr erreichte die Leitstelle der Feuerwehr ein Notruf, dass am Kravnsøvej ein Fahrzeug brennt.« Er bemühte sich um einen sachlichen Ton. »Der Anrufer, Jasper Nielsen aus Hostrup, kam mit seinem Auto aus südlicher Richtung an die vermeintliche Unfallstelle und versuchte, Eva-Karin aus dem Auto zu befreien, was ihm aber nicht gelang, da sie ans Lenkrad gefesselt war.« Er deutete auf die Zeichnung eines Handschellenknotens, die nach Angaben des Zeugen angefertigt worden war. »Wie wir mittlerweile wissen, hat sich Eva-Karin bis etwa 18.45 Uhr im Restaurant des nah gelegenen Golfklubs aufgehalten. Was in dem Zeitraum dazwischen passierte, ist noch vollständig offen. Im Anschluss hat sich der Täter mit Eva-Karins Schlüssel Zugang zum Haus verschafft. Wie bei den beiden anderen Opfern wurde auf der Fensterbank im Schlafzimmer ein Bernstein gefunden.«

»Dann haben wir also eine Serie?«, kam es von Søren.

Thure Christensen übernahm, ehe Rasmus die

Frage seines Kollegen beantworten konnte. »Wir müssen davon ausgehen, dass wir es mit derselben Person zu tun haben wie im Fall Lysgaard und Friedrichs.« Sein Blick wanderte zu Søren. »Und ja, das bedeutet, wir haben einen Serientäter. Trotzdem werden wir auf breiter Front ermitteln, denn natürlich müssen wir berücksichtigen, dass Eva-Karin Polizistin war. Ob ihr Beruf auch eine Bedeutung für den Mörder hatte, wissen wir zu diesem Zeitpunkt noch nicht.«

Kriminalrat Petersen, der sich bislang bedeckt gehalten hatte, räusperte sich. »Eva-Karin hat mich gestern Vormittag angerufen, weil sie etwas über den Fall Friederichs wissen wollte. Ich war verhindert, aber sie hat mir diese Nachricht auf meiner Mailbox hinterlassen.« Er legte sein Handy auf den Tisch und startete den Wiedergabeknopf der Tonspur.

Rasmus zuckte zusammen, als er Eva-Karins Stimme hörte.

Hans, ich bin's. Eva-Karin. Ich benötige eine Auskunft zum Fall Lennard Friedrichs, vielleicht kannst du mir da weiterhelfen. Ich melde mich am Abend noch einmal oder spätestens morgen früh. Hej hej.

Einen Moment blieb es im Raum vollkommen still.

»Hast du zurückgerufen?«, erkundigte sich Christensen schließlich.

Kriminalrat Petersen schüttelte den Kopf. Es war ihm anzusehen, wie unwohl er sich in seiner Haut fühlte.

»Wurde Eva-Karins Mann zwischenzeitlich informiert?«, erkundigte sich Vibeke.

Christensen runzelte die Stirn. »Wir konnten ihn bisher nicht erreichen.«

»Dann ist er verschwunden?«, hakte sie nach. »Wurde schon eine Fahndung rausgegeben?«

»Das erscheint mir noch verfrüht. Vielleicht ist Liam nur verreist.«

Die Deutsche ließ nicht locker. »Könnte er mit im Auto gewesen sein?«

»Es hat zumindest nicht den Anschein.« Die Augen des Polizeidirektors wurden schmaler. »Worauf genau willst du eigentlich hinaus? Dass es Liam war, der das Auto angezündet hat?«

»Es wäre zumindest eine Möglichkeit«, erwiderte Vibeke sachlich. »Wenn ich es richtig sehe, ist er seit gestern Abend nicht erreichbar und reagiert auch nicht auf Anrufe. Als Eva-Karins Mann könnte er sowohl von den Fesseln als auch von den Bernsteinen Kenntnis haben. Und wir wissen alle, dass Täter häufig im Umfeld ihrer Opfer zu suchen sind.«

Erneute Stille.

»Vibeke hat recht«, pflichtete Rasmus ihr schließlich bei. »Wir müssen in jede Richtung ermitteln. Das sind wir Eva-Karin schuldig.« Sein Blick verfing sich in der Kerze an dem leeren Platz, und er ließ seinen Gedanken freien Lauf. »Eine Polizistin wurde ermordet. Noch dazu die Leiterin der Mordkommission.« Er sah wieder auf. »Wir sollten deshalb auch Eva-Karins frühere Fälle prüfen, ob da möglicherweise ein Zusammenhang besteht.«

»Gab es denn in der Vergangenheit irgendwelche Drohungen?«, erkundigte sich Mads. Er sah von Rasmus zu Thure Christensen.

Der Polizeidirektor nickte. »Soweit ich weiß, hat es den einen oder anderen Drohbrief gegeben. Für

Polizeibeamte ist das nichts Ungewöhnliches. Auch ich bekomme hin und wieder welche. Vermutlich wurden wir alle schon einmal im Lauf unseres Berufslebens bedroht.« Zustimmendes Nicken. Er räusperte sich. »Wie weit seid ihr mit den Befragungen der Nachbarn?«

»Keiner hat was mitbekommen.« Mads fuhr sich mit der Hand in seinen Stiernacken. »Ein Nachbar hat Eva-Karin gegen Mittag mit ihrem Auto wegfahren sehen. Da war sie offenbar allein. Ihr Mann wurde zuletzt am Samstagvormittag dabei gesehen, wie er den Müll rausgebracht hat. Was die Anwohner in der Nähe des Tatorts betrifft, da haben wir auch keine Hinweise bekommen, die uns weiterhelfen würden. Die Leute haben zu Hause beim Abendessen oder vor dem Fernseher gegessen und erst etwas mitgekriegt, als sie die Sirenen gehört haben.«

»Irgendwelche anderen Autofahrer?«

»Wenn, dann haben sie sich zumindest nicht gemeldet«, erwiderte der Ermittler. »Vielleicht sollten wir einen Aufruf in den Medien starten.«

»Gute Idee.« Thure Christensen sah in die Runde. »Um elf Uhr informieren wir die Presse. Eva-Karins Namen halten wir zurück, bis die Angehörigen informiert sind. Auch was den Zusammenhang mit den beiden anderen Fällen betrifft.«

Rasmus nickte. Eine ermordete Polizistin war eine Nachricht, die sich gut verkaufte. Doch sobald die Presse Wind von einem möglichen Serientäter bekam, würde sich eine mediale Lawine in Gang setzen, die durch nichts aufzuhalten wäre. Die Zeitungen würden sich bei der Jagd um die höchste Auflage gegenseitig mit ihren Schlagzeilen überbieten. Sie würden künftig unter dem Brennglas der Öffentlichkeit arbeiten, die jeden einzelnen ihrer Schritte analysierte und sezierte. Genau wie das Leben der Vizepolizeiinspektorin. Der Gedanke daran ließ ihn schaudern.

»Hat Eva-Karin außer ihrem Mann sonst noch Verwandte?«, riss ihn Sørens Stimme in die Gegenwart zurück.

»Ihre Eltern sind tot«, erwiderte Thure Christensen. »Aber soweit ich weiß, gibt es noch eine ältere Schwester. Lena Maria Cedergren. Sie wohnt in Silkeborg. Ich meine mich zu erinnern, dass sie dort einen kleinen Laden für Handarbeitsbedarf betreibt. Eva-Karin hat sie als zweiten Notfallkontakt angegeben.«

Rasmus tippte den Namen der Schwester auf seinem Handy ein und wandte sich an den Leiter der Kriminaltechnik. »Henrik, was habt ihr bislang für uns? Gibt es irgendeine Spur?«

Henrik Knudsens dunkle Knopfaugen unter den buschigen Brauen blickten betrübt. »Nein. Wir haben zwar jede Menge Fingerabdrücke und DNA-Spuren im Haus nehmen können, aber ob sich davon welche dem Täter zuordnen lassen, bezweifle ich. Später wird sich noch ein Brandexperte das Auto ansehen oder vielmehr das, was davon übrig geblieben ist. Wie es aussieht, wurde Brandbeschleuniger eingesetzt.«

Rasmus bemerkte, dass Vibeke und ihr Vorgesetzter für einen kurzen Moment die Köpfe zusammensteckten, ehe der Kriminalrat schließlich nickte. Was die wohl zu bereden hatten? Vielleicht ging es um Eva-Karins Anruf auf der Mailbox. Um Lennard Friedrichs. Er versuchte, sich daran zu erinnern, wann er seiner Chefin den Namen des zweiten Opfers mitgeteilt hatte. Doch es fiel ihm nicht ein. Offenbar machte sich der fehlende Schlaf langsam bemerkbar. »Wir sollten herausfinden, weshalb Eva-Karin an Lennard Friedrichs interessiert war.«

»Vielleicht hatte sie Geheimnisse«, meldete sich erstmals Pernille zu Wort. Alle Köpfe fuhren zu der brünetten Ermittlerin herum. Sie wirkte noch immer blass und mitgenommen, ihre ohnehin dunklen Augen waren fast schwarz.

Rasmus wollte gerade fragen, wie sie das meinte, doch Vibeke kam ihm zuvor. »Hat die nicht jeder?«

»Wir sollten zum Ende kommen.« Thure Christensen sah auf seine Armbanduhr. »Ich schlage vor, die Sondereinheit setzt ihre Arbeit wie gehabt in Padborg fort und bezieht auch den Mord an Eva-Karin in ihre Ermittlungen mit ein.« Er wandte sich an Mads. »Mads, du koordinierst die Beamten, die mit den Befragungen vor Ort betraut sind, und bist ihr Ansprechpartner.«

Rasmus langte nach seinem Handy und steckte es in die Brusttasche seines Hemds. »Dann fahre ich jetzt zu Eva-Karins Schwester.«

»Das übernehme ich«, hielt ihn Thure Christensen zurück. »Du sprichst mit den Leuten im Golfklub.«

Rasmus presste die Lippen zusammen. Er war es nicht gewohnt, Anweisungen zu bekommen. Alles lief in die komplett falsche Richtung. Er räusperte sich.

»Thure, können wir beide gleich noch einmal kurz sprechen?«

»Das muss warten.« Der Polizeidirektor wirkte plötzlich gereizt. Ohne ein weiteres Wort wandte er sich Hans Petersen zu, der sich ebenfalls von seinem Stuhl erhob. »Hans, wollen wir beide noch auf ein Wort?«

Der Kriminalrat nickte. Die beiden Männer verschwanden aus dem Raum. Weitere Stühle scharrten. Zurück blieben die vier Teammitglieder der Sondereinheit.

»Unfassbar.« Søren fuhr sich mit seiner schaufelgroßen Hand übers Gesicht. »Da kommt man aus Paris zurück, ahnt nichts Böses – und dann so etwas.« Sein Blick glitt zum Whiteboard mit den Tatortfotos. In seinen Augen lag das gleiche Entsetzen, das Rasmus spürte.

Er stand auf. »Ich fahre jetzt zum Golfklub.«

»Ich komme mit.« Vibeke erhob sich ebenfalls. »Wir anderen treffen uns dann später in Padborg. Kümmert euch bitte gleich um einen Bescheid beim zuständigen Richter. Wir benötigen auf schnellstem Weg ...«

Rasmus verschwand aus dem Besprechungsraum. Am Ende des Flurs stand Thure Christensen zusammen mit Kriminalrat Petersen in ein Gespräch vertieft. Ihn beschlich das nagende Gefühl, dass der Polizeidirektor nicht gut auf ihn zu sprechen war. Dabei hatten sie in der Vergangenheit nur selten miteinander zu tun gehabt. Doch vielleicht irrte er sich. Er schüttelte den Gedanken an Thure Christensen ab und ging Richtung Ausgang.

Hinter dem Empfangstresen saß Silje Sørensen mit dem Telefonhörer in der Hand. Ihre Augen waren noch immer gerötet. Er wartete, bis sie aufgelegt hatte. »Kannst du mir einen Gefallen tun, Silje?«

»Natürlich. Was brauchst du?«

»Würdest du mir die Drohbriefe an Eva-Karin heraussuchen und eine Übersicht von ihren Fällen zusammenstellen? Sagen wir, von den letzten zehn Jahren.«

»Mache ich.« Die Polizistin stellte keine weiteren Fragen. Einer der Gründe, weshalb er sie öfter mit Assistenzaufgaben betraute.

»Danke, Silje.« Rasmus klopfte auf den Tresen. »Ich geh dann mal. Falls meine deutsche Kollegin nach mir sucht, sag ihr, dass ich draußen auf sie warte.« Er verließ die Polizeistation.

Im Freien angekommen, atmete er tief durch.

Flensburg, Deutschland

»Lea sagt, ihr hätte schon am Morgen der Hals wehgetan.« Die Augen der Schulsekretärin richteten sich hinter der dickrandigen Brille vorwurfsvoll auf Ivonne, als diese abgehetzt das Sekretariat betrat.

»Hallo, Frau Gerber.« Ivonne wandte sich ihrer kleinen Tochter zu, die mit gerötetem Gesicht und fiebrig glänzenden Augen auf einem Stuhl in einer Ecke saß, den rosafarbenen Ranzen mit den Einhörnern neben sich auf dem Fußboden. »Stimmt das, Maus?«

Lea nickte.

Ivonne seufzte. »Weshalb hast du denn nichts gesagt?«

Die Kleine zuckte die Achseln und blickte zu Boden.

Sofort bekam Ivonne ein schlechtes Gewissen. Lea spürte natürlich die Anspannung ihrer Mutter und wusste, wie schwierig es für sie war, bei der Arbeit abzusagen.

Der Anruf der Schule war tatsächlich im ungünstigsten Moment gekommen, gerade als sie allein im Laden gewesen war. Kurz hatte sie überlegt, ihre Nachbarin Gerda oder ihre Freundin Britta zu bitten, Lea von der Schule abzuholen, doch sie wollte deren Hilfsbereitschaft nicht überstrapazieren. Schon zu häufig waren die beiden in der Vergangenheit eingesprungen.

Ihre Eltern waren auch keine Option. Vor allem ihre Mutter hielt noch immer zu ihrem Beinahe-Schwiegersohn und machte allein Ivonne für die Trennung verantwortlich. Regelmäßig hob sie Gernolds Vaterqualitäten in den Himmel. Dabei war Ivonne es gewesen, die all die unzähligen schlaflosen Nächte mit Lea verbracht hatte, die sie gewickelt und getröstet hatte, die täglich Geschichten vorlas, blutende Knie mit Pflaster versorgte und alles dafür gab, dass es ihrer Tochter an nichts fehlte.

Nachdem ihre Kollegin im Urlaub war, hatte Ivonne ihre Chefin bitten müssen, sie abzulösen. Ausgerechnet an ihrem freien Tag.

Ivonne legte eine Hand auf Leas Stirn. Sie glühte regelrecht.

»Das arme Kind krank zur Schule schicken«, schimpfte die Schulsekretärin weiter. »Sie steckt doch alle an. Ihre Mitschüler, die Lehrer. Mich. Absolut unverantwortlich.«

Ärger wallte in Ivonne hoch. Sie war vieles, aber

ganz sicher nicht unverantwortlich. »Lea hatte heute Morgen kein Fieber«, stellte sie klar. »Sonst hätte ich sie selbstverständlich zu Hause behalten.« Sie schnappte sich Leas Schulranzen und griff nach der Hand ihrer Tochter. »Komm, Maus. Zu Hause mache ich dir einen Zaubersaft, und dann wird's dir bald besser gehen.« Ohne ein weiteres Wort verließ sie mit der Kleinen das Schulsekretariat.

Bis zu ihnen nach Hause waren es nur wenige Hundert Meter, trotzdem hatte Ivonne vorsorglich das Auto geholt. Mit einem fiebrigen Kind durch den strömenden Regen zu laufen, erschien ihr keine gute Idee. Am Ende holte sich Lea noch eine Lungenentzündung.

Schon von Weitem sah sie einen Mann auf der anderen Straßenseite stehen, der zu ihrem Wohnhaus hinüberstarrte.

Ivonne beschlich ein ungutes Gefühl. Hatte Gernold jemanden beauftragt, sie auszuspionieren? Zuzutrauen wäre es ihm. Noch immer fand sie seine Anschuldigung, Lea zu vernachlässigen, ungeheuerlich.

Sie musste an die Worte der Schulsekretärin denken. *Absolut unverantwortlich.* Das hatte schon mal jemand zu ihr gesagt. Eine dunkle Schublade öffnete sich in Ivonnes Hinterkopf. Augenblicklich überkam sie ein tiefes Schamgefühl. Konnte Gernold irgendwie von der Sache erfahren haben?

Ivonne seufzte. Sie wurde langsam paranoid. Im Haus gab es rund fünfzig Mietparteien. Vielleicht wartete der Typ nur auf jemanden.

Sie entdeckte eine freie Parklücke und stellte den

Wagen ab. Im Rückspiegel sah sie, dass Lea in ihrem Kindersitz eingeschlafen war, das kleine Gesicht noch immer gerötet. Hoffentlich wurde sie nicht ernsthaft krank.

Als Ivonne schließlich mit dem Schulranzen über der Schulter und dem Kind auf dem Arm auf den Hauseingang zusteuerte, war der Fremde auf der anderen Straßenseite verschwunden.

Esbjerg, Dänemark

Der Golfklub lag rund siebzehn Kilometer nordwestlich vom Stadtzentrum entfernt, umgeben von Wald, Wiesen und Feldern, inmitten des Nationalparks Wattenmeer. Eine kräftige Brise fegte von der Ho Bugt an Land und ließ die weißen Flaggen mit dem Logo des Golfklubs im Wind flattern, die an einigen Stellen den Weg entlang der Straße markierten. Am Himmel türmten sich Wolken in der Farbe von gebleichtem Schiefer.

Der hintere Besucherparkplatz des Golfklubs wirkte wie leer gefegt, zwischen den Baumreihen blitzten die gepflegten Grünflächen der Anlage hindurch. Zwei Betonpoller mit eingelassenen Kameras flankierten die Zufahrt zum Hauptparkplatz. Zahlreiche Stellflächen waren bereits belegt.

Vibeke musterte Rasmus, nachdem er den VW-Bus in eine Parklücke manövriert hatte. Sein Blick war noch immer starr auf die Windschutzscheibe gerichtet, seine Kiefermuskeln malmten unentwegt.

Sie war besorgt. Ihr Kollege wirkte vollkommen fertig. Kreidebleich im Gesicht, in Klamotten, die aussahen, als hätte er darin geschlafen, die Augen tief umschattet. Die gesamte Fahrt über hatte er kein einziges Wort gesprochen. »Wie hast du von Eva-Karins Tod erfahren?«

Rasmus antwortete lange Zeit nicht, und gerade als sie ihre Frage wiederholen wollte, begann er zu reden. »Ich war dort. An der Landstraße.« Er sah sie nicht an. »Die Einsatzzentrale forderte mich an, als ich auf der Rückfahrt von Kopenhagen war. Als ich ankam, hatte die Feuerwehr den Brand gerade erst gelöscht.« Er fuhr sich mit einer fahrigen Geste übers Gesicht. »Ich werde den Anblick nicht los, Vibeke. Wie sie dort hinter dem Lenkrad saß. Alles schwarz und verbrannt. Und dazu dieser furchtbare Gestank.« Er lehnte sich in seinem Sitz zurück. »Ich dachte wirklich, mich kann nichts mehr erschüttern, ich hätte alles gesehen. Aber das …« Der restliche Satz blieb in der Luft hängen.

Vibeke schwieg betroffen. Sie hatte die Fotos von dem verkohlten Leichnam gesehen. In der Realität musste der Anblick noch um ein Vielfaches schrecklicher gewesen sein. Das konnte niemand so leicht wegstecken. Auch ein Rasmus Nyborg nicht.

»Es ist ohnehin schwer«, sagte sie schließlich. »Und es ist noch einmal etwas völlig anderes, wenn man die betreffende Person kennt. Wir Polizisten sind schließlich auch nur Menschen.« Sie zögerte. »Vielleicht solltest du mit einem Psychologen reden. Ihr habt doch sicher Ansprechpartner in eurer Dienststelle dafür, oder?«

Rasmus lachte leise. »Und das kommt ausgerechnet von dir?«

Vibeke wusste sofort, dass er auf ihre Panikattacke anspielte, von der er zufällig Zeuge geworden war. Vermutlich ahnte er, dass sie dieses Problem lieber weiter mit sich herumtrug, anstatt professionelle Hilfe in Anspruch zu nehmen. In letzter Zeit waren diese attackenartigen Angstzustände jedoch deutlich weniger geworden. Genau genommen seit dem Treffen mit ihrer leiblichen Mutter. Trotzdem fühlte sie sich ertappt. »Touché.«

»Wenn die einen erst einmal in der Mangel haben«, fuhr Rasmus fort, »dann fangen die bei deiner Kindheit an, und bis du dann irgendwann beim eigentlichen Problem ankommst, ist ein halbes Jahr vergangen.«

»Vergiss es einfach«, winkte Vibeke ab. »Aber wenn du reden möchtest – ich bin da.«

Er nickte und stieß die Autotür auf. Schweigend gingen sie auf das zweistöckige Klubhausgebäude zu, das sich mit seinem begrünten Flachdach harmonisch in die Natur einfügte. Das Restaurant hingegen besaß den Charme einer Betriebskantine. Schwarze Stühle, weiße Tische und dunkle Auslegeware. Neben einem Tresen mit Bierzapfanlage standen zwei Kühlschränke mit Getränken zur Selbstbedienung bereit. Einzig die Aussicht durch die breite Glasfront, die sich zum Golfplatz hin öffnete, war spektakulär. Großzügige Grünflächen mit zahlreichen Hügeln und Senken, Biotope und Teiche, umrahmt von weitläufigen Nadelwäldern.

Sie schilderten dem Restaurantleiter, einem drahtigen Mittvierziger, der sich ihnen als Jørgen Thorup vorstellte, ihr Anliegen, und dieser deutete auf einen Tisch am Fenster. »Dort hat Eva-Karin gestern Abend gesessen.«

»War sie allein?«, erkundigte sich Rasmus.

»Ja. Das war ungewöhnlich. Normalerweise kam sie mit ihrem Mann.« Sein Blick flog von Vibeke zu Rasmus. »Entschuldigt, aber bislang hat mir niemand gesagt, weshalb ihr nach Eva-Karin fragt. Hat es mit dem Unfall in Kravnsø zu tun? Es heißt, jemand wäre in seinem Auto verbrannt.«

»Dazu können wir im Moment leider nichts sagen«, erwiderte Rasmus. »Noch einmal zurück zu gestern Abend. Ist dir an Eva-Karin etwas aufgefallen? Hat sie vielleicht mit einem der anderen Gäste gesprochen?«

Der Restaurantleiter schüttelte den Kopf. »Nein. Sie machte auf mich den Eindruck, als wollte sie in Ruhe gelassen werden, zumindest war sie kurz angebunden. Sie hat nur ihren Salat gegessen, dazu ein Wasser getrunken und ist wieder gegangen.«

»Wie viel Uhr war es da?«

»Etwa Viertel vor sieben.«

»Wie viele Gäste waren im Restaurant?«, erkundigte sich Vibeke.

Jørgen Thorup überlegte. »Es waren fünf oder sechs Tische belegt, also um die zwanzig bis fünfundzwanzig Personen.«

»Waren das alles Klubmitglieder?«

Er schüttelte den Kopf. »Es kommen auch Gäste von außerhalb. Unser Golfplatz wurde zum besten in Dänemark gekürt, das lockt die Urlauber an.«

»Wir brauchen eine Liste mit den Namen«, sagte

Rasmus. »Ich nehme an, die meisten haben mit Karte bezahlt, also dürfte das kein Problem sein. Und wir benötigen eine Kopie von Eva-Karins Rechnung.«

Der Restaurantleiter runzelte die Stirn. »Ich bin mir nicht sicher, ob ich die Daten einfach rausgeben darf.«

»Das darfst du«, versicherte ihm Rasmus. Er zückte den Beschluss, den der zuständige Richter kurz zuvor ausgestellt hatte. Auch die Mühlen der Justiz mahlten im Fall der ermordeten Vizepolizeiinspektorin unter Hochdruck.

»Ich stell euch die Liste zusammen«, sagte Jørgen Thorup, nachdem er das Dokument begutachtet hatte.

Rasmus reichte ihm seine Visitenkarte. »Bitte schick sie per E-Mail, und sollte dir zwischenzeitlich noch etwas einfallen, melde dich.«

Sie verabschiedeten sich und machten sich auf den Weg zur Rezeption des Golfklubs. Vierzig Minuten später traten sie zurück ins Freie.

Die Überwachungskameras hatten Eva-Karin um 13.32 Uhr dabei gefilmt, wie sie mit ihrer Golftasche die Einfahrt zum Parkplatz betreten und um 18.47 Uhr wieder verlassen hatte. Dabei war sie beide Male allein gewesen.

»Jetzt sind wir genauso schlau wie vorher.« Rasmus klang resigniert.

»Abwarten«, sagte Vibeke. »Zum einen wissen wir, dass Eva-Karins Auto auf dem hinteren Parkplatz gestanden hat, zum anderen sprechen wir mit den Leuten, die gestern hier waren. Vielleicht hat jemand etwas mitbekommen.«

»Und was sollte das sein?«, fragte ihr Kollege ungehalten. »Als Eva-Karin weggefahren ist, war es längst dunkel.« Im nächsten Moment ruderte er zurück. »Entschuldige, meine Nerven liegen blank. Ich habe letzte Nacht kein Auge zugetan.«

Ehe Vibeke etwas erwidern konnte, klingelte sein Handy, und er wandte sich ab, um zu telefonieren.

Sie ging zum Parkplatz. Zwei Männer in Goretex-Jacken kamen ihr mit ihren Golftaschen entgegen. Sie lächelten freundlich. »Hej!«

»Hej!« Vibeke ging durch die Einfahrt mit den beiden Betonpollern zum hinteren Parkplatz.

Keine Laternen. Keine Kameras. Der Bereich musste abends völlig im Dunkeln liegen. Wo hatte Eva-Karins Auto gestanden? Sie suchte die Grünstreifen, die hier zum Parken dienten, mit den Augen ab, als läge dort die Antwort. Doch natürlich fand sie nichts. Was hatte sie erwartet? Getränkedosen oder Zigarettenstummel, an denen die DNA des Täters haftete? So einfach würde er es ihnen nicht machen. Das war ihr schon längst klar und auch der Grund, weshalb sie einen Fallanalytiker hinzuziehen wollte. Kriminalrat Petersen hatte ihren Vorschlag bereits mit Thure Christensen besprochen, und der Polizeidirektor hatte sein Okay gegeben. Frank Liebermann vom LKA Hamburg würde übermorgen zum Team dazustoßen.

Vibeke ließ den Blick über das Gelände schweifen. Vielleicht hatte der Täter Eva-Karin auch an der Straße abgepasst. Möglichkeiten gab es viele. Warnblinker an und eine Autopanne oder einen Unfall vortäuschen. Eine Polizistin würde auf jeden Fall anhalten. Doch woher hätte er wissen sollen, dass Eva-Karin im Auto saß? Die Scheinwerfer machten es unmöglich, den Fahrer oder das Kennzeichen aus der

Ferne zu erkennen. War es am Ende vielleicht doch nur ein Zufall gewesen? Möglicherweise hatte der Täter überhaupt nicht gewusst, dass sein Opfer Polizistin war.

Ihr Handy piepte und riss sie aus ihren Gedanken. Claas hatte eine Textnachricht geschickt, in der er fragte, ob sie Zeit für ein gemeinsames Mittagessen hätte. Ein warmes Gefühl durchströmte sie, und sie musste sich eingestehen, dass sie sich freute. Trotzdem würde sie ihm absagen müssen. Sie schrieb ihm, dass sie gerade in Esbjerg sei und es daher nicht schaffen würde. Erst hinterher fiel ihr auf, dass die Nachricht sehr kühl und nüchtern klang, und sie schickte kurz entschlossen ein Kuss-Emoji hinterher. Etwas, das sie sonst nie tat. Hoffentlich fand Claas es nicht albern.

»Vibeke!«

Sie drehte sich um.

Rasmus stand neben seinem VW-Bus und hielt sein Handy in die Höhe. »Das war Thure.« Er öffnete die Fahrertür. »Liam Holm hat sich gemeldet. Wir müssen los!«

Vibeke eilte zurück.

Esbjerg, Dänemark

Ein dunkelhaariger Mann öffnete ihnen die Tür des Restaurants. Seine Augen waren rot unterlaufen, der Teint fahl und das Gesicht verquollen. Er trug Jeans und ein graues Shirt, unter seinen Ärmeln zeichneten sich neben muskulösen Oberarmen dunkle Schweiß-ränder ab.

»Rasmus Nyborg. Sieh einer an.« Liam Holm stieß ihnen eine mächtige Alkoholfahne entgegen.

Vibeke musste sich zusammenreißen, um nicht zu-rückzuweichen. Den Mann der Vizepolizeiinspektorin hatte sie sich eindeutig anders vorgestellt.

»Hej, Liam.« Rasmus deutete auf Vibeke. »Meine Kollegin Vibeke Boisen von der deutschen Polizei. Können wir vielleicht reinkommen?«

Liam Holm kniff die Augen zusammen. »Thure hat mir schon angekündigt, dass jemand von eurem Verein vorbeikommt, nur den Grund hat er nicht ge-nannt. Also was zum Teufel ist hier los?« Er wirkte sichtlich aufgebracht. »Hat euch etwa meine Frau ge-schickt?«

Er weiß es nicht, schoss es Vibeke durch den Kopf.

»Es wäre wirklich besser, wenn wir das nicht zwi-schen Tür und Angel besprechen«, sagte sie. Unter normalen Umständen hätte sie den Mann erst ein-mal in eine Ausnüchterungszelle gesteckt, doch ab-gesehen davon, dass sie hier nichts zu entscheiden hatte, waren die Umstände alles andere als normal.

Liam Holm seufzte. »Von mir aus.« Er ließ die Kriminalbeamten eintreten.

Das Restaurant war nicht besonders groß, doch es hatte ein sehr stylisches und gemütliches Ambien-te. Unverputzte Ziegelwände und Loft-Fenster, die Holztische farblich abgestimmt mit dem dunklen Eichenparkett, dazu mit Velours bezogene Schalen-stühle. Von der Decke baumelten Industrielampen. Neben einem dezenten Bartresen mit glänzender

Siebträgermaschine stand ein gut sortierter Wein-klimaschrank. Dahinter ging es offenbar zur Küche und den Toiletten. Nichts in dem Lokal deutete auf eine Renovierung hin, so wie es auf dem »Vorüber-gehend geschlossen«-Schild neben dem Eingang stand.

Liam Holm ließ sich auf einen der Schalenstühle sinken, ohne den Kriminalbeamten einen Sitzplatz an-zubieten. »Dann schießt mal los.«

Rasmus zog sich einen Stuhl heran, während sich Vibeke an einen der anderen Tische lehnte. Ihr Blick blieb an einer halb vollen Whiskeyflasche hängen, die neben einem Glas auf dem Tresen stand.

»Es tut mir leid, Liam«, begann Rasmus, »aber Eva-Karin ist tot. Sie wurde gestern Abend in ihrem ausgebrannten Wagen aufgefunden.«

Der Gastronom starrte ihn verständnislos an. »Hatte sie einen Unfall?«

Rasmus schüttelte den Kopf. Sein Unbehagen war ihm deutlich anzusehen. »Jemand hat sie ans Lenkrad gefesselt und das Fahrzeug in Brand gesteckt.«

Liam Holm riss die Augen auf. Im nächsten Mo-ment stand er auf, ging zum Tresen und schenkte sich einen großzügigen Schluck Whiskey ein. Er leer-te das Glas in einem Zug und machte Anstalten, es erneut aufzufüllen, doch da war Vibeke bereits neben ihm und nahm ihm die Flasche aus der Hand. Sie er-wartete Widerstand, stattdessen begann Liam Holm hemmungslos zu schluchzen.

Vibeke nahm ihn am Arm und führte ihn behutsam zu seinem Stuhl zurück. Anschließend ging sie hinter den Tresen und stellte die Siebträgermaschine zum

Aufheizen an. Es dauerte eine Weile, ehe sie sich mit den Funktionen vertraut gemacht hatte und der mit Kaffeepulver gefüllte Siebträger in die Maschine eingespannt war, doch schließlich lief der Kaffee in die bereitstehende Espressotasse.

»Hier, trinken Sie.« Sie stellte das heiße Getränk vor Liam Holm auf den Tisch.

Stumm langte er danach. Seine Tränen waren genauso schnell verebbt, wie sie gekommen waren. Unwillkürlich fragte sich Vibeke, ob der Mann womöglich nur eine Show abzog. Sie setzte sich auf einen der freien Stühle.

»Wann hast du Eva-Karin zuletzt gesehen?«, fragte Rasmus, sobald Liam Holm seinen Espresso getrunken hatte.

Vibeke zückte ihr Notizbuch.

Der Gastronom knetete seine Finger, und ihr fiel auf, dass er keinen Ehering trug. »Samstagabend.«

»Wo war das?«

»Bei uns zu Hause. Anschließend bin ich hierhergefahren.«

»Ist etwas zwischen euch vorgefallen?«, hakte Rasmus nach. »Ich meine, es wird doch sicherlich einen Grund geben, wenn du deine Frau seitdem nicht mehr gesehen hast.«

Liam Holm knetete seine Gelenke jetzt so stark, dass sie knackten. »Eva-Karin und ich hatten eine Meinungsverschiedenheit.« Er sah Rasmus an. »Du kanntest sie. Sie konnte sehr willensstark sein, wenn sie sich erst einmal etwas in den Kopf gesetzt hatte.«

Rasmus ignorierte seine letzte Bemerkung. »Eine Meinungsverschiedenheit? Worum ging es dabei?«

Liam Holm ruderte zurück. »Darüber möchte ich nicht reden. Das ist privat.«

Rasmus' Gesichtszüge wurden hart. »Deine Frau wurde ermordet. Auf eine sehr grausame Art und Weise. Es ist also rein gar nichts mehr privat, was sie betrifft.«

Die beiden Männer starrten sich an. Eine greifbare Spannung lag plötzlich in der Luft.

Vibeke beschloss einzuschreiten, ehe sich die Fronten verhärteten. »Wo warst du gestern Abend zwischen 18.30 Uhr und 19.30 Uhr?« Unwillkürlich war sie ins Du übergegangen.

Liam Holm wandte ihr den Blick zu. Seine Augen wirkten glasig. »Ich war hier. Von Samstagabend bis jetzt.«

»Gibt es jemanden, der das bezeugen kann?«

Er lachte auf und stieß dabei eine weitere Alkoholfahne aus. »Das ist jetzt nicht euer Ernst, oder?« Er sah von Vibeke zu Rasmus und wieder zurück. »Ihr wollt tatsächlich ein Alibi von mir?« Er schüttelte ungläubig den Kopf. Sein Blick verdüsterte sich. »Meine Antwort lautet Nein. Es gibt keine Zeugen. Ich wollte niemanden sehen. Weder meine Frau noch sonst irgendjemanden, sondern mich einfach nur betrinken. Ohne dass man mir dabei zusieht.« Seine Augen wurden schmaler. »Und sobald ihr hier raus seid, mache ich genau damit weiter. Jetzt habe ich doppelten Grund dazu.«

Rasmus beugte sich vor. »Wenn du die ganze Zeit über hier warst, weshalb hast du dann den Kollegen gestern Nacht nicht die Tür geöffnet, als sie dich über den Tod deiner Frau unterrichten wollten?«

»Weil ich vermutlich bereits dicht war.«

»Und das Schild draußen an der Tür?« Rasmus schaute sich demonstrativ um. »Für mich sieht es nicht danach aus, als stünde hier eine Renovierung an.«

Die Blicke der beiden Männer verkeilten sich erneut ineinander.

»Ein Wasserschaden in der Küche«, erwiderte Liam Holm knapp. Er schien jetzt auf der Hut zu sein.

Vibeke zog ein Foto von Lennard Friedrichs aus ihrem Notizbuch und legte es vor ihn auf den Tisch. »Kennst du den Mann?«

Der Gastronom schüttelte den Kopf. »Wer soll das sein?«

»Sein Name ist Lennard Friedrichs. Er ist Tischler in Leck.« Als sie seinen fragenden Blick bemerkte, fügte sie hinzu: »Ein kleiner Ort in Nordfriesland.«

»Beides nie gehört.«

Sie legte ihm ein weiteres Foto vor. »Und diesen Mann?«

Liam Holm runzelte die Stirn. »Das ist doch dieser Manager, der vor Kurzem ermordet wurde. Heißt er nicht Lysgaard?«

Vibeke nickte.

»Ich kenne sein Foto aus den Nachrichten. Bin ihm aber nie begegnet.«

»Und Eva-Karin?«

»Wenn, dann hat sie es mir nicht erzählt.« Sein Blick wurde trüb. »Es wäre freundlich, wenn ihr mich jetzt in Ruhe lassen würdet, damit ich um meine Frau trauern kann.«

»Sollen wir vielleicht jemanden für dich anrufen?«,

fragte Vibeke. Eva-Karins Mann wirkte auf sie ein wenig instabil, und sie war nicht sicher, ob man ihn in seinem jetzigen Zustand allein lassen sollte.

Liam Holm schüttelte den Kopf. »Ich will niemanden sehen. Und ich brauche auch keine Hilfe.«

Die beiden Kriminalbeamten erhoben sich.

Dann schien dem Gastronomen noch etwas einzufallen. »Kann ich eigentlich in mein Haus?«

»Das muss ich erst abklären«, erwiderte Rasmus. »Im Moment sind noch die Kriminaltechniker drin. Wir benötigen eine Liste mit den Namen von Eva-Karins Freunden und Bekannten. Schick sie bitte an diese E-Mail-Adresse.« Er legte eine Visitenkarte mit den Kontaktdaten der Sondereinheit auf den Tisch. »Am besten heute noch. Außerdem muss ich dich bitten, die Stadt nicht zu verlassen und dich zu unserer Verfügung zu halten. Wir melden uns.«

Liam Holm regierte nicht.

Vibeke folgte ihrem Kollegen aus dem Restaurant.

Padborg, Dänemark

Rasmus spritzte sich mit beiden Händen eiskaltes Wasser ins Gesicht. Die schlaflose Nacht und der Schock über Eva-Karins Tod saßen ihm tief in den Knochen. Er musste sich zusammenreißen, um nicht zu zeigen, wie sehr. Vor allem nicht Vibeke. Dass er sich ihr gegenüber geöffnet hatte, geschah nicht zum ersten Mal. Vermutlich lag es an ihren Gletscheraugen. Manchmal schien es ihm, als könnte sie damit bis auf den Grund seiner Seele blicken. Anders konnte er sich zumindest nicht erklären, weshalb er ihr immer wieder private Dinge anvertraute. Über Camilla. Über Ida. Und sogar über Anton. Sonst trug er sein Herz jedenfalls nicht auf der Zunge. Gerade was seinen toten Sohn anbelangte.

Rasmus beförderte sich eine weitere Wasserladung ins Gesicht. Dabei begegnete er seinem Blick im Spiegel. Mein Gott, sah er scheiße aus. Seine Augen lagen in dunklen Höhlen und waren gerötet wie bei einem Albino-Kaninchen, sein Teint war käseweiß. Nur Liam Holm hatte schlimmer ausgesehen.

Im nächsten Moment schämte er sich für seinen Gedanken. Der Mann hatte gerade seine Frau verloren. Weshalb fiel es ihm so schwer, etwas mitfühlender zu sein?

Vielleicht lag es an dem unterschwelligen Gefühl, dass etwas nicht stimmte. Dass Liam Holm nicht aufrichtig trauerte. Trotz seiner Tränen. Doch vielleicht tat er dem Mann auch unrecht. Trauer hatte viele Gesichter.

Rasmus trocknete sich die Hände mit einem der Papierhandtücher ab, knüllte es anschließend zusammen und feuerte es in den bereitstehenden Behälter. Er atmete ein letztes Mal tief durch und verließ den Waschraum.

Als er das Büro der Sondereinheit betrat, blickten ihm fünf Augenpaare entgegen.

»Mach ruhig weiter«, forderte er Vibeke auf, die gerade dabei war, das restliche Team auf den aktuellen Ermittlungsstand zu bringen.

Rasmus ging zum Sideboard und schenkte sich

einen Becher Kaffee ein. Obwohl er den ganzen Tag kaum etwas zwischen die Zähne bekommen hatte, ignorierte er den Teller mit Wienerbrød, einem fluffigen Plundergebäck, den jemand neben die Kaffeekanne gestellt hatte, und setzte sich an seinen Platz.

»Ich kann's immer noch nicht fassen«, sagte Pernille, als Vibeke ihren Bericht beendet hatte.

»Das geht uns wohl allen so«, erwiderte Søren betrübt. »Da merkt man mal wieder, wie schnell das Leben vorbei sein kann.«

Rasmus spürte einen Kloß im Hals.

»Wir sollten alle Punkte noch einmal durchgehen und nach Berührungspunkten suchen«, schlug Vibeke vor. Sie deutete auf die Landkarte vom Grenzgebiet. »Wir haben einen Mord auf deutscher Seite und zwei Morde auf dänischer. Beide in Esbjerg.« Sie befestigte einen neuen Pin an der Stelle, an der Eva-Karins Auto gebrannt hatte. »Vielleicht zeichnet sich ein geografisches Muster ab. Was denkt ihr? Wonach wählt der Täter seine Opfer aus?«

»Wisst ihr, was mein erster Gedanke war, als ich heute Morgen erfuhr, dass Eva-Karin ermordet wurde?«, fragte Jens, als hätte er nur auf das Stichwort gewartet.

Rasmus langte nach seinem Kaffeebecher. »Du wirst es uns sicher gleich sagen.«

»Dass Eva-Karin vielleicht das eigentliche Angriffsziel war und die anderen bloß der Kollateralschaden, um das zu vertuschen.« Jens rückte seine Brille zurecht.

»Eine gewagte These«, meinte Søren.

»Stimmt. Es war auch nur so ein Gedanke. Andererseits ist es natürlich möglich. Wenn auch ganz schön aufwendig.«

Søren blies die Backen auf. »Wer bringt denn drei Menschen um, wenn er eigentlich nur einen beseitigen will?« Er schüttelte den Kopf. »Da würde ich doch eher auf einen Nachahmungstäter setzen. Jemand, der die Gelegenheit genutzt hat, dem Mörder von Nohr Lysgaard und Lennard Friedrichs die Tat unterzuschieben.«

»Und woher hat derjenige deiner Meinung nach von dem Handschellenknoten und den Bernsteinen gewusst?«, konterte Jens. »Mal ganz davon abgesehen, dass wir es hier mit drei unterschiedlichen Mordmethoden zu tun haben.«

Rasmus wippte ungeduldig mit dem Fuß. »So wird das nichts. Wir drehen uns im Kreis.«

»Rasmus hat recht«, pflichtete ihm Vibeke bei. »Übermorgen wird ein Fallanalytiker zum Team dazustoßen. Frank Liebermann vom LKA Hamburg. Er und seine Leute werden sich genau mit diesen Fragen auseinandersetzen. In der Zwischenzeit sprechen wir mit den Leuten, die sich gestern Nachmittag und am Abend im Golfklub und im Restaurant aufgehalten haben. Vielleicht hat irgendjemand etwas beobachtet.«

»Wir sollten die Überwachungskameras in der Umgebung checken.« Luís legte seine Hände auf die Räder seines Rollstuhls und bewegte ihn ein Stück zurück. »Möglicherweise gibt es eine Überschneidung mit den Aufnahmen im Hafen. Außerdem sollten wir eine Funkzellenauswertung vom Tatort vornehmen, um zu sehen, wer dort zur Tatzeit eingeloggt war.«

»Kannst du dich darum kümmern?«, fragte Vibeke.
Der Portugiese nickte.

»Was haben wir sonst noch?«

»Der vorläufige Bericht der Rechtsmedizin ist gerade gekommen.« Jens gab ein paar Befehle auf seiner Computertastatur ein und überflog den Text am Bildschirm. »In Eva-Karins Lunge wurden Rußpartikel gefunden. Das bestätigt die Aussage des Ersthelfers.« Er hob den Blick. »Sie hat noch gelebt, als das Feuer ausbrach.«

Betretene Stille.

Rasmus spürte, wie der Kloß in seinem Hals wuchs, und er war dankbar, dass Vibeke das Gespräch führte. Die Müdigkeit nahm langsam überhand, trotz des Kaffees, und es fiel ihm schwer, einen klaren Gedanken zu fassen.

»Sind die Listen vom Golfklub mittlerweile gekommen?«, erkundigte sich Vibeke.

Jens tippte erneut auf seiner Computertastatur herum. »Jep.« Er blickte auf den Bildschirm. »Liam Holm hat ebenfalls eine Liste mit Namen geschickt.«

Es klopfte, und eine rothaarige Polizistin in deutscher Uniform steckte den Kopf durch die Tür. Es war Vickie Brandt, Rasmus' Ex-Freundin. Sie waren nicht im Besten auseinandergegangen.

Vibeke winkte sie herein. »Hej, Vickie. Was gibt's?«

»Ich wollte euch nur Bescheid geben, dass vor dem Eingang einige Presseleute warten. Offenbar haben sie Wind davon bekommen, dass es einen Zusammenhang zwischen den Todesfällen gibt.«

Rasmus unterdrückte ein Stöhnen. Das hatte ihnen gerade noch gefehlt.

»Sag ihnen, dass um 19.00 Uhr eine Pressekonferenz in Esbjerg stattfindet«, instruierte Vibeke die Streifenbeamtin.

»In Ordnung.« Vickie suchte seinen Blick. »Es tut mir leid, was mit deiner Chefin passiert ist, Rasmus.« Es klang aufrichtig.

Er nickte. »Danke.«

Vickie verschwand wieder.

Vibeke war zwischenzeitlich aufgestanden und ging zum Fenster. »Ach du meine Güte, das ist eine ganze Horde.«

Jens verzog grimmig das Gesicht. »Mit denen werden wir noch jede Menge Spaß kriegen.«

Rasmus' Gedanken drifteten weg. Zu Eva-Karin in ihrem ausgebrannten Auto, dem Toten in der Papiersortieranlage und schließlich zu dem CFO mit der durchtrennten Kehle. Mit Nohr Lysgaard hatte alles begonnen, und zum jetzigen Zeitpunkt wusste niemand, ob das Morden weiterging. Das wusste allein der Täter. Unwillkürlich fröstelte er.

»Wir sollten Liam Holm unter die Lupe nehmen.« Vibekes Stimme riss ihn aus seinen Gedanken. »Ich will wissen, wie es um Eva-Karins Ehe stand. Dafür müssen wir mit ihren Freunden und ihren Kollegen sprechen. Rasmus, kannst du das vielleicht übernehmen?«

Rasmus fühlte sich unwohl bei dem Gedanken, in Eva-Karins Privatleben herumzuschnüffeln, doch er war zu müde, um zu widersprechen. Stattdessen nickte er und stand auf, um sich am Sideboard noch einen Kaffee einzuschenken. Es würde ein weiterer langer Tag werden.

Es war bereits kurz vor sieben, als Rasmus die Polizeistation betrat und sich mit dem Fahrstuhl in den dritten Stock begab.

In Eva-Karin Holms Büro brannte Licht. Rasmus sah Thure Christensen durch die offene Tür regungslos hinter dem Schreibtisch sitzen. In der Miene des Polizeidirektors spiegelte sich grenzenlose Trauer.

Rasmus zögerte, den Mann in diesem intimen Moment zu stören, doch er brauchte Klarheit. Die letzten Stunden hatte er damit verbracht, Freunde und Bekannte von Eva-Karin abzuklappern, während Søren und Mads mit den Golfern geredet hatten. Es waren schwierige Gespräche gewesen. Die Leute hatten schockiert reagiert. Auch Tränen waren geflossen. Nicht nur einmal hatte er selbst kräftig schlucken müssen.

Die Ermittlungen wurden von Tag zu Tag komplexer, und Rasmus musste wissen, wer künftig die Entscheidungen traf.

Er klopfte gegen den Türrahmen. Augenblicklich straffte sich Thure Christensen, und er verströmte die gewohnte Dominanz.

»Darf ich?« Rasmus deutete auf den Besucherstuhl vor dem Schreibtisch. Eine reine Höflichkeitsfrage, denn er hatte nicht vor, sich abwimmeln zu lassen. Er setzte sich.

»Wenn es schnell geht.« Thure Christensen warf einen flüchtigen Blick auf seine Armbanduhr. »Ich muss gleich zur Pressekonferenz.«

Rasmus registrierte, dass er nicht dazugebeten

wurde, und kam ohne Umschweife zur Sache. »Eva-Karin wollte, dass ich ihr Nachfolger werde.«

Thure Christensen hob die silbergrauen Brauen. »Davon weiß ich nichts.«

»Das ist nicht unbedingt verwunderlich.« Rasmus schlug die langen Beine übereinander. »Ich hatte mir Bedenkzeit erbeten, da ich mich zu dem Zeitpunkt in einer etwas schwierigen familiären Situation befand und deshalb keine sofortige Entscheidung treffen konnte.«

Der Polizeidirektor schwieg.

»Eva-Karin und ich hatten vereinbart, dass ich ihr bis Ende Oktober Bescheid gebe«, fuhr Rasmus fort. »Wir wollten uns deshalb heute Morgen treffen.«

Thure Christensen ließ den Blick nachdenklich auf Rasmus ruhen. »Ohne dir zu nahe treten zu wollen, aber ehrlich gesagt verwundert mich das Ganze.« Er wischte einen imaginären Fussel von seinem Jackett. »Ich habe mir deine Personalakte angesehen, Rasmus. Es gab ein Disziplinarverfahren gegen dich. Wegen eines gewalttätigen Übergriffs im Dienst.« Die Silberbrauen rutschten erneut ein Stück höher. »Du musstest sogar vor Gericht.«

»Man hat mich freigesprochen«, warf Rasmus ein. Er sah bereits seine Felle davonschwimmen.

»Das habe ich selbstverständlich auch gelesen«, erklärte der Vorgesetzte jovial. »Und rein menschlich betrachtet, kann ich deine Beweggründe sogar bis zu einem gewissen Maß nachvollziehen.« Sein Blick wurde hart. »Doch wir sind hier nicht bei der Wohlfahrt, sondern bei der Polizei. Und ein Polizist, noch dazu in einer Führungsposition, sollte absolut integer sein.«

Rasmus spürte, wie sein Blut in Wallung geriet.

»Und dass du ausgerechnet zu diesem Zeitpunkt damit kommst«, fuhr der Polizeidirektor fort, »wo Eva-Karin keine vierundzwanzig Stunden tot ist, bestätigt mir, dass es mit deiner Integrität nicht besonders weit her ist.«

Rasmus hatte Mühe, an sich zu halten. Er war kurz davor, aufzustehen und zu gehen. Dabei sollte er eigentlich nicht überrascht sein. Eva-Karin hatte ihm gesagt, dass sie erst seine Antwort brauchte, ehe sie sich für ihn ins Zeug legen konnte, und natürlich wusste er auch, was in seiner Personalakte stand. Für seine Chefin hatte es keine Rolle gespielt, für andere dafür umso mehr.

Er hatte es vermasselt. Wieder einmal. Weil er zu lange gezögert hatte. Nun bekam er die Quittung.

Rasmus atmete tief durch, zwang sämtliche Befindlichkeiten beiseite. Jetzt half es nur noch, ruhig und sachlich zu bleiben. »Ich war damals in einer Ausnahmesituation und habe Dinge getan, auf die ich nicht gerade stolz bin. Seitdem habe ich sämtliche Programme durchlaufen, die man mir auferlegt hat, zum Teil sogar mehrfach, und ich habe mir nichts mehr zuschulden kommen lassen. Ganz im Gegenteil. Die Aufklärungsquote der Fälle, an denen ich gearbeitet habe, beträgt hundert Prozent.« Er beugte sich vor. »Ich bin ein guter Polizist, Thure. Ich weiß, wie man eine Ermittlung leitet, und auch, wie man eine Abteilung führt. Das habe ich in Aarhus jahrelang unter Beweis gestellt. Und dass ich dich jetzt auf Eva-Karins Nachfolge anspreche, hat in erster Linie praktische Gründe. Ich bin von Anfang an in diesen

Fall involviert, niemand kennt die Fakten besser als ich. Auch was die Zusammenarbeit mit den Kollegen der Sondereinheit betrifft. Wenn du jemanden von außen holst, muss sich derjenige erst vollkommen neu einarbeiten.«

Thure Christensen sah ihn verkniffen an. »Du weißt also, wie man eine Ermittlung leitet?« Er griff nach einer Akte aus dem Ablagekorb und feuerte sie vor Rasmus auf die Tischplatte. Sie trug die Fallnummer von Nohr Lysgaard. »Dann erklär mir doch mal, wo deine Berichte abgeblieben sind? Der letzte ist fünf Tage alt.« Seine Stimme schraubte sich eine Oktave höher. »Was zum Henker hast du in der Zwischenzeit gemacht? Däumchen gedreht?«

»Natürlich nicht«, erwiderte Rasmus erbost. »Wir haben letzte Woche quasi rund um die Uhr an dem Fall gearbeitet. Ich habe Eva-Karin täglich auf dem Laufenden gehalten. Mündlich. Den schriftlichen Bericht wollte ich heute nachreichen. Das haben wir so abgesprochen, doch …«

»Und wo ist er?«, herrschte ihn Thure Christensen an.

Rasmus suchte vergeblich nach einer Antwort. Damit, dass die Chefin vorher ermordet worden war, brauchte er dem Polizeidirektor gar nicht erst zu kommen. Seine Strategie, auf Sachlichkeit zu setzen, war gründlich in die Hose gegangen.

»Das ist Schlamperei, Rasmus. Eva-Karin hat dir das vielleicht durchgehen lassen, aber bei mir funktioniert so etwas nicht. Das Verfassen von Berichten ist Bestandteil unserer täglichen Arbeit. Jeder Einsatz, jede Lage muss dokumentiert werden. Damit die Ermittlung transparent bleibt. Meine Güte, das ist Polizeiarbeit aus dem Effeff.« Er atmete tief durch und senkte die Stimme. »Ich bin lange genug Polizist, um einen Unruhestifter zu erkennen, wenn er vor mir sitzt. Und du, Rasmus, riechst zehn Meter gegen den Wind wie die personifizierte Unruhe. Solange ich hier also etwas zu sagen habe, kannst du dir die Abteilungsleitung abschminken. Und jetzt entschuldige mich. Ich habe eine Pressekonferenz abzuhalten.« Er erhob sich hinter dem Schreibtisch und verließ ohne ein weiteres Wort das Büro.

Rasmus kniff die Augen zusammen und massierte sich den Nasenrücken. Was für ein Scheißtag.

Blåvand, Dänemark – Januar 2013

Im Kamin prasselte ein behagliches Feuer, während draußen der Sturm um das Reetdach heulte.

Henning sammelte die benutzten Gläser ein und räumte sie zu dem dreckigen Geschirr in die Spülmaschine. Sie hatten einen unbeschwerten Abend verbracht, »Mensch ärgere dich nicht« und »Uno« gespielt, dabei bergeweise Chips und Tærter verdrückt, diese kleinen, mit Schokolade umhüllten Törtchen aus französischem Nougat und Erdnüssen, von denen Anna immer sagte, sie wären das reinste Gift für die Zähne. Doch die Kinder liebten diese dänische Süßigkeit und bettelten jeden Urlaub so lange, bis ihre Mutter nachgab und ein paar Tüten davon kaufte. Es war fast zu einem Ritual geworden.

Sie hatten viel gelacht, sogar Leonie, die für gewöhnlich keine gute Verliererin war, hatte klaglos hingenommen, dass ihr Bruder ein Spiel nach dem anderen gewann.

Es schien, als hätte der negative Befund, den Anna am Tag zuvor erhalten hatte, einen Hebel in ihrem Leben umgelegt. Anstatt Sorgen, Angst und Verzweiflung spürten sie zum ersten Mal seit Langem wieder Freude. Und Hoffnung.

Sie hatten sogar Zukunftspläne geschmiedet. Auch die Kinder hatten die Erleichterung ihrer Eltern gespürt, obwohl sie in die Untersuchungen nicht eingeweiht gewesen waren.

Henning stellte den Geschirrspüler an. Ben und Leonie hatten sich bereits in ihre Zimmer abgeseilt, während Anna ihrer Jüngsten eine Gutenachtgeschichte vorlas.

Draußen wurde der Sturm immer stärker. Kräftige Böen fegten über die Küste, pfiffen durch sämtliche Ritzen des Hauses und rüttelten an den Fensterläden. Im Obergeschoss knarzten die Dachbalken.

Er blickte aus dem Fenster. Der Mond versteckte sich hinter einem Vorhang aus dichten Wolken, nur die Lichter der umliegenden Ferienhäuser leuchteten in der Dunkelheit. Gräser und Büsche bogen sich im Wind, ein Baum neigte sich gefährlich zur Seite. Eines der Gartentore schlug auf und zu. Klack. Klack. Klack.

Henning öffnete die Verandatür und trat ins Freie. Er stemmte sich gegen den Wind und folgte dem Geräusch. Die Pforte, die zu dem Trampelpfad führte, der Haus und Dünen miteinander verband, schlug gegen das Anschlagblech. Eines der Kinder musste sie offen gelassen haben. Er machte sie zu und befestigte zusätzlich den Hebel darüber.

In der Ferne ertönte tiefes Donnergrollen. Das Gefühl von aufziehendem Unheil erfasste Henning. Schnell schlüpfte er zurück durch die Verandatür.

Die Flammen im Kamin waren erloschen, zurückgeblieben war nur ein leichtes Glimmen zwischen den Holzscheiten.

Henning griff auf der Küchenzeile nach seinem Handy. Kurz war er versucht, seine E-Mails zu checken, doch dann unterließ er es. Er hatte Anna versprochen, dass die Ferien nur der Familie gehörten. Stattdessen schenkte er sich ein Glas Rotwein ein und verschickte per SMS ein paar verspätete Neujahrsgrüße an Freunde. Draußen heulte der Sturm.

Als er sich schließlich erhob, war es im Haus vollkommen still. Er nahm die Treppen nach oben und sah nach den Kindern. Alle schliefen tief und fest. Die Seeluft hatte sie müde gemacht. Fünf Minuten später kroch er zu seiner Frau unter die Bettdecke. Anna hatte ihm das Gesicht zugewandt. Ihr Lider flatterten im Schlaf.

Er legte sich auf den Rücken und starrte in die Dunkelheit. Urplötzlich kam die Angst zurück.

9. Kapitel

Esbjerg, Dänemark

Über Nacht war Frost gekommen. Raureif hatte sich über Pflanzen und Gräser gelegt. Nebelschwaden waberten über das Wasser.

Rasmus joggte am Ufer von Sædding entlang. Der Lichtkegel seiner Stirnlampe wies ihm den Weg durch die Dunkelheit. Es war halb sechs Uhr morgens, und er befand sich bereits auf dem Rückweg seiner gewohnten Laufrunde. Die Sorgen hatten ihn aus dem Bett getrieben. Laufen war das Einzige, was half, um die Unruhe in seinem Kopf zum Schweigen zu bringen. Schritt für Schritt. Kilometer für Kilometer. Je schneller er lief, desto besser konnte er seine Gedanken ausblenden.

Mittlerweile hatte er sich völlig verausgabt und seinen Körper an die Grenzen seiner Leistungsfähigkeit getrieben.

Seine Lunge brannte, genau wie die Muskeln in seinen Beinen. Dabei strömte ihm unentwegt Schweiß in die Augen.

Am Ende des Deichs wich er einer Pfütze aus und lief die Anhöhe zu den vier Betonfiguren hinauf. Dort blieb er stehen und gönnte sich eine kurze Verschnaufpause. Er atmete tief durch, sog die frische Luft in jeden Winkel seiner Lunge.

Der Nebeldunst hing schwer in der Luft. Frühestens in zwei Stunden würde die Sonne aufgehen. Schon jetzt schlug ihm der November auf die Stimmung. Die letzten Touristen waren verschwunden, und die dunkle Jahreszeit legte sich wie ein graues Kleid über das Land und die Gemüter. Es würde noch kälter werden. Düsterer. Feuchter. Bis schließlich der Winter anklopfte.

Sein Blick wanderte die Küste hinauf. Etwa zehn Kilometer entfernt lag die Marbæk Plantage, mittendrin befand sich der Golfklub, in dem Eva-Karin ihre letzten Stunden verbracht hatte, ehe man sie aus dem Leben gerissen hatte.

Ihr Tod war viel zu früh gekommen. Sie hatte noch so viele Pläne gehabt. Pläne, die sie jetzt nicht mehr umsetzen konnte.

Was passiert, wenn ich plötzlich sterbe? Der Gedanke war ganz unvermittelt in seinem Kopf. Ob man ihn vermissen würde? Seine Eltern natürlich. Und auch seine Schwester. Camilla ebenfalls. Ida hingegen war noch viel zu klein. Aus ihrem Leben würde er sang- und klanglos verschwinden, ohne die geringste Erinnerung. Die Vorstellung schmerzte ihn. Was würden seine Kollegen über ihn sagen? Dass er ein guter Polizist gewesen war? Oder würden nur seine negativen Eigenschaften in ihren Köpfen bleiben? Vibeke würde ihn vermissen. Da war er sich ziemlich sicher. Und auch Søren und Pernille. Und natürlich Luís. Seit sie in dem Flensburger Jazzklub gemeinsam auf der Bühne gestanden hatten, er mit dem Saxofon und Luís mit seiner Bassgitarre, waren sie mehr als Kollegen. Vielleicht sogar Freunde.

Thure Christensen hingegen würde vermutlich kaum einen müden Gedanken an ihn verschwenden, sondern eher drei Kreuze machen, wenn er fort wäre.

Nicht integer. Für einen Moment überkam Rasmus eine unsägliche Verbitterung. Er war seit fünfundzwanzig Jahren Polizist und setzte sich für die Sicherheit der Bevölkerung ein, riskierte mitunter sogar sein Leben, und jetzt sollte ein einziger verdammter Fehler seine Karriere beenden? Was war mit der zweiten Chance, die man ihm versprochen hatte? Hatte er völlig umsonst an all diesen unsäglichen Anti-Gewalt-Trainings teilgenommen, die man ihm aufgebrummt hatte? *Nicht integer.* Die Worte des Polizeidirektors hallten wie ein Echo in seinen Ohren. Er fühlte sich mutlos und ausgebrannt. Vielleicht hatte er einen Fehler begangen, indem er den Job beim Wirtschafts-kriminalistischen Prüfdienst nicht angenommen hatte, als sich die Möglichkeit dazu bot. Dann würde er jetzt ein ruhiges Leben hinter dem Schreibtisch fristen, seine Freizeit mit Ida verbringen und nicht irgendwelchen Mördern hinterherjagen.

In der nächsten Sekunde hielt er inne. Angenommen, er wäre zu dem Zeitpunkt, als Eva-Karin umgebracht worden war, tatsächlich in Kopenhagen gewesen. Was hätte er getan? Einfach nur Däumchen gedreht, wie Thure Christensen es nannte? Nein. Mit Sicherheit nicht. Er hätte sämtliche Hebel in Bewegung gesetzt, um seine Kollegen dabei zu unterstützen, den Täter zu schnappen. Und das würde er auch jetzt tun. Eva-Karins letzte Worte drangen an sein Ohr. *Ich verlass mich auf dich, Rasmus.*

Er lief wieder los. Eine Viertelstunde später schloss

er durchgeschwitzt und mit brennender Lunge die Tür zu seinem Apartment auf und ging direkt unter die Dusche. Während die warmen Wasserstrahlen auf seine Schulter prasselten, kehrten seine Lebensgeister zurück. Er fasste einen Entschluss.

Esbjerg, Dänemark

An der Eingangstür des Bungalows prangte noch immer das Polizeisiegel. In einem Gebüsch neben der Doppelgarage hing ein Zipfel rot-weißes Absperrband. Überbleibsel der Polizeiaktion vom vergangenen Tag. Die angrenzenden Häuser waren in morgendlicher Stille versunken.

Rasmus durchtrennte mit dem Schlüssel, den er zuvor aus dem Präsidium geholt hatte, zunächst den Papierstreifen, ehe er kurz darauf über die Schwelle trat. Die Spurensicherung war abgeschlossen, und die Räume waren für die Ermittler freigegeben, trotzdem streifte er vorsorglich ein paar Latexhandschuhe über.

Es war ein merkwürdiges Gefühl, völlig allein im Haus seiner toten Chefin zu stehen. Er kam sich vor wie ein Eindringling, der im Begriff war, etwas Verbotenes zu tun. Er streifte den Gedanken ab und ging zunächst von Raum zu Raum.

Bis auf die Pulverrückstände an den Stellen, an denen die Kriminaltechniker Fingerabdrücke gesichert hatten, wirkte alles makellos sauber und aufgeräumt. Knudsen und seine Leute hatten sich offensichtlich große Mühe gegeben, den Ursprungszustand der Räume wiederherzustellen.

Die Ausstattung des Bungalows war hell und modern. Böden aus poliertem Beton, Marmor in der Küche und Terrazzo in den Badezimmern, eingelassene Spots in Decken und Wänden.

Er fragte sich, wer das alles bezahlt hatte. Eva-Karin mit ihrem Polizistengehalt? Selbst in den Besoldungsstufen der höheren Etagen war dies kaum möglich. Doch vielleicht hatte auch ihr Mann genügend Drei-Gänge-Menüs verkauft, um für all das aufzukommen. Allein die Einrichtung musste ein Vermögen gekostet haben. Er entdeckte unter den Möbeln zahlreiche Designklassiker. Den *Swan Chair* von Arne Jacobsen, Stühle der *Serie 7* von Fritz Hansen, Lampen von Louis Poulsen.

Rasmus begann mit dem Schlafzimmer. Einrichtungsstil und Farbkonzept des restlichen Hauses spiegelten sich auch in diesem Raum wider. Ein hellgraues Boxspringbett, weiße Leinenbettwäsche, Kante auf Kante gelegt, flauschige Teppiche und ein dezenter Einbauschrank, der sich über eine komplette Wandlänge zog. Sein Blick glitt zu der Stelle, wo der Bernstein auf dem Fensterbrett gelegen hatte.

Sein Hals wurde eng, als er eine der Schranktüren öffnete und die strengen Hosenanzüge sah, die seine Chefin für gewöhnlich getragen hatte. Farblich sortiert, von Hellgrau über Dunkelblau bis hin zu Schwarz. Daneben hingen akkurat gebügelte Blusen, überwiegend schlicht und weiß, ähnlich wie auch Vibeke sie trug.

Er zögerte, dann atmete er tief durch und durchsuchte routiniert die Taschen der Kleidungsstücke. Nichts. Eva-Karin gehörte offenbar zu den Menschen, die ihre Tascheninhalte regelmäßig kontrollierten. Er inspizierte den restlichen Schrank. Flauschige Wollpullover und Strickjacken in dezenten Tönen, Polohemden und Jeans, ein paar wenige Kleider, keine Röcke, dafür jede Menge Golfkleidung. In einer dunkelblauen Steppweste steckte ein zusammengefalteter Zettel. Er strich ihn glatt. Eine Reihe flüchtig hingeschriebener Zahlen. Möglicherweise eine Telefon- oder Kontonummer. Er schob den Zettel in seine Jackentasche und widmete sich der Kleidung des Ehemanns. Sie barg keinerlei Überraschungen. Anschließend durchsuchte er mit geübten Griffen die Kommode und die Nachttische, durchblätterte Bücher und Zeitschriften, die auf den Ablageflächen lagen, tastete mit seinen behandschuhten Händen unter Böden und hinter Rückwänden entlang und hob die Matratze an. Nichts. Er kniete sich hin und schaute unter das Bett. Kein Staub. Und auch sonst nichts.

Als Nächstes war das Arbeitszimmer dran. Auch hier wirkte alles ordentlich und aufgeräumt. Ein raumhohes Bücherregal, ein Schreibtisch samt Stuhl, dazu ein Sessel mit Leselampe und ein leer geräumter Aktenschrank. Der ganze Papierkram, der die Fakten aus Eva-Karins Leben enthielt, lag bereits im Gemeinsamen Zentrum.

Rasmus fuhr mit der Hand die Buchrücken in einer der Regalreihen entlang. Neben zahlreichen Literatur-Klassikern fanden sich dort überwiegend Kriminalromane. Mankell, Le Carré, Highsmith, Chandler, Sjöwall & Wahlöö. Alles, was in dem Genre Rang und Namen hatte, war hier ebenso vertreten wie ihm völlig unbekannte Autoren. Er überraschte ihn, dass Eva-Karin offenbar ein Faible für Spannungsliteratur gehabt hatte, und es offenbarte, wie wenig er eigentlich über seine Chefin wusste. Etwas, das Pernille gesagt hatte, kam ihm in den Sinn. *Vielleicht hatte sie Geheimnisse.*

Stichprobenartig zog er nacheinander ein paar Bücher heraus und überprüfte, ob sich etwas zwischen den Seiten befand. Bis auf eine Postkarte aus der Provence, die von einer Lena stammte, fand er nichts. Er nahm an, dass es sich dabei um Eva-Karins Schwester Lena Maria Cedergren handelte, und ihm fiel ein, dass Thure Christensen gar nicht erwähnt hatte, wie das Gespräch mit ihr verlaufen war.

Er legte die Postkarte beiseite und wandte sich dem Schreibtisch zu. Die losen Kabel vom Computermonitor und der Tastatur schlängelten sich wie tote schwarze Schlangen zum Boden hinunter. Der Rechner fehlte.

Auf der Tischplatte lag ein Stapel Rechnungen. Er blätterte sie durch. Eine Stromrechnung, die Forderung eines Handwerkers, der einen verstopften Abfluss gereinigt hatte, die Quittung eines Sportbekleidungsgeschäfts, in dem Eva-Karin einen Golfhandschuh für 295 Kronen gekauft hatte. Reichlich teuer, dachte Rasmus. Zumal es sich um ein einzelnes Exemplar zu handeln schien und nicht um ein Paar.

Er legte die Papiere zurück an ihren Platz und widmete sich den Schubladen. Was er suchte oder zu finden hoffte, wusste er nicht. Alle Inhalte wirkten vollkommen unauffällig. Ein paar Stifte, Schreiben von der Versicherung und der Krankenkasse, Kopien der Steuererklärung und der Katalog eines Golfausstatters, dazu ein paar Ausgaben des Polizeimagazins.

Sein Blick fiel auf Eva-Karins dunkelblaue Aktentasche, die neben dem Schreibtisch lehnte, und die Trauer erfasste ihn mit ganzer Wucht.

Er erinnerte sich an ihre erste Begegnung. Jenen Tag, an dem ihn die Vizepolizeiinspektorin im Präsidium begrüßt hatte. Ihre Worte waren bis heute in seinem Kopf. *Du bist also Rasmus Nyborg.* Dabei hatte ihn ihr kluger Blick gemustert, und er hatte erkannt, dass sie über ihn Bescheid wusste. Sie hatte ihm die Hand gereicht und gesagt: *Willkommen im Team. Wir können dich hier gut gebrauchen.*

Er ließ sich auf den Schreibtischstuhl sinken.

Eva-Karin hatte so viel mehr in ihm gesehen als den ewigen Querulanten. Sie hatte ihm eine Chance gegeben, als andere ihn längst abgeschrieben hatten. Erst jetzt wurde ihm bewusst, wie viel er ihr zu verdanken hatte.

Rasmus entfuhr ein tiefes Seufzen. Schließlich langte er nach der Aktentasche. Der Verschluss war geöffnet, und das Fach, in dem Eva-Karin normalerweise ihren Laptop verstaute, leer. Die Kriminaltechniker hatten das Gerät bereits mitgenommen.

Er zog einen Stapel Unterlagen heraus. Obenauf lag eine Akte mit dem Vermerk »Vertraulich«. Er klappte sie auf und sah, dass es sich bei den Papieren um die Ergänzung ihres Arbeitsvertrages handelte. Mit der anstehenden Beförderung wäre Eva-Karin im Rang zur Vicepolizimester aufgestiegen. Er schlug den Deckel wieder zu. Die genauen Inhalte gingen ihn nichts an.

Unter den weiteren Unterlagen fanden sich Ausdrucke, die Mitarbeitergespräche dokumentierten und die er ebenfalls ungelesen beiseitepackte, sowie eine Mappe, wie sie im Polizeipräsidium mitunter für Fallakten genutzt wurde. Braunes Recyclingpapier. DIN-A4-Format. Mittlerweile war der komplette Verwaltungsapparat ihrer Behörde digitalisiert und auf elektronische Aktenführung umgestellt worden und die frühere Papierflut auf ein Minimum reduziert. Hin und wieder wurden die Akten in Papierform dennoch genutzt, vor allem im GZ, was natürlich an den deutschen Kollegen lag. Das Nachbarland hinkte, was die Digitalisierung betraf, um Jahre hinterher.

In der Akte fanden sich Ausdrucke des Falls Nohr Lysgaard. Zeugenbefragungen. Tatortberichte. Rechtsmedizinische Befunde. Auswertungen der Kriminaltechnik. Dazwischen lag ein Bericht über den Leichenfund in der Papiersortieranlage in Ahrenshöft.

Rasmus war irritiert. Weshalb hatte Eva-Karin die Unterlagen mit nach Hause genommen? Er hatte zwar bereits den Eindruck gewonnen, dass sie der Fall Nohr Lysgaard besonders interessierte, doch er hatte dies stets der Tatsache zugeschrieben, dass es sich bei dem Opfer um den CFO eines großen OMX-Unternehmens handelte. Ihr Interesse schien jedoch ebenso dem toten Tischler gegolten zu haben.

Er ging in Gedanken die Geschehnisse durch. Am Mittwoch hatte er von dem Mord an Lennard Friedrichs erfahren und am Donnerstag seiner Chefin von den übereinstimmenden Fesseln und den Bernsteinen berichtet, und sie hatte zugestimmt, die Sondereinheit einzusetzen. Bei ihrem letzten Zusammentreffen, am Freitagabend im Polizeipräsidium, hatten sie ebenfalls über Lennard Friedrichs gesprochen. Er erinnerte sich an ihre gekrauste Stirn und ihre Nachfrage bezüglich des Namens. Offenbar hatte Rasmus den Namen des deutschen Opfers zu diesem Zeitpunkt zum ersten Mal genannt. Zwei Tage später war Eva-Karin tot gewesen. Nachdem sie Kriminalrat Petersen angerufen hatte, um etwas über Lennard Friedrichs zu erfahren.

Seine Gedanken überschlugen sich. Hatte Eva-Karin den Tischler womöglich gekannt? Oder sogar beide Opfer? Hatte sie am Ende mehr über den Fall gewusst, als sie preisgegeben hatte? War sie deshalb ermordet worden?

Rasmus rieb sich die Schläfen. In seinem Kopf herrschte heilloses Durcheinander, und es fiel ihm schwer, einen klaren Gedanken zu fassen. Kein Wunder. Er hatte in den letzten achtundvierzig Stunden kaum geschlafen. Vielleicht verrannte er sich gerade in etwas.

Er legte die Akte mit den Fallunterlagen beiseite, um sie mitzunehmen. Die restlichen Papiere beförderte er zurück in Eva-Karins Tasche. Darum sollten sich andere kümmern.

Er sah zum Fenster. Mittlerweile war es draußen hell geworden, der Himmel grau in grau wie in den Tagen zuvor.

Rasmus stand auf. Ein paar Räume waren noch übrig.

Als er schließlich eine Stunde später aus dem Haus trat, erwarteten ihn zwei Dutzend Reporter und ein Team des örtlichen Radiosenders. Kameras klickten,

Blitzlichter flammten auf. Die hatten ihm gerade noch gefehlt.

»Rasmus Nyborg, nur eine kurze Stellungnahme.« Ein Reporter streckte ihm sein Mikrofon entgegen.

»Kein Kommentar.« Rasmus drängte sich durch die Menge und eilte zu seinem VW-Bus, was die Journalisten nicht daran hinderte, ihm mit ihren Kameras zu folgen. Er hob schützend die Hand vors Gesicht.

»Kannst du bestätigen, dass es sich bei dem Opfer des Brandanschlags um Vizepolizeiinspektorin Eva-Karin Holm handelt?«, rief die junge blonde Moderatorin des Radiosenders, während er die Fahrertür öffnete und hinter das Lenkrad schlüpfte. »Gibt es schon Erkenntnisse zum Täter?«

Rasmus zog die Tür zu und startete den Motor. Im Rückspiegel sah er, wie die Pressemeute seine Abfahrt filmte.

Er drückte aufs Gaspedal.

Padborg, Dänemark

»Habt ihr schon die Zeitungen gesehen?« Jens Greve trat durch die Tür und hielt den *Flensburger Express* mit der Titelseite in die Höhe.

Bestialischer Mord an Polizistin erschüttert Dänemark, prangte dort in großen schwarzen Blockbuchstaben. Daneben war das symbolische Foto eines brennenden Autos abgebildet.

»Ja, leider«, sagte Vibeke.

Sämtliche Zeitungen der Grenzregion berichteten

über den Mord an der ranghohen Polizeibeamtin im Nachbarland, die Boulevardblättchen darunter überschlugen sich förmlich mit ihren Schlagzeilen. Die Story war für die Medien, wie erwartet, ein gefundenes Fressen. Und obwohl der Name des Opfers aus Rücksicht auf die Hinterbliebenen der Presse nicht mitgeteilt worden war, hatten die Schreiberlinge Eva-Karins Identität schnell herausgefunden. Einige Zeitungen hatten ihn sogar schon abgedruckt.

Auch die *SHT* berichtete darüber, was Vibeke nicht weiter überraschte. Claas war unter den anwesenden Journalisten gewesen, die sich am Vortag im GZ versammelt hatten. Doch zumindest waren die Headline und der dazugehörige Artikel nicht ganz so reißerisch wie bei anderen Blättern.

Jetzt war es nur noch eine Frage der Zeit, bis das Wort »Serienmörder« in den Schlagzeilen auftauchte.

Sie hatte Claas seit zwei Tagen nicht gesehen, doch sie hatten mehrfach telefoniert und sich für den Abend verabredet, sofern es ihre Arbeit zuließ. Zum ersten Mal würden sie sich bei ihr zu Hause treffen.

»Das sind Schmierfinken der übelsten Sorte«, schimpfte Søren mit einem Blick auf den *Flensburger Express* und schaufelte sich am Sideboard zwei Zimtschnecken auf einen Teller. Offenbar war sein Appetit über Nacht zurückgekehrt. »Mit denen möchte man im Leben nichts zu tun haben.«

»Nicht alle Journalisten sind so«, entfuhr es Vibeke.

Jens hob erstaunt die Augenbrauen und legte die Zeitung auf seinem Schreibtisch ab, ehe er sich aus seiner Jacke schälte. »Das sind aber ganz neue Töne.«

Vibeke ging nicht darauf ein, sah stattdessen auf die Uhr. »Weiß jemand, wo Luís und Rasmus stecken?«

Pernille nickte. »Luís ist in der Kfz-Fahndung und sichtet dort Videoaufnahmen, die von einem Hof in der Nähe der Brandstelle stammen. Der Bauer hat im Einfahrtsbereich eine Überwachungskamera angebracht, nachdem bei ihm in der Vergangenheit mehrere Tiere verschwunden sind. Offenbar werden alle Fahrzeuge gefilmt, die an seiner Hofeinfahrt vorbeifahren.« Gedankenverloren zwirbelte sie eine dunkle Haarsträhne um ihren Stift. »Und Rasmus hat vor einer halben Stunde angerufen. Er kommt etwas später.«

Vibeke seufzte innerlich. »Etwas später« konnte bei ihrem Kollegen so gut wie alles bedeuten, und es ärgerte sie, dass er keine näheren Angaben darüber machte, was er gerade trieb. Blieb nur zu hoffen, dass er sich dieses Mal am Riemen riss und sich nicht zu einem Alleingang hinreißen ließ.

Die Tür flog auf, und ein Mann erschien. Groß, schlank, dunkelhaarig. Er sah aus wie einer dieser schnöseligen Großstadt-Yuppies, die Vibeke aus den schicken Vierteln Hamburgs kannte. Schmal tailliertes Jackett mit passender Slim-Fit-Hose, das eng anliegende Hemd ebenso perfekt sitzend wie das zurückgegelte Haar.

»Hej.« Sie sah ihn fragend an.

»Kasper Saltum«, stellte sich der Neuankömmling vor. Dänischer Akzent. »Ich nehme an, du bist Vibeke Boisen?«

Sie nickte.

»Dann auf gute Zusammenarbeit.« Kasper Saltum

lächelte und entblößte dabei perfekt geformte Zähne. Er ging zum Sideboard und schenkte sich wie selbstverständlich einen Becher Kaffee ein.

Vibeke runzelte die Stirn. »Entschuldige, Kasper. Aber mir ist nicht ganz klar, in welcher Funktion du hier bist ...«

»Ach.« Ein arroganter Zug flog um den Mund des Yuppies. »Thure Christensen hat mich aus Kopenhagen angefordert. Ich bin der Interimsleiter der Esbjerger Mordkommission. Hat euch niemand Bescheid gegeben?«

Vibeke runzelte die Stirn »Mir zumindest nicht.«

»Das bedeutet, du bist unser neuer Chef?« Søren verschränkte seine muskelbepackten Arme vor der Brust. »Also formal gesehen.«

»Streich das formal«, erwiderte Kasper Saltum. »Ich habe vor, mich aktiv in den Fall einzubringen.«

Vibeke ließ sich ihre Überraschung nicht anmerken. Der Interimsleiter war jung. Ende zwanzig, höchstens Anfang dreißig. Vermutlich einer dieser Überflieger, die es alle paar Jahrgänge nur einmal gab.

»Wunderbar, wir können jede Hilfe gebrauchen.« Sie wies auf zwei Rollwagen mit Aktenordnern. »Wir haben umfangreiches Material, das wir noch durchgehen müssen. Aber zunächst mache ich dich mit unserem Team bekannt.« Sie stellte ihm die Ermittler der Sondereinheit vor. »Rasmus und Luís werden später zu uns stoßen. Ich denke, es wäre das Beste, wenn ich dich kurz briefe.«

»Das ist nicht nötig.« Kasper Saltum lächelte jovial. »Ich habe mich bereits gestern in die Unterlagen eingelesen.«

Das ist wohl einer von der ganz fixen Sorte, dachte Vibeke. Obwohl seine gute Vorbereitung ihrer eigenen Arbeitsweise entsprach, war der Däne meilenweit davon entfernt, ihr sympathisch zu sein.

»Ganz wie du meinst.«

Kasper Saltum steuerte mit seinem Kaffeebecher in der Hand auf einen der freien Schreibtische zu.

»Da sitzt Rasmus«, informierte ihn Søren mit finsterer Miene.

Wie aufs Kommando wurde die Tür geöffnet, und Rasmus erschien. »Hej!«

Der Ermittler wirkte blass und mitgenommen. Die Schatten unter seinen Augen waren noch tiefer geworden. Wortlos schenkte er sich einen Kaffee ein und setzte sich an seinen Platz.

»Ist das üblich, dass hier jeder kommt, wie er gerade Lust und Laune hat?«, fragte Kasper Saltum an Vibeke gewandt.

Rasmus stellte seinen Kaffeebecher auf der Tischplatte ab. »Und wer, bitte schön, bist du?«

Die Augen des Interimschefs wurden eine Spur schmaler. »Kasper Saltum. Ich leite ab heute die Mordkommission in Esbjerg und bin damit auch für diese Abteilung verantwortlich.«

Rasmus' Blick sprach Bände, doch er war klug genug, seine Gedanken für sich zu behalten.

Eine greifbare Spannung lag plötzlich in der Luft.

Jens erhob sich von seinem Platz. »Ich gehe mal nebenan eine Sitzgelegenheit organisieren.« Er verschwand durch die Tür und schob kurz darauf einen Stuhl für den Neuankömmling herein.

Vibeke übernahm wieder das Ruder. »Lasst uns

loslegen. Wie weit seid ihr mit den Golfern gekommen?«

Die Frage galt Søren, der am Vortag die Befragungen zusammen mit Mads Østergård durchgeführt hatte.

»Wir haben mit etwa drei Dutzend Leuten gesprochen, die zur selben Zeit auf dem Golfplatz waren wie Eva-Karin. Aber das hätten wir uns auch sparen können. Das Areal ist riesig.« Søren fegte mit dem Handrücken einen Gebäckkrümel beiseite, der sich in seinem Bart verfangen hatte. »Insgesamt wurde Eva-Karin von acht Personen gesehen, aber sie konnten auch nur sagen, dass sie allein auf dem Platz unterwegs war. Ehrlich gesagt frage ich mich, weshalb sich der Mörder Eva-Karin nicht gleich dort geschnappt hat. Es gibt zahlreiche Stellen, die völlig abgeschieden sind.«

»Was ist mit den Gästen aus dem Restaurant?«, erkundigte sich Vibeke.

»Mit den meisten haben wir gesprochen, aber keinem von denen ist etwas Ungewöhnliches aufgefallen. Wobei …«, Søren schien etwas einzufallen, »ein Gast hat gesehen, wie Eva-Karin das Lokal verlassen hat. Er war gerade draußen eine rauchen.«

Vibeke zog die Brauen hoch. »Hat der Gast gesehen, ob ihr jemand gefolgt ist? Auf den Aufnahmen der Überwachungskamera war zwar niemand zu erkennen, aber die Person könnte sich außerhalb des Kamerawinkels bewegt haben.«

Søren schüttelte den Kopf. »Zumindest ist ihm niemand aufgefallen.« Er langte nach der zweiten Zimtschnecke auf seinem Teller.

Vibeke überlegte. »Vermutlich hat der Täter Eva-

Karin an ihrem Auto aufgelauert. Der hintere Parkplatz ist gänzlich unbeleuchtet. Sie erst später an der Landstraße anzuhalten, wäre um einiges umständlicher gewesen. Der Täter hätte sichergehen müssen, dass sie diese Strecke nimmt, zudem wäre es schwieriger gewesen, ihr Auto unter anderen auszumachen.«

»Vorausgesetzt, Eva-Karin war ein gezieltes Opfer«, warf Kasper Saltum ein. »Bei deiner Theorie stellt sich doch die Frage, wie der Täter vom Tatort weggekommen ist.«

»Darüber habe ich mir bereits Gedanken gemacht.« Vibeke zog ihre Computertastatur heran und gab ein paar Befehle ein. Ein Luftbild vom Gebiet des Golfklubs und von Kravnsø erschien auf dem digitalen Whiteboard. Sie tippte mit dem Stift auf einen Punkt, der den hinteren Parkplatz des Golfklubs markierte. »Der Täter könnte sein Fahrzeug ebenfalls dort abgestellt haben. Er hat Eva-Karin an ihrem Auto aufgelauert, entweder hat er sie niedergeschlagen und ist selbst zum Tatort gefahren, oder er hat sie mit vorgehaltener Waffe dazu gezwungen.« Ihre Hand mit dem Stift wanderte zu der Stelle am Kravnsøvej, an der das Auto gebrannt hatte. »Die Entfernung zwischen den beiden Punkten beträgt keine zwei Kilometer. Der Täter könnte also zu Fuß zurück zum Parkplatz gelaufen sein. Anschließend hat er sich dort in sein Fahrzeug gesetzt und die 463 genommen.« Sie tippte auf die parallel verlaufende Landstraße, die als Sekundärroute ausgewiesen war.

Kasper Saltum deutete ein Nicken an, was Vibeke als Zustimmung wertete.

Sie wandte sich an Rasmus. »Wie sind die Befragungen in Eva-Karins Freundeskreis verlaufen?«

Ein Schatten flog über das Gesicht des Ermittlers. »Die Leute waren erschüttert, die meisten kannten Eva-Karin seit vielen Jahren. Ihre engste Freundin ...«, er warf einen raschen Blick in seine Notizen, »Sara Bjørnlund, mit ihr war Eva-Karin bereits seit der Schulzeit befreundet. Sie war völlig aufgelöst.« Er trank einen Schluck Kaffee, ehe er weitersprach. »Sara erzählte, dass Eva-Karin in letzter Zeit mehrere Verabredungen abgesagt hätte. Angeblich wegen der Arbeit.«

»Hatte sie denn Stress?«

Rasmus zögerte mit seiner Antwort. »Eva-Karin wirkte zuletzt tatsächlich ein wenig angespannt. Erst dachte ich, es hätte mit dem Jobwechsel zu tun, aber im Nachhinein betrachtet, kommt es mir so vor, als hinge es mit unserem Fall zusammen. Sie hat sogar Unterlagen mit nach Hause genommen.«

Vibeke überlegte. »Vielleicht wurde Druck auf sie ausgeübt. Nohr Lysgaard war immerhin der CFO eines OMX-Unternehmens.«

»Gut möglich.« Rasmus fuhr sich mit der Hand über den Mund. »Im Übrigen erwähnte Sara Bjørnlund etwas von Eheproblemen. Offenbar kam Liam Holm mit dem Erfolg seiner Frau nicht zurecht. Wir sollten ihn uns vielleicht noch mal genauer ansehen.«

»Du hast recht«, pflichtete ihm Vibeke bei. »Vor allem müssen wir die Vermögensverhältnisse überprüfen, damit wir ein besseres Bild bekommen.« Ihr fiel auf, dass Kasper Saltum sich jetzt im Hintergrund hielt.

»Der zuständige Richter hat den Beschluss bereits gestern erteilt«, warf Pernille ein. »Die Bank hat zugesagt, mir im Laufe des Vormittags die benötigten Auskünfte zu erteilen.«

»Gut.« Vibeke blickte in die Runde. »Auf uns kommt weiterhin jede Menge Fleißarbeit zu. Wir müssen unbedingt die Verbindung zwischen den Opfern finden. Das heißt, wir werden jeden einzelnen Stein umdrehen.«

Jens hob die Hand. »Ich habe eine Tabelle erstellt. Sie umfasst unter anderem die Namen der Menschen, mit denen die Opfer in Beziehung standen. Freunde, Familie, Arbeitskollegen, Nachbarn, Jugendfreunde, Mitschüler, Vereinskameraden. Zudem habe ich eine Rubrik mit den Gewohnheiten der Opfer angelegt. Also Dinge wie Hobbys, Lieblings-Restaurants, Urlaubsziele.« Er rückte seine Brille mit dem Zeigefinger zurecht. »Bislang gibt es keine Überschneidungen, allerdings fehlen mir über Eva-Karin auch noch die meisten Daten.«

»Dann würde ich vorschlagen, du machst damit weiter«, sagte Vibeke. »Es muss irgendeinen Schnittpunkt geben. Eine Gemeinsamkeit. Denn die Frage ist ja: Weshalb hat der Täter ausgerechnet diese Menschen ausgewählt? Wie ist er auf sie gekommen? Aufgrund ihres Verhaltens? Das sind auch die Fragen, mit denen sich das OFA-Team beschäftigen wird. Die Kollegen sichten bereits die Akten, und Frank Liebermann wird morgen im Laufe des Tages zu uns stoßen.« Sie schlug mit den Händen auf die Tischplatte. »Lasst uns die Aufgaben verteilen. Pernille, du kümmerst dich bitte um die Banksache. Weißt du, ob die

Handydaten und die Verkehrsdaten der Funkzellen-abfrage vom Provider vorliegen?«

»Die sind vor einer halben Stunde gekommen«, bestätigte ihre Kollegin.

»Dann gib bitte Luís Bescheid, dass er sich darum kümmert.«

Rasmus räusperte sich. »Ich sehe zu, was ich über Liam Holm in Erfahrung bringen kann.«

Ehe Vibeke zustimmen konnte, grätschte Kasper Saltum dazwischen. »Das übernehme ich«, erklärte der Interimschef. »Du bist zu nah dran. Kümmere dich um die Durchsicht der Akten.«

Rasmus' Kiefermuskeln verhärteten sich. Vibeke kannte diesen Ausdruck. Spätestens jetzt war mit dem Ermittler nicht mehr zu spaßen. Er schob seinen Stuhl zurück und stand auf. »Ich gehe dann mal eine rauchen. Mir sind hier zu viele Leute.« Ohne ein weiteres Wort verließ Rasmus den Raum.

Alle Blicke richteten sich auf Kasper Saltum. Ein Zucken der Augenbrauen. Mehr nicht.

»Ich weiß nicht, wie es Eva-Karin mit dieser Abteilung gehandhabt hat«, sagte der Interimschef, »aber ich erwarte, täglich auf dem Laufenden gehalten zu werden. Richtet das auch eurem Kollegen aus. Ich fahre jetzt nach Esbjerg.«

Als sich die Tür hinter ihm geschlossen hatte, atmete Vibeke erleichtert auf. Der Typ war ein unangenehmer Zeitgenosse. Und er schien Rasmus auf dem Kieker zu haben. Wobei man fairerweise zugeben musste, dass dieser mit seinem Verhalten durchaus provozierte. Sie fragte sich, worauf das Ganze noch hinauslaufen würde.

Vibeke drehte die Spindel des Kellnermessers in den Korken der Weinflasche und hebelte ihn nahezu geräuschlos aus dem Flaschenhals. Sie war erst kurz zuvor nach Hause gekommen und hatte festgestellt, dass in ihrem Kühlschrank gähnende Leere an Essbarem herrschte. Als hätte Claas es geahnt, hatte er per WhatsApp gefragt, ob er Sushi mitbringen sollte. Erleichtert hatte sie zugestimmt und im Kühlschrank sogar noch einen Riesling aus dem Rheingau entdeckt, der ganz hervorragend dazu passte.

Der Tag war lang gewesen, und sie fühlte sich müde und ausgelaugt. Rasmus war tatsächlich zurückgekommen, nachdem Kasper Saltum verschwunden war, und hatte sich zusammen mit ihr an die Durchsicht der Akten aus Eva-Karins Haus gesetzt.

Grundbuchauszüge und Notarunterlagen belegten, dass die Vizepolizeiinspektorin die Eigentümerin des Bungalows war, nachdem sie Jahre zuvor eine nicht unerhebliche Geldsumme von ihren verstorbenen Eltern geerbt hatte. Zudem ließ sich den Kontoauszügen entnehmen, dass Eva-Karin ihrem Mann seit Jahren finanziell unter die Arme gegriffen hatte. Offenbar lief es mit seinem Restaurant nicht zum Besten. Vielleicht war das der Grund, weshalb Liam Holm mit dem Erfolg seiner Frau nicht zurechtkam.

Als Vibeke schließlich Feierabend gemacht hatte, war Rasmus noch geblieben. Seine Rastlosigkeit bereitete ihr langsam Sorgen. Schweigend und mit verbissenem Gesicht hatte er sich Seite um Seite durch die Akten geblättert, und selbst Sørens Scherz über die enge Hose des Interimschefs hatte ihm kein Lächeln entlocken können. Es schien, als hätte sich seine alte Melancholie wie ein dorniger Mantel über seine Schultern gelegt.

Das Klingeln an der Haustür riss Vibeke aus ihren Gedanken. Sie legte das Kellnermesser beiseite und ging in den Flur. Als Claas sich über die Gegensprechanlage meldete, drückte sie den Summer. Kurz darauf kam er die Treppe hoch und hielt ihr zwei Boxen Sushi entgegen. »Ich hoffe, du bist mit der Auswahl zufrieden.«

Vibeke sah durch das Sichtfenster der Verpackung. »Perfekt.«

»Darf ich vielleicht auch reinkommen?«

»Natürlich.« Sie trat beiseite und verspürte einen kurzen Anflug von Nervosität.

Claas zog seine Jacke aus und hängte sie an die Garderobe, ehe er ihr in die Küche folgte.

»Schön hast du es hier.« Er betrachtete die unverputzte Backsteinwand, die sie auch hier im Originalzustand gelassen hatte.

»Du hättest die Wohnung mal vor anderthalb Jahren sehen sollen. Es war die reinste Bruchbude.« Vibeke stellte die Sushi-Boxen auf den gedeckten Tisch. »Möchtest du ein Glas Weißwein?«

»Gerne.« Claas sah ihr dabei zu, wie sie zwei Gläser aus dem Küchenschrank nahm und den Riesling einschenkte. »Geht es dir gut? Du wirkst ein wenig mitgenommen.« Er musterte ihr Gesicht.

»Ich habe letzte Nacht wenig geschlafen.« Vibeke hörte selbst, dass es wie eine lahme Ausrede klang, auch wenn es der Wahrheit entsprach. Sie beschloss, über ihren Schatten zu springen. Wenn das mit ihnen funktionieren sollte, musste sie sich öffnen. »Die Polizistin, die in Esbjerg in ihrem Auto verbrannt ist. Ich kannte sie. Wir haben in der Vergangenheit mehrmals zusammengearbeitet.« Sie fuhr sich übers Haar, kämpfte gegen die unerwartet aufkommenden Tränen. »Ich kann einfach nicht glauben, dass sie tot ist …«

Claas sah sie ernst an. Mitgefühl lag in seinem Blick und etwas, das sie nicht deuten konnte. Er machte einen Schritt auf sie zu und umarmte sie.

Vibeke erlaubte sich einen kurzen Moment der Nähe, atmete den Duft seiner Haut und sein dezentes Aftershave ein. Er unternahm keinen Versuch, sie zu küssen, und sie verspürte in seinen Armen das ungewohnte Gefühl von Geborgenheit. *Ich bin dabei, mich in diesen Mann zu verlieben.*

Sie löste sich aus der Umarmung. »Lass uns essen.«

»Gute Idee.«

Sie setzten sich an den Tisch und stießen mit ihren Weingläsern an. Vibekes Anspannung ließ nach.

»Wie kommt es eigentlich, dass du ausgerechnet bei der *SHT* gelandet bist?« Sie öffnete ihre Sushi-Box und griff nach den Stäbchen.

»Ich war nach dem Ausland lange Zeit Redakteur beim NDR in Kiel«, erzählte Claas. »Vor einigen Jahren wurden dort zahlreiche Stellen abgebaut, und ich war einer von denen, die gehen mussten. Ich hab dann eine Weile als freiberuflicher Journalist für verschiedene Magazine und Tageszeitungen gearbeitet.« Er tunkte eines der gefüllten Reisröllchen in Sojasoße. »Als immer weniger Aufträge reinkamen, habe ich es noch einmal mit einer Festanstellung versucht. Bei der *SHT* war gerade etwas frei geworden, und ich hatte Glück, dass sie mich genommen haben.« Er schob sich das Sushi in den Mund.

Vibeke griff nach ihrem Glas und trank einen Schluck Wein, ehe sie sich einem Stück Thunfisch widmete.

»Es hätte auch schlimmer kommen können«, sagte Claas, nachdem er seinen Bissen hinuntergeschluckt hatte. »Wenn ich manche Berichte von Kollegen sehe, schäme ich mich für meinen Berufsstand manchmal in Grund und Boden.« Er strich ein wenig Wasabi auf sein Lachs-Sashimi. »Wie ist es bei dir? Weshalb bist du Polizistin geworden?«

Draußen trommelte der Regen gegen die Fensterscheiben, während Vibeke von Werner und ihren Besuchen als Kind in der Polizeidirektion erzählte. Sie unterhielten sich über alles Mögliche. Darüber, ob sie Geschwister hatten oder nicht, über Claas' Jahre als Auslandskorrespondent, Vibekes Leidenschaft für den Kampfsport, und sie stellten fest, dass sie beide eine Zeit lang in Hamburg im selben Stadtteil gelebt hatten.

Als sie schließlich sowohl die beiden Sushi-Boxen als auch die Weinflasche geleert hatten, fühlte sich Vibeke nicht nur leicht beschwipst, sondern auch rundherum wohl. Sie hatte in den letzten anderthalb Stunden kein einziges Mal an die Arbeit oder an Eva-Karin gedacht. Die Ablenkung tat ihr gut. Claas tat ihr gut.

»Was hältst du davon, wenn ich dir den Rest der Wohnung zeige?«, schlug sie vor.

Er lächelte. »Und ich dachte schon, du fragst nie.«

Padborg, Dänemark

Rasmus lehnte sich in seinem Schreibtischstuhl zurück und rieb sich die Augen. Es war bereits weit nach Mitternacht, und die Plätze seiner Kollegen waren seit Stunden verwaist. Er hätte auch nach Hause fahren oder zumindest in seinem Bus liegen sollen, um eine Mütze Schlaf abzukriegen. Doch er spürte, dass er ohnehin kein Auge zubekommen würde.

Die Gedanken um Eva-Karin kreisten weiterhin wie in einer Endlosschleife in seinem Kopf, und dieser Grünschnabel, den man ihm vor die Nase gesetzt hatte, brachte das Fass zum Überlaufen. Er würde sich von dem jedenfalls nicht seinen Job diktieren lassen. Sollte dieser Kasper Saltum doch seine dämlichen Berichte bekommen und sich um Liam Holm kümmern, das juckte Rasmus nicht im Geringsten. Seine Baustelle war ohnehin eine andere.

Er interessierte sich für Eva-Karins Altfälle. Auch wenn sie jetzt eine Serie hatten, durften sie keinesfalls aus den Augen verlieren, dass es zudem um den Mord an einer Polizistin ging.

Neben den Akten hatte Silje ihm auch eine Liste mit den Namen und Delikten derjenigen zusammengestellt, die von seiner Chefin in den Knast gebracht worden waren. Die besonders schwerwiegenden Fälle hatte sie markiert. Ein im Schlaf angezündeter Obdachloser, zwei erdrosselte und in Mülltüten verpackte Prostituierte, ein mit dem Hammer erschlagener Rentner, im Krankenhaus vergiftete Patienten, eine zerstückelte Ehefrau, missbrauchte und getötete Kinder. Die Liste der Grausamkeiten war endlos.

Die Welt hatte sich verdüstert, und die Gewalt nahm täglich weiter zu. Tötungsdelikte waren schon lange kein hauptsächliches Problem unter Schwerkriminellen mehr, sondern zogen sich durch sämtliche Alters- und Gesellschaftsklassen, und die Täter waren häufig dort zu suchen, wo man sie am wenigsten erwartete. Die größten Monster waren die, denen man es nicht zutraute.

Rasmus zog das Päckchen Notfallzigaretten aus seiner Hemdtasche, das sich bis vor Kurzem noch im Handschuhfach seines Bullis befunden hatte, kramte aus der Schreibtischschublade ein Feuerzeug hervor und steckte sich einen der Glimmstängel an. Er nahm einen tiefen Zug und fühlte sich augenblicklich entspannt. So vieles hatte er aufgeben müssen. Seine Ehe, sein Zuhause, seinen Job. Aber dieses Laster konnte er nicht aufgeben. Nicht jetzt. Irgendwann anders würde er es schon schaffen, von dem Zeug loszukommen.

Er blies einen Rauchkringel in die Luft. Wer hatte einen Grund, seine Chefin zu töten? Noch dazu auf diese grausame Weise. War sie vielleicht im Fall Nohr Lysgaard auf etwas gestoßen, das sie in Gefahr gebracht hatte?

Sein Instinkt sagte ihm, dass es um etwas Persönliches ging. Liam Holm war demnach ein möglicher Kandidat, doch genauso gut ließ sich die Antwort in den Polizeiakten finden. Es gab Menschen, die unfähig waren, die Verantwortung für ihre Taten zu übernehmen, die irgendwelche Lügen auftischten oder anderen die Schuld in die Schuhe schoben. Möglicherweise auch einer Polizeibeamtin.

Ein Drittel der Fälle hatte er bereits gesichtet, doch bis jetzt stach keiner besonders heraus. Seine Theorie bekam erste Risse. Wie sollte das alles zusammenhängen?

Vielleicht waren Eva-Karin und die beiden toten Männer Opfer eines Wahnsinnigen geworden. Irgendein durchgeknallter Psychopath, der seine perfiden Fantasien auslebte, indem er willkürlich Menschen umbrachte.

Rasmus nahm einen weiteren Zug von seiner Zigarette, drückte schließlich den Stummel auf einer Untertasse aus.

Er stand auf. Raufte sich die Haare. Ging zum Fenster und sah minutenlang in die Dunkelheit.

Schließlich setzte er sich wieder und griff nach der nächsten Akte. Die beiden erdrosselten Prostituierten. Er sah im Polizeiauskunftssystem im Computer nach. Lebenslange Freiheitsstrafe für den Mörder. Anders als in zahlreichen anderen Ländern war die Höchststrafe in Dänemark zeitlich unbegrenzt. Die durchschnittliche Haftdauer betrug fünfzehn Jahre, frühestens nach zwölf Jahren konnte eine Entlassung beantragt werden, doch manche Straftäter blieben auch dreißig Jahre im Knast.

Das Urteil in diesem Fall war vor fünf Jahren ausgesprochen worden. Der Täter saß noch immer aktiv in Haft.

Erst jetzt kam ihm der Gedanke, dass es einfacher gewesen wäre, er hätte Silje vorab überprüfen lassen, welche Verurteilten sich auf freiem Fuß befanden. Das hätte die Sache wesentlich einfacher gemacht. Nun hatte er völlig unnötig Zeit vergeudet.

Er seufzte. Vibeke wäre das mit Sicherheit nicht passiert.

Rasmus zog den Stapel mit den durchgesehenen Akten zu sich heran und notierte sich die Namen der Personen, die ihre Haftstrafe mit hoher Wahrscheinlichkeit bereits abgesessen hatten. Am Ende standen vier Namen auf seiner Liste.

Er langte nach der nächsten Akte. Ein Taxifahrer, der seinen Fahrgast, eine einundachtzigjährige Seniorin, erschossen hatte. Obwohl der Täter stets seine Unschuld beteuert hatte und die Tatwaffe nie gefunden worden war, hatten ihn schließlich Blutspuren auf dem Rücksitz seines Fahrzeugs überführt. Es war einer von Eva-Karins ersten Fällen gewesen. Er sah im Polizeiauskunftssystem nach. Der Täter hatte vierzehn Jahre bekommen und war vor sechs Wochen vorzeitig aus der Haft entlassen worden.

Rasmus ging die Akte Seite für Seite durch. Fotos des Opfers, das man in einer Blutlache am Straßenrand aufgefunden hatte, Berichte der Spurensicherung und der Rechtsmedizin, haufenweise Zeugenaussagen, Aufnahmen des Taxis, aufgenommen im Kriminaltechnischen Institut, Laborberichte und DNA-Auswertungen sowie das Festnahmeprotokoll, protokolliert und unterzeichnet von Eva-Karin Holm. Ganz unten im Text stand es: *Ich mach dich fertig, du Miststück.*

Etwas klingelte in seinem Hinterkopf. Er stand auf und ging zu Pernilles Schreibtisch, auf dem der Ordner mit den Drohbriefen lag.

Er blätterte, bis er gefunden hatte, was er suchte. Der DIN-A4-Bogen enthielt nur fünf Worte. *Irgend-*

wann bist du fällig, Miststück. Er betrachtete den Briefumschlag, mit dem das Schreiben gekommen war. Der Stempel auf der Briefmarke trug ein fünf Jahre altes Datum. In der Empfängeradresse war Eva-Karins Name unter dem des Polizeipräsidiums angegeben.

Es war eine winzige Übereinstimmung, kaum mehr als ein vager Verdacht, doch es kribbelte in seiner Magengegend.

Rasmus betrachtete das anonyme Schreiben ein zweites Mal. *Miststück.* Er griff nach dem Handy und wählte Vibekes Nummer.

Seine Kollegin nahm nach dem zweiten Klingeln ab. »Ist etwas passiert?«

»Wieso? Habe ich dich geweckt?«

»Nein, ich mache gerade meine Pilates-Übungen, um meine Muskulatur zu straffen«, erwiderte Vibeke trocken. »Während der Arbeitszeit komme ich nicht dazu.« Sie hielt einen Moment inne, ehe sie zischte: »Weißt du eigentlich, wie spät es ist?«

Rasmus blickte auf die Uhr. Kurz nach halb zwei. »Sorry, aber ich habe da gerade etwas Interessantes entdeckt. Erinnerst du dich an den anonymen Drohbrief, den Eva-Karin bekommen hat?« Als seine Kollegin nicht reagierte, las er ihr die Nachricht sicherheitshalber noch einmal vor. »Eva-Karin hat vor Jahren im Fall einer ermordeten Rentnerin ermittelt. Ein Taxifahrer hatte die Frau erschossen. Er hat bei seiner Verhaftung etwas ganz Ähnliches zu ihr gesagt. *Ich mach dich fertig, du Miststück.*« Ein triumphierender Unterton schwang in seiner Stimme. »Was hältst du davon?«

Stille. Vibeke hatte aufgelegt.

Rasmus sah irritiert auf das Smartphone in seiner Hand, dann legte er es beiseite und zog die Akte erneut zu sich heran. Er wusste, dass er auf der richtigen Spur war.

10. Kapitel

Padborg, Dänemark

Es war noch dunkel, als Vibeke am nächsten Morgen auf dem Parkplatz des Gemeinsamen Zentrums aus ihrem Dienstwagen stieg. Rasmus' hellblauer VW-Bus stand noch an derselben Stelle wie am Abend zuvor, die Scheiben waren mit einer dünnen Frostschicht überzogen.

Nach Rasmus' nächtlichem Anruf hatte Vibeke nicht mehr richtig in den Schlaf gefunden und sich von einer Seite auf die andere gewälzt. Claas war bereits am späten Abend gegangen, was sie zunächst ein wenig enttäuscht hatte, doch er musste heute ebenfalls früh auf den Beinen sein.

Immerhin hatten sie einen wunderschönen Abend gehabt. Harmonisch. Vertraut. Aufregend. Claas löste etwas in ihr aus, das sie lange nicht mehr gespürt hatte und weit über körperliches Begehren hinausging. Sie hatte entschieden, sich nicht länger gegen ihre Gefühle zu wehren, sondern die Dinge auf sich zukommen zu lassen.

Vibeke eilte auf den Gebäudeeingang zu. Vier uniformierte Beamte kamen ihr entgegen und stiegen in ein Einsatzfahrzeug der deutsch-dänischen Streife.

Im ersten Stock des Gemeinsamen Zentrums angekommen, bereitete sie zunächst in der Küche eine große Kanne Kaffee zu, nahm anschließend ein paar Becher aus dem Schrank und ging damit zum Büro der Sondereinheit.

Im Raum brannte nur eine einzige Schreibtischlampe. Darunter war Rasmus Nyborg mit dem Oberkörper auf ein paar Akten zusammengesunken und schlief. Offenbar hatte er die ganze Nacht am Schreibtisch verbracht.

Eigentlich war Vibeke noch immer verärgert, doch sein Anblick rührte sie seltsam an. So leise wie möglich stellte sie die Kaffeekanne und die Becher ab, zog ihre Jacke aus und hängte sie an die Garderobe. Anschließend stellte sie den Computer an. Der Startsound ertönte.

Rasmus rappelte sich stöhnend hoch. »Ich muss irgendwie eingeschlafen sein.« Er gähnte.

Vibeke schenkte am Sideboard zwei Becher Kaffee ein und reichte einen davon ihrem Kollegen. »Du siehst übrigens grässlich aus.«

»So fühle ich mich auch.« Seine Stimme klang noch rau vom Schlaf.

Schweigend tranken sie ihren Kaffee.

Irgendwann erhob sich Rasmus von seinem Stuhl, murmelte ein »Bin gleich wieder da« und verschwand durch die Tür.

Vibeke ging zu seinem Schreibtisch und betrachtete die Unterlagen, auf denen er eingeschlafen war. Eine Fallakte und eine handgeschriebene Liste mit fünf Namen. Der letzte war mit Leuchtstift markiert. Der Taximörder.

Obwohl sie bei Rasmus' Anruf müde und verschlafen gewesen war, hatte sie sämtliche Informationen, die er ihr durchgegeben hatte, abgespeichert. Es war völlig richtig, der Auffälligkeit nachzugehen, die er entdeckt hatte.

Sie griff nach der Fallakte und überflog die Seiten bis zum Verhaftungsprotokoll. Ganz unten kam die Stelle mit der Drohung. Miststück. Die gleiche Bezeichnung wie in dem anonymen Brief, der an Eva-Karin geschickt worden war. Er könnte also tatsächlich von dem Taximörder stammen. Das bedeutete allerdings noch lange nicht, dass dieser die Vizepolizeiinspektorin auch umgebracht hatte. Ihr Blick fiel auf die Liste mit dem markierten Namen. Asger Groth.

Die Tür ging auf, und Rasmus kam zurück. Er trug ein anderes Hemd und hatte sich offenbar ein wenig frisch gemacht, zumindest umgab ihn ein angenehmer Duft.

Vibeke tippte auf die Akte. »Hat der Mann seine Strafe abgesessen?«

Rasmus nickte. »Er wurde vor sechs Wochen aus der Haft entlassen.«

Im Flur wurden Stimmen laut, kurz darauf kam Søren, gefolgt von Jens und Pernille, herein.

»Jetzt ist die Scheiße richtig am Dampfen«, sagte der Hüne gerade zu seinem deutschen Kollegen, dessen Gesicht grimmig verzogen war.

»Was ist los?«, fragte Vibeke alarmiert.

Jens drückte ihr wortlos eine Zeitung in die Hand. Die *SHT* titelte »Bernsteinmörder«.

»Verdammt, das gibt es doch nicht.« Rasmus war neben sie getreten. »Woher haben die das? Wir haben die Information doch zurückgehalten.«

Ratlose Gesichter.

»Irgendjemand hat etwas durchsickern lassen.« Jens nahm seine Brille von der Nase, die von der Kälte beschlagen war, und zog ein Mikrofasertuch aus seiner Hosentasche.

Vibeke überflog den Artikel. Es wurde nicht nur darüber berichtet, dass der Mörder auf den Fensterbänken seiner Opfer Bernsteine hinterlassen hatte, sondern auch, dass es sich mit hoher Wahrscheinlichkeit um einen Serientäter handelte. Der Beitrag endete mit einer Frage. *Wird es weitere Opfer geben?*

Ihr Blick wanderte zu dem Namen des Verfassers. Claas Behring. Sie unterdrückte ein Stöhnen.

Hatte Claas ihr nicht erst gestern Abend erzählt, was er von Boulevardjournalismus hielt? Dass er sich zum Teil für seinen Berufsstand schämte? Und dann erschien keine zwölf Stunden später ein Artikel, der sich exakt in diese Kategorie einordnen ließ.

Wut und Enttäuschung machten sich in ihr breit. Woher hatte er überhaupt die Information mit den Bernsteinen? Hatte er etwa bei ihr herumgeschnüffelt? War sie seine Quelle?

Doch das konnte nicht sein. Sie nahm nur selten Akten mit nach Hause und im aktuellen Fall bislang gar nicht. Und ihr Laptop, mit dem sie sich in die Polizei-Datenbanken einloggte, war passwortgeschützt. Erleichtert atmete sie auf.

Im nächsten Moment fiel ihr das Notizbuch ein. Es hatte in ihrer Tasche gelegen, die an der Garderobe hing. Dort stand alles drin. Beobachtungen, Gesprächsnotizen, Kontaktdaten. All die Dinge, die bei einem Fall wichtig waren oder ihre Aufmerksam-

keit erregten. So wie die Bernsteine auf den Fensterbänken.

Vibeke ging in Gedanken den vergangenen Abend
durch. Nach dem Essen hatte sie Claas die restlichen
Räume ihrer Wohnung gezeigt. Das Wohnzimmer.
Das Schlafzimmer. Das Bad. Sie hatten sogar für einen
kurzen Moment bei strömendem Regen auf der Dachterrasse gestanden, bevor sie im Bett gelandet waren.
Nach dem Sex war sie unter die Dusche gegangen,
und als sie wieder herausgekommen war, hatte Claas
sich plötzlich verabschiedet. Waren sein Job und das
damit verbundene frühe Aufstehen also gar nicht der
Grund für seinen Aufbruch gewesen?

Die *SHT* hatte um einundzwanzig Uhr Redaktions-
schluss, doch bei wichtigen Ereignissen konnte die
Zeitung bis Mitternacht aktualisiert werden. Claas
war gegen dreiundzwanzig Uhr gegangen. Das würde
zeitlich passen.

Hatte er sie also eiskalt ausgenutzt, während sie
blödes Schaf sich verliebt hatte?

Vibeke spürte Rasmus' Blick auf sich. Sollte sie
etwas sagen? Dass möglicherweise sie die Schwach-
stelle war? Doch vielleicht reagierte sie gerade völlig
über. Sie atmete tief durch. Ehe sie voreilige Schlüsse zog, sollte sie mit Claas sprechen. Schließlich galt
noch immer »im Zweifel für den Angeklagten«.

»Könnte es dieser Bjørndahl gewesen sein, der die
Info an die Presse gegeben hat?«, durchbrach Søren
ihre Gedanken.

»Du meinst den Bernsteinexperten?« Jens klang
skeptisch. »Weshalb sollte der sich an eine deutsche
Zeitung wenden?«

»Auch wieder wahr.«

»Wir müssen Kasper informieren.« Pernille hängte ihre Jacke an die Garderobe und setzte sich an ihren Schreibtisch. »Sämtliche Medien werden auf den Zug aufspringen, wenn sie es nicht schon getan haben. Die werden uns hier die Hölle heiß machen.«

Vibeke riss sich zusammen. Wie auch immer Claas an die Information mit den Bernsteinen gelangt war, das musste vorerst warten. Die Ermittlungen hatten oberste Priorität. »Pernille hat recht. Kasper muss Bescheid wissen. Dann bringen wir ihn gleich auf den neuesten Stand, was Eva-Karins Vermögensverhältnisse betrifft. Vielleicht hilft ihm das bei Liam Holm weiter.«

»Wenn du möchtest, kann ich das übernehmen«, bot Pernille an.

»Danke, Pernille.« Vibeke bemerkte, dass Rasmus ungeduldig mit den Knien wippte.

»Es gibt eine neue Spur«, sagte er unvermittelt. »Asger Groth.« Er erzählte dem restlichen Team vom Fall des Taximörders und den Zusammenhang mit dem Drohbrief. Dabei wirkte seine Müdigkeit wie weggefegt. »Er könnte ein Nachahmungstäter sein.«

»Und woher sollte der Mann von den Bernsteinen wissen? Das steht doch erst heute in der Zeitung.« Søren beförderte einen Schokoriegel aus der Schreibtischschublade. »Ich glaube, du bist auf dem Holzweg.«

»Das werden wir sehen.« Rasmus griff nach seiner Jacke. »Vielleicht ist das alles Asger Groths Inszenierung.«

»Was hast du vor?«, fragte Vibeke schärfer als beabsichtigt. »Wir sind hier noch nicht fertig.«

»Ich schon.«

Schlagartig kehrte ihr nächtlicher Ärger zurück. »Wird das wieder einer deiner Alleingänge?«, fragte sie empört. »Wir sind ein Team, Rasmus. Du kannst nicht immer tun und lassen, wozu du gerade Lust hast. Schraub einfach mal dein Ego zurück.«

Rasmus' Augen wurden schmal. »Willst du mir etwa auch sagen, wie ich zu arbeiten habe? Echt jetzt?«

Vibeke hielt sich nicht länger zurück. »Wann hast du zum letzten Mal richtig geschlafen? Abgesehen von den paar Stunden hier am Schreibtisch.«

»Das geht dich nichts an.« Sein Gesicht war jetzt starr wie eine Maske.

»Ach ja? Wer muss denn die Suppe auslöffeln, wenn mal wieder keiner weiß, was du so treibst?« Vibeke war laut geworden. Sie spürte die Blicke der anderen, doch keiner mischte sich ein.

»Ich hab dich nie darum gebeten«, presste Rasmus wütend hervor. An seiner Schläfe pochte eine Ader. »Also hör verdammt noch mal damit auf, dich wie meine Mutter aufzuspielen.« Er machte ein paar Schritte Richtung Tür, überlegte es sich dann offenbar anders und kam an ihren Schreibtisch. »Du solltest lieber damit anfangen, vor deiner eigenen Tür zu kehren.« Er tippte mit dem Zeigefinger auf den Artikel in der *SHT*, direkt auf den Namen des Verfassers.

»Wovon sprichst du, Rasmus?«, mischte sich jetzt Pernille ein. Besorgnis schwang in ihrer Stimme.

»Das erklärt euch Vibeke vielleicht lieber selbst.« Rasmus verließ ohne ein weiteres Wort das Büro.

Drei Augenpaare richteten sich auf Vibeke.

Das Miststück war tot. Sämtliche Zeitungen hatten darüber berichtet. Eva-Karin Holm, die hochrangige Polizistin, die in ihrer Überheblichkeit die Nase stets ein Stück zu hoch getragen hatte, verbrannt in ihrem Wagen. Asger lächelte. Sie hatte bekommen, was sie verdient hatte.

Menschlichen Abschaum hatte sie ihn genannt, als sie ihm die Handfesseln angelegt hatte. Dabei hatte sie ihn mit einer Verachtung angesehen, als wäre er Dreck unter ihren Schuhsohlen. Er hatte sie an ihr Versprechen erinnert, dass ihn ein geringeres Strafmaß erwartete, wenn er mit der Polizei kooperierte und die Tat gestand, doch sie hatte seine Worte eiskalt weggelächelt. Zu dem Zeitpunkt hatte er begonnen, sie zu hassen.

Asger langte nach der Bierdose und ließ den Blick durch den Raum schweifen. Die geblümten Tapeten, die schweren Möbel, das durchgesessene Sofa, auf dem er gerade saß. Die gesamte Einrichtung stammte noch von seiner Mutter.

Er selbst hatte alles verloren. Nicht nur zwölf Jahre seines Lebens, sondern auch sein Haus, seine Frau und seine Kinder. Seine komplette Familie. Sein Vater war kurz nach der Urteilsverkündung an einem Herzinfarkt gestorben und seine Mutter ihrem Nierenleiden erlegen, während er hinter Gittern gesessen hatte. Zwei Wochen vor seiner Haftentlassung.

Er hatte Eva-Karin Holm Briefe geschrieben, damit sie wusste, dass er sie nicht vergessen hatte. Nachts hatte er wach auf seiner Pritsche gelegen und sich in allen Einzelheiten ausgemalt, was er ihr antun würde.

Nach seiner Haftentlassung hatte er die Sache zunächst abhaken und neu anfangen wollen, doch dann hatte sein Hass weiteren Nährstoff bekommen. Der weiße Bungalow, der Ehemann samt schickem Restaurant, die neuen Sterne auf den Schulterklappen ihrer Uniform, der höhere Dienstrang. Eva-Karin Holms Weg war steil nach oben gegangen, während er zum Bodensatz der Gesellschaft geworden war.

Seine Gedanken wanderten zu dem brennenden Auto, zu den Flammen, die sich lodernd durch Sitze, Polster, Innenverkleidungen und den Körper auf dem Fahrersitz fraßen. Ein tiefes Gefühl von Genugtuung durchströmte ihn. Er nahm einen Schluck Bier.

Jetzt war es allerdings nur noch eine Frage der Zeit, bis die Bullen bei ihm auftauchten. Doch er hatte vorgesorgt. Im Knast hatten ihn zahlreiche Liebesbriefe erreicht. Offenbar gab es genügend Frauen, die sich von Verbrechern angezogen fühlten. Einige hatten ihn sogar im Knast besucht, ihm geschmeichelt und ihn mit sexuellen Fantasien versorgt. So wie Jenny Sø. Sie vergötterte ihn regelrecht und hatte schnell von der großen Liebe gesprochen. Ihr Mann hatte sie mit den zwei Kindern sitzen lassen, und sie war bereit, alles für Asger zu tun.

Sobald die Sache mit der Polizistin abgehakt war, würde er sich Gedanken über seine Zukunft machen. Vielleicht würde er ins Ausland gehen. Nach Spanien oder Thailand. Dort war das Leben nicht so teuer wie hier. Er könnte am Strand schlafen, sich vielleicht einen Job in einer Bar suchen und ansonsten den ganzen Tag tun und lassen, was er wollte. Das Geld für das Flugticket würde er schon irgendwie zusammenkratzen. Wie viele Leute träumten von so einem Leben? Und wie viele zogen es durch? Die meisten starben, ohne sich ihre Träume erfüllt zu haben.

Das Leben währte nicht ewig, Asger wusste das nur allzu gut. Er würde jedenfalls keine weiteren Jahre sinnlos verschwenden.

Asger hob die Bierdose an die Lippen und leerte den Rest in einem Zug. Dann griff er nach seinem Handy auf dem Sofatisch und wählte Jennys Søs Nummer. Während er darauf wartete, dass sie abnahm, zerquetschte er die Bierdose in seiner Hand.

Leck, Deutschland

Frank Liebermann war am Vormittag im GZ eingetroffen, gerade als Vibeke ihren Kollegen erklärt hatte, dass sie den Journalisten datete, der den Bernstein-Artikel in der *SHT* verfasst hatte.

Pernille und Søren hatten zurückhaltend auf diese Eröffnung reagiert, doch Jens war eindeutig verstimmt gewesen und hatte keinen Hehl daraus gemacht, wie unangebracht er es fand, dass sie einen Journalisten traf, der über ihren Fall berichtete. Ob sie da keinen Interessenkonflikt sah?

Das Erscheinen des Fallanalytikers hatte ihr die Antwort abgenommen. Vorläufig zumindest. Denn natürlich hatten ihre Kollegen eine Erklärung verdient. Sollte die Information über die Bernsteine tatsächlich durch ihre Schuld an die Öffentlichkeit gelangt sein, würde sie sämtliche Konsequenzen tragen.

Doch zunächst musste sie sich auf die Ermittlungen fokussieren, keinesfalls durften sie durch irgendwelche Befindlichkeiten aus dem Ruder laufen. Das galt auch für Rasmus. Sein Alleingang ging ihr gewaltig gegen den Strich. In ihren Augen war er dabei, seine Objektivität zu verlieren, und sie konnte nur hoffen, dass er sich im Griff behielt.

Jetzt befand sich Vibeke zusammen mit Frank Liebermann in Leck vor der Tischlerei von Lennard Friedrichs. Nach einer ersten Einsicht in die Fallunterlagen hatte der Leiter des OFA-Teams darum gebeten, sich vor Ort einen persönlichen Eindruck zu verschaffen.

»Ich würde gerne erst einmal alleine reingehen.« Frank Liebermann öffnete die Tür zur Tischlerei.

»Kein Problem«, entgegnete Vibeke. »Ich warte hier.«

Sie sah dem Fallanalytiker dabei zu, wie er in seinem formellen blauen Anzug im Nebenraum verschwand. Er war ein großer, schlanker Mann mit kahlem Schädel und großflächigem Narbengeflecht am Hinterkopf, das in den Fluren des LKAs stets ein Tuschelthema gewesen war. Niemand wusste, woher es stammte.

Vor Jahren hatte Frank sie einmal gefragt, ob sie mit ihm ausgehen würde, doch sie hatte abgelehnt. Nicht weil er ihr nicht gefiel, sondern vielmehr, weil er ein Kollege war. Einen solchen Fehler würde sie kein zweites Mal begehen. Zumal sie wusste, dass seine Frau vor ein paar Jahren verstorben war und er sich seitdem als alleinerziehender Vater durchschlug. Ein weiterer Grund, die Finger von ihm zu lassen.

»Vibeke!« Frank streckte den Kopf durch die Tür. Er hielt ein Tablet in der Hand, auf dem er sich Fotos von der Spurensicherung heruntergeladen hatte. »Habt ihr euch eigentlich die Maschinen genauer angesehen?«

»Warum fragst du?« Vibeke ging zu ihm in die Tischlerei. Augenblicklich stieg ihr der Geruch von Holzstaub in die Nase. Ihr Blick fiel auf den umgefallenen Schemel vor der Werkbank. Am Boden waren noch immer die eingetrockneten Kaffeeflecken zu erkennen.

»Lass es mich am besten so erklären«, sagte der Fallanalytiker. »Die gefesselten Hände der Opfer. Die Bernsteine auf den Fensterbänken. Das ist ein Muster. Bei der Mordmethode weicht der Täter jedoch davon ab, wählt für jedes Opfer eine andere Todesart. Warum?« Er fuhr sich mit der Hand über das Narbengewebe an seinem Hinterkopf. Eine Geste, die sie schon öfter bei ihm gesehen hatte. »Wenn es dem Täter darum geht, besonders grausam zu sein, weshalb hat er Lennard Friedrichs nicht gleich hier ermordet?« Er deutete zunächst auf die große Kreissäge, ehe seine Hand weiter zu der Furnierpresse wanderte. »Damit wäre das Opfer auf sehr ähnliche Weise gestorben wie in der Papierpresse. Weshalb also so umständlich?« Er sah sie an. »Wurde überprüft, ob die Maschine funktioniert?«

»Ich muss nachfragen«, erwiderte Vibeke. Ihre Gedanken waren bei ihrem letzten Besuch in der Tischlerei bereits in eine ähnliche Richtung gegangen, und sie ärgerte sich, dass sie die Sache aus den Augen verloren hatte. Hätten sich die Ereignisse nicht derart überschlagen, hätte sie selbst daran gedacht. Sie zog ihr Handy aus der Jackentasche. »Ich rufe in der Kriminaltechnik an.«

Frank schüttelte den Kopf. »Das kriegen wir auch alleine hin.« Er trat zur Furnierpresse und nahm die verschiedenen Bedienelemente in Augenschein. Schließlich betätigte er den grünen Startknopf. Nichts geschah.

»Vielleicht muss erst den Hauptschalter umgelegt werden.« Vibeke deutete auf einen roten Griff vor gelbem Hintergrund, der als solcher gekennzeichnet war.

»Ich weiß schon, weshalb ich kein Handwerker geworden bin«, murmelte der Fallanalytiker und legte den Schalter um. Anschließend betätigte er erneut den Startknopf. Die Maschine blieb stumm. Er bückte sich zu der in den Boden eingelassenen Steckdose und öffnete den Verteilerdeckel. Das Stromkabel war ordnungsgemäß angeschlossen. Er hob den Blick. »Wer könnte hier Bescheid wissen?«

»Der Vater des Toten. Es war früher seine Tischlerei.« Vibeke wählte die Nummer von Theo Friedrichs und drückte die Lautsprecherfunktion. Es dauerte eine Weile, bis am anderen Ende der Leitung abgenommen wurde.

»Vibeke Boisen. Polizei Flensburg«, meldete sie sich. »Wie geht es Ihnen, Herr Friedrichs?«

»Wie soll es mir schon gehen?«, gab der Mann unwirsch zurück. »Seit Tagen habe ich nichts von der Polizei gehört. Habt ihr den Täter?«

»Leider nicht, aber wir gehen derzeit verschiedenen Spuren nach«, sagte Vibeke, was ungefähr ihrer Standardantwort auf diese Frage entsprach. »Weshalb ich anrufe, Herr Friedrichs, die Furnierpresse in der Tischlerei, ist die defekt?«

»Die alte Otte hat, drei Tage bevor Lenny starb, den Geist aufgegeben«, erklärte Theo Friedrichs irritiert. »Weshalb fragen Sie?«

»Das muss ich Ihnen leider ein anderes Mal erklären, Herr Friedrichs. Danke für Ihre Hilfe. Wir melden uns bei Ihnen.« Sie legte auf.

»Damit haben wir den Grund, weshalb der Täter so umständlich vorgegangen ist«, sagte Frank zufrieden und klopfte sich etwas Holzstaub von der Anzughose. »Er musste auf die Papierpresse ausweichen, weil die Furnierpresse defekt war. Plan B sozusagen. Demnach war es dem Täter wichtig, dass Lennard Friedrichs auf diese Art starb.« Er gab ein paar Notizen in sein Tablet ein.

Vibekes Blick verharrte auf der Maschine. »Was könnte der Grund dafür sein?«

Der Fallanalytiker hob den Kopf. »Genau das müssen wir herausfinden.«

Esbjerg, Dänemark

Die Wohnsiedlung Stengårdsvej lag nordöstlich vom Stadtzentrum und stand seit Jahren auf der Ghettoliste der Regierung. Darauf wurden Wohngebiete gesammelt, in denen es viele Arbeitslose, Personen ohne Ausbildung, Einwanderer aus nicht westlichen Ländern oder Kriminelle gab. Sobald drei der Kriterien erfüllt waren, wurden diese Viertel entweder als »besonders gefährdetes Wohngebiet«, als »Ghettogebiet« oder als »hartes Ghettogebiet« kategorisiert. Es war das Ziel der Regierung, den Zuwandereranteil in den betroffenen Wohngebieten in den nächsten zehn Jahren von fünfzig auf dreißig Prozent zu senken.

Rasmus sah diese Klassifizierung und die strenge Asyl- und Migrationspolitik seines Landes kritisch. In seinen Augen war es der falsche Ansatz, Sozialwohnungen abzureißen und betroffene Familie in andere Landesteile umzusiedeln, um für eine bessere Integration zu sorgen. Wie sollten sich die Menschen zu Hause fühlen, wenn sie ständig auf gepackten Koffern saßen?

Er steuerte auf die kasernenartigen Wohnblöcke zu, die einander wie ein Ei dem anderen glichen. Lang gezogene Flachdachgebäude. Weiß-graue Fassaden. Gelbe Seitenwände. Drei Etagen.

Er hatte sich Asger Groths Adresse aus dem Melderegister besorgt. Demnach wohnte der Ex-Häftling in derselben Wohnung wie zuvor seine verstorbene Mutter.

Es dauerte eine Weile, ehe Rasmus den richtigen Eingang gefunden hatte. Er drückte die Klingel und wartete, dass der Summer ertönte. Nichts passierte.

Rasmus wollte es gerade ein zweites Mal versuchen, als die Haustür von innen geöffnet wurde. Eine junge, Kopftuch tragende Frau mit einem Kleinkind kam heraus, und er schlüpfte ins Gebäude.

Im Treppenhaus roch es nah Kohlsuppe, irgendwo schrie ein Baby. Er nahm die Treppe in den obersten Stock, fand die Tür von Asger Groth, doch auch hier öffnete niemand auf sein Klingeln.

Sein Handy vibrierte an seinem Oberschenkel. Er zog es aus der Hosentasche. Kasper Saltum. Er drückte den Anruf weg.

Rasmus spähte durch den Türspion, doch er konnte nichts erkennen. Vielleicht hockte Asger Groth dahinter und lachte sich ins Fäustchen. Er bollerte mit der flachen Hand gegen das Holz. »Polizei. Aufmachen!«

Die Tür der Nachbarwohnung öffnete sich, und eine winzige Frau mit grauen Löckchen erschien. »Der ist weg.«

»Weg?«

Die Nachbarin nickte. »Hatte eine Reisetasche dabei.«

»Wann war das?«, erkundigte sich Rasmus und zeigte ihr seinen Dienstausweis, den sie ausgiebig beäugte.

»Irgendwann heute Vormittag.«

Rasmus überlegte. »Weißt du, wohin?«

»Bin ich die Auskunft?« Die alte Frau schnaubte. »Ich bin jedenfalls froh, dass der weg ist. Hier war man ja seines Lebens nicht mehr sicher.« Sie senkte vertraulich die Stimme. »Der war doch im Knast. Hat die Wohnung nur gekriegt, weil vorher die Mutter drin gewohnt hat. Aber die liegt jetzt auf dem Friedhof.«

»Hast du mitbekommen, ob dein Nachbar letzten Sonntagabend zu Hause war? Ist dir vielleicht irgendetwas aufgefallen?«

Sie schüttelte den Kopf. »Da war ich bei meiner Tochter.« Ihr Blick unter den Löckchen huschte über ihre Schulter. »Ich muss jetzt nach dem Essen sehen.« Sie verschwand wieder in ihrer Wohnung.

Kurz war er versucht, die Tür von Asger Groth aufzubrechen, doch es gab weder einen hinreichenden Tatverdacht, noch galt es, eine dringende Gefahr abzuwehren. Sein Bauchgefühl allein reichte nicht. Man würde ihn schneller von dem Fall abziehen, als er bis drei zählen konnte.

Scheiße, dachte er und ging zurück ins Erdgeschoss. Neben den Briefkästen hing ein Aushang der Hausverwaltung. Kurzerhand zückte er sein Handy und wählte die angegebene Nummer.

Zehn Minuten später schlurfte ein junger Typ heran, der aussah, als wäre er direkt aus dem Bett gestiegen. Zerzauste Haare, die Hose auf halbmast, nackte Füße in Lederclogs. Er stellte keinerlei Fragen, ließ sich nur Rasmus' Ausweis zeigen und öffnete die Tür. »Brauchst du mich noch?«

»Ich komme allein zurecht. Danke.«

Der Typ von der Hausverwaltung verschwand.

In der Wohnung roch es muffig, so als hätte der Bewohner schon längere Zeit nicht mehr gelüftet. Der Flur war schlauchförmig geschnitten. Blümchentapete, eine mit Jacken vollgehängte Garderobe, zwei Schuhregale, ein großer Spiegel mit Goldrand, von dem stellenweise die Farbe abblätterte. Alles wirkte ein wenig angestaubt und in die Jahre gekommen.

Hinter der ersten Tür befand sich das Schlafzimmer. Klobige dunkle Holzmöbel, eine geblümte Tagesdecke, auf dem Kopfteil lag eine Bibel. Die Vorhänge waren zugezogen.

Rasmus ging zurück in den Flur und warf einen Blick ins angrenzende Bad. Sofort stach ihm das leere

Zahnputzglas ins Auge. Keine Zahnbürste. Keine Zahnpasta. Entweder war Asger Groth unterwegs in den Urlaub, oder er hatte die Fliege gemacht.

Zwei Räume waren noch übrig. Die Küche glich einem Schlachtfeld. In der Spüle und auf der Arbeitsfläche stapelte sich dreckiges Geschirr zwischen leeren Bierdosen und Pizzakartons. Aus dem Mülleimer quoll zusammen mit ein paar Plastikverpackungen ein übler Geruch.

Von der aufgeschlagenen Zeitung auf dem Küchentisch blickte ihm vorwurfsvoll das Gesicht von Eva-Karin Holm entgegen. Etwas krampfte sich in ihm zusammen, und er verließ den Raum.

Auf der Schwelle zum Wohnzimmer blieb Rasmus abrupt stehen. Die Wand hinter dem durchgesessenen Sofa war zu einer großflächigen Pinnwand umfunktioniert worden. Dort hingen dicht an dicht Zeitungsberichte und Fotos von seiner Chefin. In der Mitte prangte ein großformatiges Fadenkreuz über dem Gesicht der Vizepolizeiinspektorin.

Rasmus sog scharf die Luft ein, dann langte er nach seinem Handy und wählte die Nummer der Sondereinheit.

Luís ging ran. »Rasmus!« Er klang besorgt. »Wo zum Teufel steckst du? Kasper hat bestimmt schon fünf Mal angerufen. Mir gehen langsam die Ausreden aus.«

»Ich bin da auf etwas gestoßen, Luís.« Er berichtete seinem Kollegen von der Fotowand. »Wir müssen umgehend eine Fahndung nach Asger Groth rausgeben und sein Handy orten lassen.«

»Ich leite alles in die Wege«, versprach Luís. »Aber

du solltest Kasper anrufen. Er hat damit gedroht, dich von dem Fall abzuziehen. Und wenn du mich fragst, macht der bald Ernst.«

Rasmus seufzte. »Gut. Ich melde mich bei ihm. Danke, Luís.« Er rief den letzten Anruf auf seinem Handy auf und betätigte die Rückruftaste.

»Verdammt, Nyborg, ich versuche seit Stunden, dich zu erreichen«, bellte ihm der Interimschef entgegen, sobald er den Hörer abgenommen hatte.

»Ich hatte zu tun.« Rasmus wiederholte, was er wenige Minuten zuvor Luís erzählt hatte.

Einen Moment blieb es am anderen Ende der Leitung vollkommen still.

»Du hättest die Wohnung nicht betreten dürfen, Nyborg.« Kasper Saltums Stimme klang kalt und schneidend.

»Ich habe nichts Illegales getan«, wiegelte Rasmus ab. »Der Typ von der Hausverwaltung hat mir freiwillig die Tür geöffnet. Davon abgesehen hat Asger Groth Eva-Karin mehrfach gedroht. Sowohl bei der Festnahme als auch in einem Brief.«

»Und was soll das beweisen?« Der Interimschef atmete hörbar durch. »Das ist alles zu schwammig, Nyborg.«

»Es ist zumindest ein Anhaltspunkt«, beharrte Rasmus. »Die Fotos bezeugen, dass Groth Eva-Karin in den letzten Wochen systematisch beobachtet hat. Ich brauche die Spurensicherung hier.«

Stille.

Schließlich war am Ende der Leitung ein Seufzen zu hören. »Ich werde sehen, was ich tun kann.« Kasper Saltum legte auf.

Rasmus überlegte einen kurzen Moment, dann wählte er die Nummer des Enner-Mark-Gefängnisses, in dem Asger Groth eingesessen hatte.

Flensburg, Deutschland

Ivonne sortierte die neuen Lacke in das Regal für Farbe und Pflegemittel ein. Bootslack. Grundierung. Klarlack. Verdünner. Mit ihren Gedanken war sie bei Lea, die seit heute wieder in den Unterricht ging. Fieberfrei. Hoffentlich war es so geblieben. Sie unterbrach für einen Moment ihre Arbeit und warf einen Blick auf ihr Handy, ob sie möglicherweise einen Anruf der Schule verpasst hatte.

»Alles in Ordnung, Frau Faber?« Ihr Chef stand plötzlich hinter ihr.

»Ja, natürlich.« Hastig schob Ivonne ihr Handy zurück in die Hosentasche.

»Meine Frau meinte es nicht so.« Jan Hansen trat neben sie und lächelte freundlich. »Ich hoffe, Ihrer Tochter geht es wieder besser.«

Wie es schien, hatte er das Telefonat mitbekommen, das sie gestern mit der Chefin geführt hatte. Gudrun Hansen hatte getobt und Ivonne mit Kündigung gedroht, weil sie einen weiteren Tag bei ihrer kranken Tochter zu Hause geblieben war. Doch Ivonne hatte die Tirade an sich abperlen lassen. Im Gegensatz zu ihren Kolleginnen, die sich gefühlt bei jedem Schnupfen krankschreiben ließen, fehlte sie äußerst selten, und die Kinderkrankentage für Lea standen ihr gesetzlich zu. Darauf hatte sie auch ihre Chefin hingewiesen. Ivonne hatte es satt, von ihr wie ein Sozialfall behandelt zu werden, nur weil sie alleinerziehend war. Genau wie das Klischee der Verlassenen, das an ihr haftete. Dass eine Frau lieber ihren eigenen Weg ging, als an einer unglücklichen Beziehung festzuhalten, kam in den Köpfen der meisten Leute nicht vor. Natürlich war ihr Leben mitunter anstrengend, das Geld knapp, aber sie brachte sich und ihre Tochter über die Runden. Darauf war Ivonne stolz, und keiner, der nicht annähernd in einer vergleichbaren Situation gewesen war, hatte das Recht, über sie zu urteilen.

Sie spürte den prüfenden Blick von Jan Hansen auf sich ruhen. Plötzlich war ihr seine Nähe unangenehm.

»Danke.« Ivonne zwang sich zu einem Lächeln. »Lea geht es tatsächlich wieder besser.« Sie wandte sich ab und langte nach einer Dose Bilgenfarbe, einem ölwiderstandsfähigen Decklack auf Basis von Alkydharz.

Ihr Chef ging zurück in sein Büro und setzte sich hinter den Schreibtisch. Die Tür ließ er offen stehen. Aus den Augenwinkeln sah sie, dass er sich mit einer erschöpften Geste übers Gesicht strich. Nicht zum ersten Mal überlegte sie, ob er vielleicht krank war. Seine Wangen wirkten eingefallen, und unter seinen Augen hatten sich in den letzten Wochen dunkle Ringe gebildet. Zudem fehlte er häufig im Laden. Heute war er erst um die Mittagszeit aufgetaucht.

Doch vielleicht war es auch keine Krankheit, unter der er litt, sondern vielmehr seine Ehe. Es war ihr völlig schleierhaft, wie es überhaupt ein Mann mit einer Frau wie Gudrun Hansen aushalten konnte.

Über der Eingangstür bimmelte die Glocke, und ein Kunde erschien. »Moin. Ist der Chef da?«

»Moin«, erwiderte Ivonne die Begrüßung. »Ich hole ihn.« Sie ging zum Büro und klopfte an den Türrahmen. »Kundschaft für Sie, Herr Hansen.«

Ihr Chef kam in den Verkaufsraum. Der Blick seiner Wieselaugen heftete sich auf Ivonne. »Ach, Frau Faber, hinten im Lager stehen noch Kartons mit neuer Ware. Könnten Sie sich vielleicht darum kümmern? Der Lieferschein liegt irgendwo auf meinem Schreibtisch.«

»Natürlich.« Sie betrat das Büro und betrachtete das Papierchaos auf dem Schreibtisch. Der Lieferschein lugte unter einer Zeitung hervor.

»Die Trockenanzüge«, murmelte Ivonne, ehe ihr Blick auf die Schlagzeile der *SHT* fiel. *Bernsteinmörder.*

Sie überflog den Artikel, in dem davon berichtet wurde, dass der Tote in der Papiersortieranlage in Ahrenshöft mit zwei Morden in Esbjerg in Verbindung stand. Demnach sollte es sich um einen Serientäter handeln, der bei seinen Opfern Bernsteine auf den Fensterbänken hinterließ.

Eine Erinnerung blitzte in ihrem Hinterkopf auf, aber ehe sie den Gedanken zu fassen bekam, ließ Gudrun Hansens Stimme sie zusammenfahren. »Frau Faber?! Was machen Sie denn am Schreibtisch meines Mannes?« Sie beäugte ihre Mitarbeiterin misstrauisch.

Ivonne hielt den Lieferschein hoch. »Der Chef möchte, dass ich mich um die neue Ware kümmere.«

Die Chefin rümpfte die Nase. »Dann tun Sie das

bitte auch. Fürs Zeitungslesen werden Sie hier schließlich nicht bezahlt.«

Ivonne eilte ins Lager. Dort standen vier Kartons, die darauf warteten, ausgepackt zu werden. Sie griff nach dem Sicherheitsmesser und machte sich an die Arbeit. Die Erinnerung aus ihrem Kopf war wieder verschwunden.

Horsens, Dänemark

Die Justizvollzugsanstalt Enner Mark lag etwas außerhalb von Horsens in einer ländlichen Gegend rund hundert Kilometer von Esbjerg entfernt an der Ostküste Jütlands.

Es war ein Gefängnis mit geschlossenem Vollzug und einem hohen Maß an Sicherheit. Eine sechs Meter hohe Ringmauer, ausgestattet mit dreihundert Überwachungskameras, umgab den modernen Gebäudekomplex, dazu waren im ganzen Gefängnisbereich Bewegungssensoren und Infrarotkameras installiert, und die Türen wurden über biometrische Identifizierung mit einem Fingerabdruckleser entriegelt.

Rasmus stellte seinen VW-Bus auf dem Parkplatz in der Nähe des Eingangs ab. Es regnete noch immer Bindfäden.

Im Eingangsbereich musste er zunächst einem Vollzugsbeamten hinter Sicherheitsglas seinen Ausweis zeigen, die Dienstwaffe aus dem Holster lösen und seine Taschen leeren, ehe er die Sicherheitsschleuse samt Röntgengerät, Metalldetektorrahmen und Mobiltelefon-Detektionssäule passieren durfte.

Hinter der Zugangskontrolle übernahm ein anderer Beamter, der ihn durch lange Gänge mit blaugrauem Linoleumboden führte. Schließlich erreichten sie das Büro der Gefängnisleitung im Verwaltungstrakt.

»Rasmus Nyborg!« Peter Fønsmark erhob sich hinter seinem Schreibtisch und lächelte erfreut.

Rasmus kannte den Leiter der Justizvollzugsanstalt aus seiner Zeit in Kopenhagen, als dieser noch im Gefängnis Herstedvester, rund fünfzehn Kilometer außerhalb der Stadt, gearbeitet hatte. Er war ein großer, kräftiger Mann mit groben Gesichtszügen und aschblondem Haar, das um einiges spärlicher geworden war, seit Rasmus ihn zuletzt gesehen hatte. Dafür hatte sein Bauch deutlich an Umfang zugelegt. Früher waren sie Freunde gewesen.

»Hej, Peter.«

Sie schüttelten sich die Hand.

Rasmus war dankbar, dass der Gefängnisleiter so kurzfristig Zeit für ihn hatte. Zuvor hatte er Asger Groths Nachbarn abgeklappert, doch keiner wusste, wo der Ex-Häftling sich aufhielt, oder hatte Kontakt zu ihm gehabt. Auch in der Wohnung hatte er keinen Hinweis auf seinen Verbleib gefunden.

»Bitte setz dich.« Peter Fønsmark deutete auf den Besucherstuhl. »Wie lebt es sich in Esbjerg?«

»Nicht schlechter als anderswo«, erwiderte Rasmus. Er verspürte wenig Lust auf Small Talk. »Und bei dir?«, fragte er höflichkeitshalber. »Zwischen Kopenhagen und Horsens liegen Welten.«

Peter lachte dröhnend. »Das hat Saga auch gesagt.«
Sein Blick wurde ernst. »Sie hat mich verlassen.«

»Oh«, sagte Rasmus, »das tut mir leid.«

Der Leiter der Justizvollzugsanstalt winkte ab. »Ich
bin drüber weg.« Er räusperte sich, und seine Stimme
bekam etwas Formelles. »Du bist also wegen Asger
Groth hier.«

Rasmus nickte. »Ich sollte gleich voranstellen, dass
er weder offiziell beschuldigt noch dringend tatverdächtig ist, allerdings müssen wir ihn im Fall Eva-Karin Holm befragen. Leider ist er unter seiner Melde-
adresse nicht erreichbar.«

»Die ermordete Polizistin«, erwiderte der Gefängnisleiter bedächtig. »Du kanntest sie?«

»Sie war meine Vorgesetzte.«

»Verstehe.« Peter Fønsmark lehnte sich in seinem
Stuhl zurück und verschränkte die Hände hinter seinem Nacken. »Was willst du wissen?«

»Mich interessiert, mit wem Asger Groth im Gefängnis Kontakt hatte. Ob er vielleicht häufiger Besuch bekam. Jemand, der weiß, wo wir ihn finden
können. Und natürlich wäre es gut, etwas über Groths
Gefährdungspotenzial zu wissen.«

Der dänische Strafvollzug hatte nach dem Vorbild
des norwegischen »Brøset-System« ein eigenes System
der Risikoeinschätzung von Gefangenen eingeführt,
um die Gewalt und Übergriffe auf Bedienstete zu re-
duzieren. Dabei wurde eine tägliche Einschätzung von
einem Team aus der Abteilung für jeden Inhaftierten
vorgenommen.

Peter Fønsmark löste die Hände aus der Ver-
schränkung und beugte sich wieder vor. Im nächs-

ten Moment flogen seine Finger über die Computertastatur. »Groth war in den letzten zwölf Monaten
durchgängig als ›grün‹ eingestuft.«

Rasmus wusste, was das bedeutete. Anders als bei
einer roten oder schwarzen Einstufung, bei der drei
beziehungsweise fünf Bedienstete zur Begleitung des
Gefangenen vorgesehen waren, war bei Asger Groth
lediglich ein Beamter nötig gewesen.

»Er hat sich vorbildlich geführt. Keine Vorfälle mit
anderen Häftlingen oder der Aufsicht.« Der Leiter
der Justizvollzugsanstalt sah auf den Computerbildschirm. »Die letzten fünf Jahre war er einer Wohn-
gruppe in *Abschnitt A* zugeteilt und außerdem in
einem unsere Werkbetriebe tätig.«

»In welchem Bereich?«

»In der Tischlerei.«

Rasmus horchte auf. Schon wieder eine Tischlerei. »Ist es möglich, mit den Leuten aus seiner Wohn-
gruppe zu sprechen?«

»Du weißt, dass das nicht so einfach geht«, erwiderte Peter Fønsmark. »Du musst erst einen Antrag stellen oder dir eine Befugnis von deiner Dienststelle ausstellen lassen. Und natürlich müssen die
Gefangenen einem Gespräch zustimmen.«

Rasmus fuhr sich mit der Hand über den Mund.
Was hatte er erwartet? Dass Peter seinetwegen sämtliche Dienstvorschriften überging?

»Davon abgesehen, reden die meisten Häftlinge
nicht gerne mit der Polizei«, fuhr der Leiter der Justizvollzugsanstalt fort. »Und in der Regel verpfeifen sie
einander auch nicht. Höchstens, wenn dabei etwas für
sie herausspringt.«

Er hat recht, dachte Rasmus. Trotzdem hätte er es auf einen Versuch ankommen lassen. Er fragte sich, ob es Sinn machte, Kasper Saltum um eine Befugnis zu bitten.

»Bekam Asger Groth häufiger Besuch?«

Peter Fønsmark wandte sich wieder seinem Computer zu, gab ein paar Befehle ein und scrollte mit der Maus durch eine Datei.

»Seine Mutter war regelmäßig da«, informierte er Rasmus. »Anfangs noch sein Anwalt. Hin und wieder besuchten ihn Damen. Ansonsten hatte er in den zwölf Jahren nur zwei Besucher, die öfter kamen.« Er drückte ein paar weitere Tasten. Der Drucker ratterte und spuckte ein DIN-A4-Blatt aus, das der Gefängnisleiter wortlos über den Schreibtisch schob.

Rasmus warf einen kurzen Blick darauf und steckte es ein. »Danke.«

»Du schuldest mir ein Bier, sobald ihr den Fall gelöst habt.«

»In Ordnung.«

Sie erhoben sich beide gleichzeitig.

Peter Fønsmark öffnete die Tür und gab dem Vollzugsbeamten, der davor gewartet hatte, ein Zeichen. »Mach's gut, Rasmus.«

»Danke für deine Zeit.« Er hob zum Abschied die Hand.

Das matte Herbstlicht ging bereits in die Abenddämmerung über, als Rasmus ins Freie trat.

Am VW-Bus zündete er sich eine Zigarette an und lehnte sich gegen den Kotflügel. Er nahm ein paar Züge, dann zog er den Zettel aus der Jackentasche, den ihm Peter Fønsmark über den Schreibtisch geschoben hatte. Nachdenklich betrachtete Rasmus die beiden Namen, die darauf standen. Malte Vennefrohne. Und Jenny Sø. Ob einer von ihnen wusste, wo Asger Groth abgeblieben war? Ihre Adressen waren ebenfalls auf dem Zettel vermerkt.

Rasmus nahm einen letzten Zug von seiner Zigarette, schnippte sie anschließend auf den Boden und trat sie mit dem Fuß aus. Danach öffnete er die Fahrertür und schwang sich hinter das Lenkrad.

Rund eine Stunde später drückte er in Tofterup, einer kleinen Gemeinde zwischen Billund und Varde, an einem weißen Spitzgiebelhaus auf die Türklingel. Niemand öffnete. Sämtliche Jalousien waren heruntergelassen.

Rasmus klingelte erneut. Als sich wieder nichts tat, ging er zum Nachbarhaus.

Ein älterer Herr mit Goldrandbrille öffnete ihm die Tür. Er trug Karohemd und Cordhose, seine Füße steckten in Filzpantoffeln. »Ja?«

Rasmus zückte seinen Dienstausweis. »Rasmus Nyborg von der Polizei Esbjerg. Ich wollte eigentlich zu deiner Nachbarin Jenny Sø. Aber da öffnet niemand.«

Sein Gegenüber runzelte die Stirn. »Ich hab sie und die Kinder schon seit ein paar Tagen nicht mehr gesehen.«

»Kannst du dich erinnern, wann zuletzt?«

»Ich glaube, das war am Sonntag. Die Mädchen haben im Garten gespielt.«

»Hast du vielleicht eine Handynummer von Jenny? Oder weißt du, wo sie arbeitet?«

»Nein, tut mir leid. So gut kenne ich sie nicht.

Wenn ich etwas von ihr wollte, bin ich rübergegangen und habe geklingelt.«

Rasmus nickte. »Sagt dir der Name Asger Groth etwas?« Er holte sein Handy raus und zeigte ihm ein Foto des Ex-Häftlings. »Hier. Das ist der Mann. Vielleicht hast du ihn schon einmal gesehen?«

Der Nachbar betrachtete ausgiebig das Foto, ehe er den Kopf schüttelte. »Den kenne ich nicht.«

Rasmus steckte sein Handy wieder ein und reichte ihm seine Visitenkarte. »Ruf mich bitte an, falls dir noch etwas einfällt oder du etwas von Jenny hörst. Es ist wichtig.« Er verabschiedete sich und klapperte noch ein paar weitere Häuser ab, doch niemand konnte ihm weiterhelfen.

Rasmus ging zurück zu dem weißen Spitzgiebelhaus. Dort zog er einen Stift und eine weitere Visitenkarte aus seiner Jackentasche, beschriftete die Rückseite mit der Bitte um dringenden Anruf und warf sie in den Briefkasten.

Zurück an seinem Bus, drehte er sich noch einmal um und betrachtete die heruntergelassenen Jalousien. Wo waren Jenny Sø und ihre Kinder abgeblieben?

Padborg, Dänemark

Es war bereits dunkel, als Vibeke mit ihrem Dienstwagen auf den Parkplatz des Gemeinsamen Zentrums bog. Nach ihrem Besuch in der Tischlerei war sie zusammen mit Frank Liebermann in Esbjerg gewesen, damit sich der Fallanalytiker auch von den Tatorten im Hafen und in Kravnsø einen persönlichen Eindruck verschaffen konnte.

»Geh ruhig rein«, sagte Vibeke, als sie gemeinsam aus dem Auto stiegen. »Ich muss noch schnell ein Telefonat erledigen.«

»Lass dir Zeit.« Frank lächelte sie über das Wagendach hinweg an. »Ich hab jetzt ohnehin einen Videocall mit meinem Team.« Er steuerte auf den Eingang zu.

Frank hatte im GZ ein separates Büro bezogen, wo er sich, abgesetzt von der Dynamik der Sondereinheit, für die nächsten Tage in Klausur zurückziehen wollte. Nach der Tatortbegehung erfolgte eine intensive Informationserhebung aus der Akten- und Spurenlage, ehe die Tathergänge im Team rekonstruiert, das Täterverhalten analysiert und schließlich die Täterpersönlichkeit von den LKA-Spezialisten diskutiert wurde. Eine klassische Fallanalyse dauerte in der Regel eine Woche, konnte sich aber durchaus in die Länge ziehen.

Vibeke holte ihr Handy aus der Tasche. Sie konnte es nicht länger vor sich herschieben. Kurz hatte sie überlegt, Claas in der Redaktion aufzusuchen, um seine Reaktion zu testen, wenn sie ihn mit ihrem Verdacht konfrontierte. Doch er saß in einem Großraumbüro, und sie wollte nicht noch mehr Aufmerksamkeit auf ihre Verbindung zu dem Journalisten lenken als unbedingt nötig.

Sie wählte Claas' Handynummer, und ihr fiel auf, dass sie dies zum ersten Mal aus beruflichen Gründen tat.

»Behring.« Er klang kurz angebunden.

»Ich bin's.« Vibeke kam ohne Umschweife zur Sache. »Ich rufe wegen deines heutigen Artikels an.« Sie bemühte sich um Sachlichkeit in ihrer Stimme, während ihr das Herz bis zum Hals schlug. »Woher hast du die Information mit den Bernsteinen?«

Einen kurzen Moment war es still in der Leitung.

»Sie wurde mir aus zuverlässiger Quelle zugespielt«, sagte Claas schließlich in geschäftsmäßigem Ton. »Du erwartest hoffentlich nicht, dass ich den Namen der Person preisgebe. Ich habe Vertraulichkeit zugesagt.«

»Doch, das erwarte ich«, erklärte Vibeke umgehend. »Vertraulichkeit ist nicht bindend, wenn es um ein Verbrechen geht. Wir reden hier von Täterwissen.«

»Das sehe ich anders.« Claas klang jetzt knallhart. »Es ist meine Pflicht als Journalist, die Öffentlichkeit über Themen des allgemeinen Interesses zu informieren. Das ist keine unrechtmäßige Handlung.«

Schlagartig kehrte Vibekes Misstrauen zurück. »Woher weiß ich, dass du die Informationen nicht aus meiner Wohnung hast?«

»Ist die Frage ernst gemeint?« Claas klang verblüfft.

»Durchaus.«

»In dem Fall habe ich dir nichts mehr zu sagen.« Er legte auf.

Vibeke starrte auf das Handy in ihrer Hand. Claas' Verhalten verunsicherte sie. Hatte sie ihm unrecht getan? Doch weshalb hatte er ihre Anschuldigung dann nicht einfach abgestritten?

Sie steckte das Handy wieder ein. Eine zuverlässige

Quelle, hatte Claas gesagt. Die Aussage traf sowohl auf sie selbst als auch auf jeden anderen Polizisten zu, der an dem Fall arbeitete. Und das waren eine Menge, wenn man die Streifenbeamten und die Kriminaltechniker mitzählte.

Und wenn die Information vom Täter stammte, schoss es ihr durch den Kopf. In dem Fall hatte die Presse die Pflicht zur Anzeige.

»Verdammt, Claas!« Sie schlug mit der flachen Hand aufs Wagendach.

Zwei Minuten später betrat sie das Büro der Sondereinheit. Bis auf Rasmus saßen alle Ermittler auf ihren Plätzen. »Hej!«

Sie hängte ihre Jacke auf. »Hat Rasmus sich gemeldet?«

»Gerade eben«, berichtete Søren. »Er war im Enner-Mark-Gefängnis und ist jetzt auf dem Weg zu einer Person, die Asger Groth während seiner Haftzeit besucht hat. Vielleicht weiß derjenige, wo er sich aufhält.«

»Dann hoffen wir mal, dass Rasmus dort weiterkommt.« Vibeke war noch immer verstimmt über den Abgang ihres Kollegen. »Waren denn jetzt die Kriminaltechniker in Groths Wohnung?«

Søren nickte. »Sie sind noch drin. Da hängt wohl massenhaft Zeug über Eva-Karin an den Wänden. Wie es aussieht, hat Asger Groth sie nach seiner Haftentlassung regelrecht gestalkt. Echt krank, der Typ.« Er knetete seine Finger. »Allerdings wurden in der Wohnung bislang keine Hinweise gefunden, die im direkten Zusammenhang mit dem Mord stehen.«

Vibeke setzte sich hinter ihren Schreibtisch. »Was

hat die Funkzellenauswertung ergeben?« Ihr Blick ging zu Luís.

Der Portugiese drückte den Schalter einer kleinen Fernbedienung, und auf dem Whiteboard erschien eine Karte mit dem Gebiet des Golfklubs nördlich von Esbjerg. Ein blauer Kreis poppte auf und visualisierte die Funkzelle. »Wir haben vom Provider die Verkehrsdaten von insgesamt vierhundertdreiundsiebzig Teilnehmern bekommen, die zur Tatzeit in der Funkzelle am Tatort eingeloggt waren. Ich habe die Daten mit den Handynummern aller Personen abgeglichen, die uns bislang bei dem Fall untergekommen sind. Leider gab es nur einen einzigen Treffer.« Seine Augen wurden eine Spur dunkler. »Eva-Karins Smartphone.«

»Das bedeutet, wir sind keinen Schritt weitergekommen«, stellte Jens nüchtern fest. Dabei streifte sein kühler Blick Vibeke und erinnerte sie daran, dass sie ihren Kollegen noch eine Erklärung schuldig war. »Was ist mit den Überwachungskameras?«

»Verkehrsüberwachung gibt es in der Gegend nicht. Aber die Kamera, die dieser Bauer in seiner Einfahrt in der Nähe vom Tatort installiert hat und die alle Fahrzeuge filmt, die daran vorbeifahren … Sie hat Eva-Karins Auto am Kravnsøvej um 18.53 Uhr aufgezeichnet.« Der IT-Experte gab ein paar Befehle in seine Computertastatur ein. Die Funkzellenauswertung am Whiteboard verschwand, und die grobkörnige Aufnahme eines silbernen Kombis erschien. Hinter dem Lenkrad saß eine blonde Person.

»Das ist Eva-Karin«, sagte Vibeke. »Kannst du die Aufnahme vergrößern?«

Luís' Finger flogen erneut über die Tastatur, und ein

stark vergrößerter Ausschnitt wurde sichtbar. »Das ist die maximale Auflösung.«

Vibeke kniff die Augen zusammen. Man konnte die Konturen der Fahrerin erkennen und eine weitere Person auf dem Beifahrersitz erahnen. Genaueres war nicht auszumachen. »Sieht aus, als hätte der Täter tatsächlich mit im Auto gesessen«, sagte sie. Das bestätigte ihre These, dass er bereits am Parkplatz des Golfklubs zugestiegen war. »Wurden noch weitere Fahrzeuge von der Kamera erfasst?«

Luís schüttelte den Kopf. »Nur die Einsatzkräfte.«

»Das bringt uns nicht weiter«, sagte Søren und griff nach seinem Wasserglas. »Man kann ja auf den Aufnahmen kaum was erkennen.«

»Es gibt da vielleicht noch einen anderen Ermittlungsansatz.« Jens rückte seine runde Brille zurecht. »Ich hab ein wenig gegraben, was Lennard Friedrichs' Zeit als Grenzpendler betrifft, und mit den Firmen gesprochen, für die er gearbeitet hat. Ein früherer Vorgesetzter hat Lennard Friedrichs gefeuert, weil er Drogen genommen hat.«

»Ach«, entfuhr es Vibeke überrascht. Das passte zu dem, was Ann-Kathrin Lange über ihren Ex-Freund gesagt hatte.

»Aber nicht nur das«, fuhr Jens fort. »Offenbar hat er das Zeug auch an seine Kollegen vertickt.«

Vibeke tippte mit ihrem Stift nachdenklich auf die Tischplatte. »Soweit ich weiß, hat Eva-Karin vor ihrer Zeit bei der Mordkommission beim Rauschgiftdezernat gearbeitet.«

»Vielleicht ist das die Verbindung, nach der wir suchen.«

»Möglich. Aber in dem Fall müsste auch Nohr Lysgaard in irgendeiner Weise mit Drogen in Berührung gekommen sein.«

»Natürlich. Die Spur ist dünn.« Jens klang verstimmt. »Aber im Moment haben wir nichts anderes.«

»Du hast recht. Gute Arbeit, Jens.« Vibeke legte ihren Stift beiseite. Das Gespräch mit Claas ging ihr nicht aus dem Kopf. Warum redete er nicht einfach Klartext? Wenn es bei der Polizei eine undichte Stelle gab, musste sie das wissen. Und für den Fall, dass die Information vom Täter stammte, erst recht. Sie holte tief Luft.

»Ich bin euch noch eine Erklärung wegen des Zeitungsartikels schuldig.« Alle sahen sie an. »Claas Behring will seine Quelle nicht preisgeben«, sagte sie. »Er meinte nur, dass sie zuverlässig sei. Also wenn es nicht der Täter war, der ihm die Information mit den Bernsteinen gesteckt hat, muss er sie von einem Insider haben.«

Søren riss die Augen auf. »Du meinst, es war jemand von uns?«

»Natürlich nicht.« Vibeke sah in die Runde. »Ich würde für jeden Einzelnen von euch die Hand ins Feuer legen, das wisst ihr. Aber natürlich nicht für alle Beamten, die in den Fall involviert sind.« Sie hielt einen Moment inne, ehe sie weitersprach. »Und ich kann leider auch nicht ausschließen, dass Claas die Information nicht doch von mir hat. Mein Notizbuch war für ihn zugänglich.« Sie strich sich übers Haar. »Wie auch immer, ich werde in der Angelegenheit mit meinem Vorgesetzten sprechen.«

»Du könntest Probleme kriegen«, warnte Pernille und trank einen Schluck Wasser.

»Die bekomme ich erst recht, wenn sich herausstellt, dass ich die undichte Stelle bin und keinen Ton davon gesagt habe. Am besten …«

Das Telefonklingeln auf Pernilles Schreibtisch unterbrach sie. Die dunkelhaarige Ermittlerin warf einen Blick aufs Display, runzelte die Stirn und nahm ab.

Sie begrüßte jemanden auf Englisch und hob die Hand, um ihren Kollegen zu signalisieren, dass der Anruf wichtig war.

»Just a second, please.« Pernille legte die Hand auf die Sprechmuschel. »In Helsingborg wurde heute früh eine Leiche gefunden. Bei einem Abgleich über EIS haben die Schweden Übereinstimmungen mit unseren Fällen gefunden.«

EIS war die Datenbank bei Europol, die von den Dänen trotz ihres Austritts aus der EU-Polizeibehörde aufgrund eines bilateralen Spezialabkommens genutzt werden konnte.

»Mach bitte den Lautsprecher an«, bat Vibeke. Sie stellte sich der Person am anderen Ende der Leitung auf Englisch vor und fragte nach weiteren Details.

Kriminalinspektorin Inger Hansson, die zuständige Ermittlungsleiterin, meldete sich. Auch sie sprach Englisch. »Heute früh wurde ein Mann in einer Tiefgarage tot aufgefunden.« Sie machte eine bedeutungsvolle Pause. »Multiple Knochenbrüche und ein eingeschlagener Schädel. Zuvor hat man ihn mit einem Strick an einen Pfeiler gebunden. Die Hände waren zusätzlich mit einem Handschellenknoten fixiert, was mich zu diesem Anruf gebracht hat. Wie ich gehört habe, habt ihr in Dänemark zwei ähnliche Fälle.«

»Und einen weiteren in Deutschland«, bestätigte Vibeke. »In allen drei Fällen wurde auf den Fensterbänken der Opfer ein Bernstein gefunden.«

»Das ist hier ebenso.«

Die Ermittler sahen sich an.

»Inger, ich muss Rücksprache halten und melde mich später noch einmal«, sagte Vibeke und notierte sich die Nummer vom Display.

»In Ordnung. Hejdå.«

Sie legten auf.

»Das ist ja ein Ding.« Søren blies die Backen auf.

»Das kannst du wohl laut sagen.« Vibekes Gehirn lief auf Hochtouren. Sie hatte bereits befürchtet, dass es weitere Tote geben würde, doch dass es ausgerechnet in Schweden geschah, brachte sie aus dem Konzept.

»Könnt ihr euch jetzt noch vorstellen, dass es darum geht, den Mord an Eva-Karin zu vertuschen?«, sprach Luís ihren Gedanken aus.

Allgemeines Kopfschütteln.

»Ich meine, weshalb sollte der Täter deshalb auch noch nach Schweden fahren«, setzte der Portugiese nach. »Das macht keinen Sinn.«

»Und wenn es zwei Täter sind?«, warf Pernille in die Runde.

Es wurde totenstill im Raum.

Vibeke atmete tief durch. »Ich gebe Kasper Bescheid.«

»Und ich informiere Rasmus«, sagte ihre Kollegin.

Sie griffen zeitgleich nach den Hörern.

11. Kapitel

Helsingør, Dänemark

Der kalte Fahrtwind vertrieb die Müdigkeit aus seinen Knochen. Rasmus lehnte an der Reling der Fähre und hatte den Blick auf den Øresund gerichtet, während er an seiner Zigarette sog.

In der Ferne war Schwedens Küste zu erkennen. Kleine Strände und Wälder, am Ufer zeichnete sich die Silhouette von Helsingborg ab. Die Überfahrt von der nördlichsten Spitze Seelands ins benachbarte Schweden dauerte rund zwanzig Minuten, kaum mehr als ein Katzensprung, trotzdem bevorzugte er den Weg über die Øresundbron am südlichen Ende der Meerenge. Dort führte die Route am Stadtrand Kopenhagens vorbei, während man, um zur Fähre zu gelangen, mitten durchs Ballungszentrum der Hauptstadt musste. Dadurch hatten sie fast eine Stunde Zeit verloren. Doch auf ihn hörte ja niemand. Eine Flensburger Polizistin und ein Hamburger Fallanalytiker wussten natürlich viel besser über die örtlichen Verkehrsbedingungen Bescheid als jemand, der jahrelang in Kopenhagen gelebt und gearbeitet hatte.

Rasmus nahm einen weiteren Zug von seiner Zigarette. Seine Gedanken schweiften zum vergangenen Abend zurück. Nach dem Abstecher zu Jenny Sø war er zu der zweiten Adresse gefahren, die ihm der Leiter der Haftanstalt aufgeschrieben hatte. Malte Vennefrohne war ein alter Schulfreund von Asger Groth und einer der wenigen, die ihn während seiner Haftzeit besucht hatten. Zumindest am Anfang. Dann hatten sich jedoch erste Zweifel gegen die Unschuldsbeteuerungen des Taxifahrers bei ihm eingeschlichen, und die Freundschaft war ganz schnell abgekühlt. Malte Vennefrohne hatte nicht einmal gewusst, dass sich Asger Groth wieder auf freiem Fuß befand.

Die Zeit hätte ich mir sparen können, dachte Rasmus. Er zog ein letztes Mal an seiner Zigarette und schnippte den Stummel ins Wasser. Seine Finger waren mittlerweile ganz steif vor Kälte. Er fröstelte und zog den Kragen seiner Jacke ein Stück höher. Der Himmel über dem Öresund war grau in grau. Dazu war es schweinekalt.

Genauso frostig wie die Temperaturen war die Stimmung zwischen ihm und Vibeke. Die Fahrt von Kolding, wo Rasmus zugestiegen war, bis nach Helsingør an der Nordspitze Seelands hatten sie nahezu schweigend verbracht. Seine Kollegin hatte sich auf die Fahrbahn konzentriert und ihn nur hin und wieder mit ausdrucksloser Miene durch den Rückspiegel betrachtet, während Frank Liebermann auf dem Beifahrersitz Fallunterlagen auf seinem Tablett durchgegangen war. Der LKA-Beamte machte auf ihn keinen besonders sympathischen Eindruck, doch vielleicht lag es auch daran, dass dieser mittlerweile mehr eine Einheit mit Vibeke zu bilden schien, als Rasmus es tat. Er fühlte sich seltsam ausgeschlossen. Vermutlich war er selbst schuld daran, schließlich hatte er sich vom restlichen Team abgeseilt, um der Spur Asger Groth nachzugehen.

Es gab noch immer keine handfesten Beweise dafür, dass der Ex-Häftling etwas mit dem Mord an Eva-Karin zu tun hatte, doch sein Bauchgefühl sagte ihm, dass Asger Groth in irgendeiner Form darin verwickelt war. Daran änderte auch der Leichenfund in Helsingborg nichts. Vielleicht suchten sie einfach nur an der falschen Stelle.

Die Fähre drosselte die Geschwindigkeit, und er sah, dass Vibeke, die zusammen mit Frank Liebermann im Innenbereich saß, ihm durch die Fensterscheibe Handzeichen gab, Richtung Autodeck zu gehen. Fröstelnd setzte er sich in Gang, dabei spürte er Vibekes Blick wie Eiswürfel im Nacken. Er erreichte das zivile Polizeifahrzeug vor den beiden Deutschen.

Seine Kollegin wirkte sichtlich angespannt, als er sich neben ihr auf den Beifahrersitz sinken ließ. Ihm fiel auf, dass sie ungewöhnlich blass war, noch blasser als sonst. Dunkle Schatten lagen wie Halbmonde unter ihren hellen Augen. Er hätte sie gerne gefragt, ob alles in Ordnung war und wie die Geschichte mit ihrem Journalisten ausgegangen war, doch ihre abweisende Miene und die Anwesenheit des Fallanalytikers hielten ihn davon ab.

Es gab einen kurzen Ruck, und die Fähre legte an. Kurz darauf rollten die ersten Fahrzeuge von Deck.

Vibeke startete den Motor und folgte den vorausfahrenden Autos. Mit Inger Hansson war vereinbart, dass sie sich zunächst am Tatort etwas außerhalb des Stadtzentrums treffen würden.

Sie passierten die Rampe. Vor ihnen taten sich die historischen Gebäude der Altstadt von Helsingborg auf. Ein imposantes Bauwerk aus leuchtend rotem Backstein mit einem hohen Turm erweckte Rasmus' Aufmerksamkeit. Er zeigte die Uhrzeit in alle vier Himmelsrichtungen an.

Rund fünfzehn Minuten später verließen sie nordöstlich des Zentrums die Stadtautobahn und folgten dem Straßenverlauf vorbei an Autohäusern, Baumärkten und Schnellrestaurants, ehe sie das Navi schließlich in einer Nebenstraße zu einem zweistöckigen Flachdachgebäude dirigierte. Am oberen Stockwerk prangte der großformatige Schriftzug einer Fitnesskette.

»Dort muss es sein.« Frank Liebermann deutete zwischen den Vordersitzen auf einen Streifenwagen.

Dahinter war ein schwarzer Volvo geparkt, neben dem eine große schlanke Frau mit hellblondem Kurzhaarschnitt stand und telefonierte. Als sie das Fahrzeug mit deutschem Kennzeichen entdeckte, beendete sie ihr Telefonat.

»Inger Hansson«, stellte sie sich vor, sobald die Neuankömmlinge aus dem Auto gestiegen waren. Sie reichte ihnen zur Begrüßung die Hand.

Obwohl Rasmus seit seiner Zusammenarbeit mit den Schweden ein paar Brocken Schwedisch beherrschte, ging er wie seine deutschen Kollegen ebenfalls ins Englische über, als die Vorstellungsreihe an ihm war.

»Hej, Rasmus.« Die schwedische Kriminalinspektorin lächelte ihn an, und ein Kranz feiner Fältchen bildete sich um ihre Augen. Sie war im ähnlichen

Alter wie Eva-Karin, Anfang fünfzig, und erinnerte ihn auch optisch ein wenig an seine Chefin. »Ich soll dir einen Gruß von Gösta Malmberg sagen. Von ihm kam der Tipp, bei euch in Padborg anzurufen.«

»Danke.« Rasmus erwiderte ihr Lächeln. »Grüße ihn bitte zurück, wenn du wieder mit ihm sprichst.« Gösta war früher sein Verbindungsmann bei der Polizei in Malmö gewesen, als er noch in der OK-Gruppe gearbeitet hatte, der Abteilung Organisierte Kriminalität.

Vibeke deutete auf das Absperrband vor der Rampe, die zu einer tieferen Etage des Gebäudes führte und deren Zugang von zwei Streifenbeamten flankiert wurde. »Dort entlang?«

Die Ermittlungsleiterin nickte, und die beiden Frauen gingen voran.

Die Tiefgarage war dunkel, verwinkelt und schlecht beleuchtet. Sämtliche Stellplätze waren leer. Rasmus registrierte, dass es weder Bewegungsmelder noch Kameras gab. Der perfekte Tatort, schoss es ihm durch den Kopf.

Inger Hansson führte sie zu einem der hinteren Stellplätze.

Am Boden eines Betonpfeilers befand sich eine dunkle Lache. Geronnenes Blut.

»Die Obduktion hat heute früh stattgefunden.« Der Blick der Kriminalinspektorin war auf die roten Schlieren am Pfeiler gerichtet. »Das Opfer hat multiple Knochenbrüche am gesamten Körper erlitten.« Ein Schatten flog über ihr Gesicht. »Vermutlich wäre es einfacher aufzuzählen, welche Knochen noch intakt geblieben sind, als andersherum.« Sie sah Vibeke an. »Todesursache ist ein schweres Schädel-Hirn-Trauma, das durch massive Schläge auf den Kopf entstanden ist.«

Rasmus räusperte sich. »Gibt es Hinweise auf die Tatwaffe?«

Inger Hansson nickte. »Laut Rechtsmedizin wurde eine Eisenstange oder ein Leitungsrohr benutzt.«

Sein Blick glitt zur Decke. Sie war nicht besonders hoch, höchstens zwei Meter. Spuren waren keine zu erkennen. Besonders lang konnte die Tatwaffe daher nicht gewesen sein. Ein Leitungsrohr musste ausreichend geschwungen werden, um einem Menschen derartige Verletzungen wie einen eingeschlagenen Schädel beizubringen. Er tippte deshalb vielmehr auf eine Stange aus Eisen oder Stahl. »Hast du zufällig Tatortfotos dabei?«

Inger Hansson holte einen Tablet-Computer aus ihrer Tasche und rief eine Reihe Fotos auf, ehe sie das Gerät an Rasmus weiterreichte.

Das Opfer trug einen schwarzen Sportanzug mit dem Emblem der Fitnesskette. Der Kopf war auf die Brust gesunken, die Schädeldecke offen und blutverkrustet, dazwischen schimmerte graue Gehirnmasse hervor.

Rasmus schluckte. Er betrachtete die Fotos nacheinander, registrierte sämtliche grausamen Details. Das mit Platzwunden übersäte, bis zu Unkenntlichkeit zugeschwollene Gesicht, die zum Teil seltsam verrenkten Glieder, der mehrfach gebundene Strick, der den Körper aufrecht am Pfeiler hielt. Der alte rote Peugeot, der auf einigen Bildern im Hintergrund zu sehen war. Überall klebte Blut.

Zuletzt blieb sein Blick an den zertrümmerten Fingern hängen. An den Gelenken darüber befanden sich weitere Fesseln. Der Handschellenknoten.

Es bestand kein Zweifel. Das gleiche Seil wie bei den anderen Opfern. Identisch gebunden.

Rasmus reichte das Tablet an Vibeke weiter und wandte sich der Kriminalinspektorin zu. »Was wisst ihr bislang über das Opfer?«

»Der Mann heißt Erik Lindqvist. Er war Trainer im Fitnessstudio und kam häufig vor der regulären Öffnungszeit, um in Ruhe zu trainieren. Meistens gegen kurz vor sechs.«

»Um welche Zeit wurde er gefunden?«

»Gegen 6.30 Uhr. Eine Kollegin, Mia Andersson, hat ihn entdeckt und uns umgehend verständigt. Zu dem Zeitpunkt war er bereits tot.«

Vibeke hob den Blick von dem Tablet. »Wie konnte sie da sicher sein?«

»Mia Andersson arbeitet nebenbei ehrenamtlich als Rettungssanitäterin.«

»Hat sie den Täter gesehen?«

Inger Hansson schüttelte den Kopf. »Es gibt bislang keine Zeugen. Hier sitzen überwiegend Firmen, und die Mitarbeiter sind nur selten vor sieben vor Ort.«

»Können wir uns noch das Fitnessstudio ansehen?«, meldete sich erstmals Frank Liebermann zu Wort. Rasmus hatte die Anwesenheit des Fallanalytikers fast vergessen.

»Natürlich«, erwiderte die Ermittlungsleiterin. Sie warf einen flüchtigen Blick auf ihre Armbanduhr. »Wobei ich gleich dazu sagen muss, dass wir keine

Anhaltspunkte dafür gefunden haben, dass Opfer oder Täter zuvor dort waren.«

Der Fallanalytiker nickte. »Ich würde mir trotzdem gerne einen Eindruck verschaffen.«

Rasmus unterdrückte ein Stöhnen. Mit einem Mal ahnte er, wem er Vibekes Genauigkeit bei der Ermittlungsarbeit zu verdanken hatte. Doch er sagte nichts, sondern folgte dem Trio zum Eingangsbereich des Fitnessstudios.

»Für Mitglieder ist heute geschlossen«, informierte sie Inger Hansson, »aber es ist jemand da, um uns hereinzulassen.«

Wie aufs Stichwort öffnete ihnen eine Mitarbeiterin die Tür. Sie trug den gleichen schwarzen Sportanzug wie das Opfer auf den Fotos.

Im Inneren des Fitnessstudios reihten sich Laufbänder, Stepper, Crosstrainer, Rudergeräte und Ergometer auf einer Fläche von rund achthundert Quadratmetern aneinander. Geräte und Raum wirkten modern, sauber und funktional. Kein Hightech, dafür Sport für kleines Geld.

Inger Hansson führte sie weiter ins Obergeschoss, wo sich neben Geräten fürs Krafttraining und Muskelaufbau auch mehrere Hantelbänke befanden.

Frank Liebermann zog sein Handy hervor und fotografierte einige der Geräte. Rasmus unterdrückte ein Augenrollen.

»Ich würde vorschlagen, wir fahren jetzt in meine Dienststelle«, sagte die Schwedin, nachdem sie ein weiteres Mal auf ihre Armbanduhr geblickt hatte. »Man erwartet mich dort. Außerdem bekommen wir im Büro alle einen Kaffee. Ich vermute mal, ihr wart genauso früh auf den Beinen wie ich.«

»Kaffee klingt prima.« Vibekes kühler Blick streifte Rasmus, ehe sie Inger Hansson die Treppe zum Ausgang hinunter folgte. »Ich würde auch gerne den Bericht von der Kriminaltechnik sehen.«

Einträchtig verschwanden die beiden Frauen durch die Tür.

Blåvand, Dänemark – Januar 2013

Jemand rüttelte an seiner Schulter. Henning wurde augenblicklich wach. Sein Blick glitt zur anderen Bettseite, doch seine Frau schlief tief und fest.

»Papa.« Eine kleine Hand legte sich auf seinen Arm.

»Emmi, was ist denn los?« Er rieb sich die Augen.

Seine kleine Tochter stand vollständig bekleidet neben dem Bett. Sie trug Jeans und ihre rosafarbene Winterjacke, am Kragen blitzte ein dicker blauer Wollpullover hervor, auch an eine Mütze hatte sie gedacht. An ihren Füßen leuchteten ihre gelben Gummistiefel.

Er schaute zum Fenster. Hinter den Scheiben war es stockdunkel.

»Steh jetzt auf, Papa!«, drängte die Kleine und zog ihn am Ärmel seines Schlafanzugs. »Ich habe eine Überraschung.«

»Jetzt?« Er stöhnte leise. »Weiß Mama davon?«

»Pst.« Emmi legte warnend den Zeigefinger an den Mund.

Henning nickte, schob die Decke beiseite und schlüpfte aus dem Bett. So leise wie möglich schlich er hinter seiner Tochter in den Flur hinaus.

»Und jetzt anziehen!«, befahl Emmi, sobald er die Schlafzimmertür geschlossen hatte. Sie wirkte aufgeregt. »Und beeil dich ein bisschen.«

»Wieso?« Er setzte eine unbeteiligte Miene auf. »Haben wir einen Termin?«

Die Kleine runzelte die Stirn unter der rosa Wollmütze. Ihre Unterlippe bebte.

»Schon gut«, sagte Henning schnell und ging ins Badezimmer, wo noch seine Klamotten vom Vortag lagen. Er hätte gerne eine frische Unterhose gehabt, doch die befand sich im Kleiderschrank im Schlafzimmer. Die Gefahr, dass Anna wach wurde, wenn er sie holte, war zu groß. Was auch immer Emmi bei ihrer geheimen Mission vorhatte, es schien ihr immens wichtig zu sein.

Als Henning das Badezimmer schließlich angezogen wieder verließ, wartete seine Tochter bereits vor der Haustür. Sie hielt zwei Taschenlampen in der Hand.

Schnell steckte er sein Handy ein, das noch vom Vorabend auf dem Küchentresen lag. Dabei warf er einen flüchtigen Blick aufs Display. 5.40 Uhr. Wo, um Himmels willen, wollte Emmi um diese Zeit mit ihm hin? Kurz war er versucht, seiner Tochter ihr Vorhaben auszureden, um sich wieder ins warme Bett legen zu können, doch er schob den Gedanken rasch beiseite. Es war ihr letzter Urlaubstag, und die Kleine hatte wie sie alle keine leichte Zeit gehabt. Sie hatte sich ein Abenteuer verdient.

Henning nahm seine Winterjacke vom Garderoben-haken und langte nach Mütze und Handschuhen.

»Nimm die Gummistiefel, Papa«, sagte Emmi, als er in seine gefütterten Boots schlüpfen wollte. Ihr helles Stimmchen duldete keinerlei Widerspruch.

»Aye, aye, Käpt'n.«

Seine Tochter grinste. Sie schaute auf ihre rote Kinderarmbanduhr und drückte ihm eine der beiden Taschenlampen in die Hand. Es wird immer abenteuerlicher, dachte Henning. Die ganze Sache bereitete ihm langsam Vergnügen.

Sie traten vor die Haustür.

Der Sturm der letzten Nacht hatte sich verzogen. Zurückgeblieben waren ein schwacher Wind und ein paar vereinzelte Wolken. Die Luft war klar und kalt.

Er folgte Emmi, die im Stechschritt voranging, zu den Dünen. Als sie die Hügelkette hinaufstapften, versanken seine Gummistiefel im Sand. Der Mond versteckte sich hinter einer Wolke, und er musste aufpassen, in der Dunkelheit nicht zu stolpern. Die Sonne ging erst in gut drei Stunden auf.

Auf dem Scheitelpunkt der Düne blieb Henning einen Moment stehen. Der Wind wehte hier ein wenig stärker, schnitt kalt in sein Gesicht, trug den Geruch von Salz und Seetang bis an seine Lippen. Vor ihm schwappte dunkel das Meer. In der Ferne bewegten sich flackernde Lichter am Ufer.

Was zum Teufel war das? Er starrte in die Dunkelheit.

»Emmi, warte!«, rief er der kleinen Gestalt in der rosa Winterjacke hinterher, die bereits den unteren Sandstreifen erreicht hatte. Er hastete die Düne hinunter und holte seine Tochter nach einigen Schritten ein. »Emmi, du musst mir jetzt sagen, was du vorhast, hörst du?«

»Aber dann ist es doch keine Überraschung mehr«, maulte sie.

»Siehst du die Lichter dahinten?« Er deutete in Richtung Leuchtturm.

»Das sind Bernsteinsucher.«

»Bernsteinsucher?«, echote Henning.

Die Kleine nickte ernst. »Das Meer muss kalt sein. Vier Grad Wassertemperatur sind optimal, dann hat das Wasser seine größte Dichte, und die Bernsteine schweben darin.« Sie deutete zur Nordsee. »Und natürlich braucht es starken Wind. Am besten Sturm. So wie letzte Nacht. Dann werden die Steine am Grund aufgewühlt und angespült. Aber man sollte erst suchen gehen, wenn der Sturm abgeflaut ist. Möglichst früh am Morgen. So wie jetzt.« Sie lächelte zufrieden.

»Woher weißt du das bloß alles?«, fragte Henning erstaunt.

»Aus dem Buch, das ihr mir zu Weihnachten geschenkt habt.« Sie klang ein wenig erbost. »Hast du das etwa vergessen?«

Henning erinnerte sich schwach, dass Anna ihm von einem Bildband für Emmi erzählt hatte. In der Regel organisierte sie die Geschenke für die Kinder.

»Mama hat mir dabei geholfen, den …« Emmi schlug die Hand vor den Mund. »Jetzt hätte ich fast die Überraschung verraten.«

Eine Welle der Zuneigung für seine Jüngste überrollte Henning. Er hätte sie gerne an sich gedrückt, doch Emmi hatte sich bereits weggedreht.

»Los jetzt, Papa! Wir kommen noch zu spät.« Sie stapfte Richtung Leuchtturm.

Henning tat es ihr nach. Auf halber Höhe bewegte sich ein flackerndes Licht auf sie zu. Er kniff die Augen zusammen, konnte jedoch nicht mehr als eine dunkle Silhouette erkennen. Schnell eilte er an Emmis Seite.

Kurz darauf traf ihn der Strahl einer Taschenlampe ins Gesicht.

»Hey, was soll das?« Schützend hielt er sich die Hand vor die Augen.

Das Licht wurde gesenkt, und Henning erblickte einen jungen Mann im olivfarbenen Parka. Er trug eine dicke Fellmütze mit Ohrenklappen und hatte einen Kescher in der Hand.

»Bist du Henning?«, fragte er.

Henning nickte.

Der Fremde beugte sich zu dem kleinen Mädchen herunter. »Dann bist du sicher Emmi.« Er wandte sich wieder Henning zu. »Entschuldigt, ich wollte niemanden erschrecken. Ich bin Jon.« Ein eigentümliches Lächeln flog über seine Lippen. »Jon Bjørndahl.«

Helsingborg, Schweden

Die Polizeistation lag in einem fünfstöckigen weißen Flachdachbau im Stadtteil Berga, nördlich vom Zentrum in unmittelbarer Nähe zur Autobahn. Erst vor ein paar Jahren war der Eingangsbereich des Gebäudes frisch saniert worden, nachdem ihn zuvor eine gewaltige Explosion schwer beschädigt hatte.

Vibeke wusste, dass die Schweden seit Langem ein Problem mit Bandenkriminalität hatten, vor allem in den südlichen Großstädten. Immer häufiger lieferten sich Verbrecherbanden in den Vorstädten Gebietskämpfe. In den letzten Jahren kam es zudem vermehrt zu vorsätzlich herbeigeführten Explosionen, hinter denen die Polizei ebenfalls das Bandenmilieu als Drahtzieher vermutete. Scheinbar wahllose Angriffsziele auf Privat- oder Mehrfamilienhäuser, Polizeiwachen oder Steuerbehörden sowie eine Häufung der Anschläge hatten zu einem permanenten Unsicherheitsgefühl der Bevölkerung geführt. Mittlerweile war die Welle der Sprengstoffanschläge auch über die Grenze ins dänische Kopenhagen geschwappt, und die zuständigen Behörden beider Länder arbeiteten eng zusammen, um gemeinsam gegen die organisierten Banden vorzugehen.

Jetzt kommt noch die Jagd auf einen Serientäter dazu, dachte Vibeke und nippte an dem heißen Kaffee, den man ihr und ihren Kollegen zusammen mit belegten Sandwiches und verführerisch duftenden Zimtschnecken angeboten hatte.

Sie saßen in einem Besprechungsraum, dessen Einrichtung um einiges schicker war als die im GZ. Aktenschränke mit hellen Birkenfronten, ein Konferenztisch mit schwarz gebeizter Platte aus Eschenfurnier, dazu farblich passende Freischwinger und Industrielampen.

Das Team der Mordkommission Helsingborg bestand neben der Ermittlungsleiterin aus fünf weiteren Mitgliedern, vier Männern und einer Frau. Alle hörten dem Briefing der Kriminalinspektorin für die ausländischen Kollegen zu.

»Erik Lindqvist. Neununddreißig Jahre.« Inger Hansson deutete auf das Foto am Whiteboard, das den Toten in der Tiefgarage zu Lebzeiten zeigte. Ein muskelbepackter Mann mit blondem Bürstenhaarschnitt und tätowierten Oberarmen. »Er wurde in Helsingborg geboren und hat nach dem Schulabschluss eine Ausbildung zum Dachdecker absolviert. Anschließend hat er sich größtenteils mit Gelegenheitsjobs in der Baubranche über Wasser gehalten, später hat er eine Lizenz als Fitnesstrainer erworben. Erik Lindqvist war Vater eines zehnjährigen Sohnes und geschieden.« Sie trank einen Schluck Wasser, ehe sie weitersprach. »Zudem hatte er ein ellenlanges Strafregister bei uns. Von Kfz-Diebstahl über Einbruchsdelikte bis hin zu Besitz und Handel von illegalen Substanzen. Wegen Letzterem hat er sogar eine Weile eingesessen.«

Vibeke schaute zu Rasmus. Der Ermittler saß zurückgelehnt auf seinem Stuhl und hatte die langen Beine übereinandergeschlagen. Vor ihm auf dem Tisch standen ein Becher mit Kaffee und ein Teller mit einer Zimtschnecke. Beides hatte er bislang nicht angerührt. Jetzt nickte er ihr leicht zu. Sein Blick war grimmig.

Vibeke stellte ihren Kaffeebecher beiseite. »Lennard Friedrichs, das zweite Opfer, hatte vor Jahren ebenfalls mit Drogen zu tun.« Sie fasste in wenigen Worten die Informationen über den ermordeten Tischler für das schwedische Team zusammen. »Eva-Karin Holm war vor ihrer Zeit bei der Mordkommission bei der Drogenfahndung. Unter Umständen gibt es da eine Verbindung. Wann genau saß Erik Lindqvist im Gefängnis?«

Staffan Lindman, ein korpulenter Enddreißiger mit blondem Vollbart, blätterte in der vor ihm liegenden Akte. »2013 ist er hinter Gitter gewandert. Er hat fünf Jahre gekriegt.«

Schweden betrieb in Hinsicht auf Drogen eine Null-Toleranz-Politik.

»Es lohnt sich auf jeden Fall, der Spur weiter nachzugehen.« Inger Hansson fuhr mit dem Briefing fort. »Wir haben bereits mit den Nachbarn und den nächsten Angehörigen von Erik Lindqvist gesprochen. Niemand hat einen konkreten Verdacht, wer ihm das angetan haben könnte. Seine Eltern glauben, dass er sich mit den falschen Leuten angelegt hat.« Sie sah zu ihrer Kollegin Eva Gunnarsson, einer zierlichen Rothaarigen. »Wie haben sie es formuliert?«

»Sie meinten, Erik sei mitunter etwas ruppig gewesen.« Ein müdes Lächeln flog über die Lippen der Polizistin. »Offenbar saßen die Fäuste bei ihm ein wenig locker. Auch im Knast kam es häufiger zu Schlägereien zwischen ihm und einigen Mithäftlingen.«

Inger Hanssons Blick heftete sich auf Vibeke. »Seit heute Morgen liegt uns der Bericht der Kriminaltechnik vor. Ich habe die Zusammensetzung des Seils mit den Daten abgeglichen, die du mir geschickt hast. Die Werkstoffeigenschaften sind identisch. Ansonsten gibt es leider keinerlei Spuren, zumindest keine, die wir dem Täter zuordnen konnten.« Sie fuhr sich durch die kurzen blonden Haare. »Die Kollegen sind dabei, die Kameras in der Umgebung zu checken, und natürlich werden wir auch noch weitere Befragungen im Umfeld des Opfers durchführen. Ich schicke euch gerne die Vernehmungsprotokolle und die Berichte der Kriminaltechnik und der Rechtsmedizin. Von meiner Seite aus können wir das ganz unbürokratisch handhaben.«

Vibeke nickte. »Ich muss mir das erst noch absegnen lassen, aber ich denke, das wird kein Problem sein. Wie sieht es mit der Funkzellenauswertung aus? Auch da sollten wir einen Abgleich mit unseren Daten vornehmen.«

Inger Hanssons Lippen wurden schmal. »Die Auswertung wurde beantragt.«

Einen Augenblick breitete sich eine unangenehme Stille im Besprechungsraum aus. Offenbar war sie zu schnell vorgeprescht. Vibeke rief sich in Erinnerung, dass die Leiche des Fitnesstrainers erst am Vortag aufgefunden worden war. Doch es lag in ihrer Verantwortung, dass der Fall aufgeklärt wurde, und die Dinge mussten vorangetrieben werden, ehe es zu weiteren Toten kam. Sie sah zu Frank Liebermann, der über sein Tablet gebeugt am Tisch saß und ohne Unterlass darauf eintippte.

»Sagt euch der Name Asger Groth etwas?«, durchbrach Rasmus das Schweigen.

»Nein, noch nie gehört«, erwiderte Inger Hansson, und auch ihre Kollegen schüttelten den Kopf. »Weshalb fragst du?«

Rasmus erzählte von den Drohbriefen an Eva-Karin Holm, ihrer Verbindung zu dem ehemaligen Häftling und den Fotos in dessen Wohnung. »Es besteht der begründete Verdacht, dass es zwischen ihm und dem Mord an der Vizepolizeiinspektorin einen Zusammenhang gibt.«

»Du hältst den Mann für den Täter?«

Der Ermittler kniff leicht die Augen zusammen. »Zumindest schließe ich es nicht aus. Asger Groth hat Eva-Karin gedroht, sie beobachtet und verfolgt. Selbst wenn er sie nicht getötet hat, könnte er ein wichtiger Zeuge sein.«

Vibeke sah ihn überrascht an. Der Gedanke war ihr bislang überhaupt nicht gekommen.

»Und dass er ausgerechnet nach dem Mord an Eva-Karin von der Bildfläche verschwindet«, fuhr Rasmus fort, »macht ihn in meinen Augen nicht gerade unverdächtig.«

Inger Hansson nickte.

Vibeke rührte nachdenklich mit dem Löffel in ihrem Kaffeebecher. »Jens Greve, unser Teamkollege, hat Tabellen erstellt.« Sie trank einen Schluck. »Darin hat er sämtliche Menschen, mit denen die Opfer in Beziehung standen, erfasst und auch, welche Gewohnheiten sie hatten. Hobbys, Restaurants, Reiseziele, so etwas in der Art. Das macht es uns leichter, Überschneidungen zu finden. Vielleicht wäre es möglich, dass wir solche Informationen auch von Erik Lindqvist bekommen?«

»Das ist kein Problem«, sagte Inger Hansson. »Wir beziehen diese Punkte gleich in unsere Befragungen mit ein. Vielleicht kann uns Jens einfachheitshalber eine Übersicht mit den bisherigen Punkten zukommen lassen.«

»Ich gebe ihm Bescheid.«

»Gut, dann kommen wir zu dem Bernstein.« Die Kriminalinspektorin wies auf das stark vergrößerte Foto einer Fensterbank an der Glas-Magnettafel. Mittig lag ein gelbbrauner Stein. »Ich muss zugeben, dass er uns anfangs überhaupt nicht aufgefallen ist. Erst als wir die Übereinstimmung mit den Fesseln in der Datenbank gefunden haben, sind wir darauf aufmerksam geworden.«

»Kann ich den Stein sehen?«, erkundigte sich Rasmus.

»Ich habe mir schon gedacht, dass ihr danach fragt.« Inger Hansson langte nach einem Spurensicherungsbeutel auf der Tischplatte und reichte ihn Rasmus. »Ich habe ihn mir vorhin von der Kriminaltechnik aushändigen lassen. Die Kollegen haben ihn bereits untersucht. Du kannst ihn also gerne anfassen.«

Rasmus zog den Bernstein aus der braunen Papiertüte und betrachtete ihn ausgiebig von allen Seiten. Dabei murmelte er etwas, das wie »Touristenstein« klang, ehe er das Beweisstück wieder eintütete und an Inger Hansson zurückgab. Dann erhob er sich von seinem Stuhl. »Ich müsste mal austreten.«

»Dritte Tür links«, informierte ihn Inger Hansson.

»Danke.« Seine Hand bewegte sich zu seiner Hemdtasche, und Vibeke konnte gerade noch sehen, wie er darin nach der Zigarettenpackung fingerte, ehe er aus der Tür verschwand.

Flensburg, Deutschland

Es war kurz vor dreiundzwanzig Uhr, als Vibeke die Tür zu ihrer Altbauwohnung aufschloss. Die Rückfahrt von Helsingborg nach Flensburg hatte an die fünf Stunden gedauert, und sie fühlte sich vollkommen ausgelaugt. Dabei hätte sie noch kurz zuvor am liebsten direkt im GZ weitergearbeitet, doch Rasmus, der bereits im Vorfeld für eine Übernachtung in Helsingborg plädiert hatte, hatte umgehend sein Veto eingelegt. Genauso Frank Liebermann.

Vibeke wusste, dass ihre Kollegen recht hatten und ihnen allen eine Pause guttun würde. Der Fall wurde mit jedem neuen Opfer komplizierter und undurchsichtiger, und der Druck der Öffentlichkeit und auch aus den eigenen Reihen immer stärker. Neben dem Flensburger Polizeichef hatte sich jetzt auch der Innenminister eingeschaltet, wie ihr Kriminalrat Petersen am Telefon mitgeteilt hatte, und die Behörden in Kopenhagen waren ebenfalls alarmiert.

Nur Rasmus zeigte sich diesbezüglich völlig unbeeindruckt. Offenbar hatte er vor, weiterhin sein eigenes Ding durchzuziehen, etwas, das sie schier rasend machte. Dabei war sie kurz davor gewesen, einen Schritt auf ihn zuzugehen.

Vibeke atmete tief durch und schob den Gedanken an ihren Kollegen beiseite. Sie musste dringend schlafen, um wieder einen klaren Kopf zu bekommen.

Sie streifte ihre Schuhe ab und hängte ihre Jacke an die Garderobe. Auf der Kommode blinkte die Nachrichtenanzeige ihres Festnetztelefons. Einen kurzen Moment hoffte sie, dass Claas angerufen hatte, doch es war nur eine Mitteilung ihres Bankberaters, der um Rückruf bat. Vermutlich wollte er ihr wieder einmal einen unnötigen Vertrag oder eine Versicherung aufschwatzen. Sie löschte die Nachricht und zog ihr Handy aus der Jacke an der Garderobe. Keine neuen

Nachrichten. Vibeke rief ihre Kontakte auf, und für einen Moment schwebte ihr Finger über dem Namen von Claas, dann legte sie das Handy auf die Kommode und steuerte die Küche an, um sich ein Bier aus dem Kühlschrank zu holen. Anschließend ging sie im Schlafzimmer die Metalltreppe zur Dachterrasse hinauf.

Dichte Wolken hingen am Himmel, und eine frische Brise fegte von der Förde an Land. Augenblicklich begann sie in ihrer dünnen Bluse zu frösteln. Doch zumindest regnete es nicht. Vibeke nahm einen Schluck Bier und genoss einen Moment die Stille.

Ihre Gedanken wanderten eine Woche zurück, als sie an der gleichen Stelle des Geländers gestanden hatte, ebenfalls mit einer Flasche Bier in der Hand. An dem Tag war die Leiche von Lennard Friedrichs identifiziert worden und Eva-Karin Holm noch am Leben gewesen.

Es schien Lichtjahre her zu sein. Sie fragte sich, ob sie den Mord an der Vizepolizeiinspektorin hätten verhindern können, und ging in Gedanken die einzelnen Ermittlungsschritte durch, konnte aber keinen Fehler erkennen. Die Geschehnisse waren nicht vorhersehbar gewesen. Der Täter war ihnen stets einen Schritt voraus. Was war das für ein Mensch, der mit so viel Grausamkeit und Brutalität bei seinen Morden vorging? Jemand, der gerne tötete und Befriedigung dabei verspürte, seine Bösartigkeit auszuleben? Ein Psychopath? Das war vermutlich zu einfach gedacht. Die meisten Psychopathen waren keine Killer.

Das letzte Opfer kam ihr in den Sinn. Erik Lindqvist. Ihm war fast jeder einzelne Knochen im Körper gebrochen worden. Das zeugte von abgrund-tiefem Hass. Oder von ungeheurer Wut. Sie war sich plötzlich sicher, dass es bei der Motivation des Täters um mehr ging als um reine Mordlust. Doch weshalb wählte er unterschiedliche Todesarten aus?

Vibeke schlang die Arme um ihren Oberkörper und starrte in die Dunkelheit. Was würde passieren, wenn sie den Täter nicht bald stoppten? Wer würde das nächste Opfer sein?

Flensburg, Deutschland

Ivonne wälzte sich im Bett. Der drohende Rechtsstreit mit Gernold machte ihr zu schaffen. Sie hatte einen Beratungshilfeschein für die anwaltliche Erstberatung beim Amtsgericht beantragt, wodurch ein Großteil der Kosten von der Landeskasse übernommen wurde. Zudem war sie über ihren Schatten gesprungen und hatte ihre Eltern aufgesucht, um sie darüber in Kennt-nis zu setzen, dass Gernold das alleinige Aufenthalts-bestimmungsrecht für Lea beantragt hatte. Natürlich hatte sie zunächst die übliche Litanei ihrer Mutter über sich ergehen lassen müssen.

»Du hättest ihn nicht verlassen dürfen«, war das Erste, was diese missbilligend von sich gegeben hatte, als sie von den Neuigkeiten erfahren hatte. Wie gewöhnlich hatte Ivonne ihre Mutter darauf hingewiesen, dass Gernold sie betrogen hatte, als sie im neunten Monat schwanger gewesen war. Was ihre Mutter jedoch mit einem lapidaren »Aber er hat es doch bereut« weggewischt hatte, als wäre damit das Verhalten ihres Beinahe-Schwiegersohns entschuldigt, ehe sie ein anklagendes »Wegen eines einzigen Fehltritts hast du dein ganzes Leben weggeschmissen« hinterhergeschoben hatte.

Dies war für gewöhnlich der Zeitpunkt, an dem Ivonne ihrer Mutter entgegenschleuderte, dass sie die Entscheidungen für ihr Leben noch immer selbst traf und nicht irgendwelchen Konventionen folgte, nur weil andere das von ihr erwarteten. Dass sie ganz gut alleine klarkam. Doch an diesem Tag hatte sie ihren Stolz hinuntergeschluckt, sich die schier endlosen Vorwürfe ihrer Mutter angehört, bis es schließlich selbst ihrem Vater zu bunt geworden war. Mit einem einzigen »Schluss jetzt, Monika« hatte er seine Frau zum Schweigen gebracht und seine Tochter im geschäftsmäßigen Ton danach gefragt, ob sie Geld brauchte. Ivonne hatte verneint und ihn stattdessen um den Kontakt zu einem seiner Skatfreunde gebeten, einem Anwalt für Familienrecht, von dem ihr Vater oftmals als Haifisch sprach. Den Spitznamen hatte ihm nicht nur seine Spielweise beim Skat eingebracht, sondern vor allem sein Vorgehen bei Gerichtsprozessen. Er war bekannt dafür, gut getarnte rechtliche Köder zu erkennen, Fangleinen zu meiden und seine Beute am Ende zielgerichtet zu erlegen. Genau das richtige Kaliber, um gegen Gernold vor Gericht zu bestehen. Ihr Vater hatte versprochen, seinen Skatfreund umgehend anzurufen, und ihr beim Abschied noch einen Zettel mit den Kontaktdaten des Anwalts in die Hand gedrückt.

Ivonne wälzte sich noch ein paar weitere Minuten im Bett herum, dann stand sie auf, um sich in der Küche ein Glas Wasser zu holen. Im Vorbeigehen warf sie einen Blick durch die halb offen stehende Kinderzimmertür. Lea schlummerte in ihrer rosa Einhorn-Bettwäsche tief und fest. Das Wochenende würde sie bei ihrem Vater verbringen. Er hatte Lea einen Hund versprochen, und ihre Tochter redete von nichts anderem mehr. Ivonne wurde schwer ums Herz.

In der Küche angekommen, nahm sie ein Glas aus dem Schrank und schenkte sich Leitungswasser ein. Während sie trank, warf sie einen Blick aus dem Fenster zur Straße hinunter.

In der Dunkelheit sah sie eine Zigarette glimmen. Ein kleiner roter Punkt in der Nacht. Jemand stand dort und rauchte.

Ivonne kniff die Augen zusammen, doch sie konnte kaum mehr als Umrisse erkennen. Der Bernsteinmörder, schoss es ihr durch den Kopf. Gänsehaut überkam sie. Im nächsten Moment lachte sie auf. Eine erwachsene Frau, die sich von einem Zeitungsbericht verrückt machen ließ. Sie wurde tatsächlich langsam paranoid. Wer sollte ihr schon etwas tun wollen?

Ivonne leerte ihr Wasserglas und ging noch einmal zur Toilette, ehe sie schließlich wieder unter die Bettdecke schlüpfte. Sie schloss die Lider, doch im nächsten Moment riss sie die Augen wieder auf. Jetzt wusste sie, woran sie die Meldung über die Bernsteine erinnert hatte.

Sie knipste die Nachttischlampe an und stand auf. Ganz oben im Kleiderschrank befand sich die Kiste, in der sie ihre Erinnerungsstücke aufbewahrte. Alte Eintrittskarten, Fotos aus ihrer Schulzeit, Briefe und Post-

karten, einige von Leas gemalten Bildern, Zeitungsartikel und sonstiges Zeug, das ihr wichtig war.

Ivonne öffnete den Kleiderschrank, beförderte auf
Zehenspitzen die Kiste heraus und ließ sich damit auf
den Boden sinken. Sie klappte den Deckel auf und
durchsuchte den Inhalt.

12. Kapitel

Esbjerg, Dänemark

Rasmus stieß die Tür zur Polizeistation auf. Er war
früh auf den Beinen. Die Fahrt nach Schweden saß
ihm noch immer in den Knochen, zudem hatte er eine
unruhige Nacht hinter sich. Er hatte davon geträumt,
wie Eva-Karin in ihrem Auto verbrannte, während er
selbst von außen an der Fahrertür rüttelte, die sich
jedoch nicht öffnen ließ. Als wäre das nicht bereits
schlimm genug gewesen, war der Albtraum nahtlos
in einen anderen übergegangen, und er hatte sich auf
dem Dach eines zehnstöckigen Hochhauses wieder-
gefunden, wo er Antons Hand umklammert hielt, der
über dem Rand des Daches hing, fast dreißig Meter
über dem Asphalt. Erst als ihre Finger auseinander-
geglitten waren und sein Sohn in die Tiefe gefallen
war, war er schließlich schweißüberströmt aufge-
wacht. Danach war an Schlaf nicht mehr zu denken
gewesen.

Rasmus war müde und schlecht gelaunt, zudem
hatte er noch immer das Gefühl von beißendem
Brandgeruch in der Nase. Das Letzte, was er jetzt
gebrauchen konnte, war eine Standpauke des Grün-
schnabels. Trotzdem ließ sich das Treffen nicht länger aufschieben.

Silje saß noch nicht am Empfang, als Rasmus durch die Tür trat, stattdessen hockte dort Gunder Amundsen, ein kleiner hagerer Mann mit runzeligem Gesicht, den er noch nie hatte lächeln sehen, seit er ihn kannte.

»Hej, Gunder«, begrüßte Rasmus ihn im Vorbeigehen, doch wie immer kam keine Antwort zurück.

An der Türschwelle zu Eva-Karins ehemaligem Büro blieb er wie angewurzelt stehen. Anstelle der großformatigen Karte von Esbjerg hing jetzt ein Dutzend gerahmter Urkunden von Ironman-Wettkämpfen an der Wand. Irland. USA. Italien. Hawaii. Der Schreibtischstuhl seiner Chefin war gegen ein neueres Modell mit schwarzem Lederbezug und glänzendem Chromgestell getauscht worden, und auch das Namensschild neben der Tür hatte man ersetzt.

Kasper Saltum verschwendete offenbar keine Zeit, um sein Revier zu markieren.

Der Interimschef bediente gerade die Kapselmaschine auf der Fensterbank, eine weitere neue Errungenschaft. Wie bei ihrem letzten Zusammentreffen trug er ein tailliertes Jackett, dieses Mal in einem kräftigen Marineblau, mit passender Slim-Fit-Hose. Sein schneeweißes Hemd saß wie maßgeschneidert an seinem durchtrainierten Oberkörper.

»Nyborg! Das wurde aber auch Zeit.« Kasper Saltum setzte sich mit seiner Tasse hinter den Schreibtisch, ohne ihm einen Kaffee anzubieten.

Dort sollte ich jetzt sitzen, dachte Rasmus und war kurz davor, wieder zu gehen. Doch in dem Fall würde der Grünschnabel vermutlich seine Drohung wahr machen und ihn von dem Fall abziehen. Er musste durchhalten, wenn er sein Versprechen Eva-Karin gegenüber einlösen wollte. *Ich verlass mich auf dich, Rasmus.*

Er setzte sich auf den Besucherstuhl. »Ich sehe, du hast umdekoriert.«

»Ja.« Kasper Saltum betrachtete zufrieden die Urkunden an der Wand. »Ich dachte, es ist für alle Beteiligten am einfachsten, wenn wir direkt einen klaren Schnitt machen.« Sein Lächeln verschwand. »Ich habe deinen Bericht gelesen, Nyborg. Wir wissen beide, dass du keine Berechtigung dazu hattest, Asger Groths Wohnung ohne seine Zustimmung zu betreten. Was immer du dem Menschen von der Hausverwaltung auch erzählt hast.« Er legte die Fingerspitzen gegeneinander. »Ich hätte große Lust, ein Disziplinarverfahren gegen dich einzuleiten, aber im Moment kann ich auf keinen Ermittler verzichten. Das bedeutet aber nicht, dass die Angelegenheit damit für dich erledigt ist. Du solltest meine Geduld also nicht überstrapazieren.« Seine Augen wurden schmal. »Ich habe mich über dich erkundigt, Nyborg.« Er machte eine bedeutungsvolle Pause. »Wenn du also nicht auf meiner Abschussliste stehen willst, erwarte ich, dass du künftig an dein Handy gehst, wenn ich dich anrufe. Außerdem erstattest du mir einmal täglich Bericht. Unaufgefordert. Sollte sich eine neue Sachlage ergeben, informierst du mich künftig sofort. Keine Alleingänge mehr. Habe ich mich da klar ausgedrückt?«

Du mich auch, dachte Rasmus und nickte. »Kann ich jetzt gehen? Ich muss zur Teamsitzung nach Padborg.«

Kasper Saltum nickte. »Ich habe ohnehin gleich

einen Termin mit dem Polizeidirektor.« Er warf einen raschen Blick auf seine Armbanduhr. »Wir beratschlagen, wie wir mit der Presse verfahren bezüglich des Mordfalls in Schweden. Das ist eine Wendung, die mir Sorgen bereitet.«

Nicht nur dir, dachte Rasmus und verließ den Raum.

Er schaute kurz im Büro von Mads vorbei, doch der Ermittler saß nicht an seinem Platz.

Als er auf den Ausgang zusteuerte, saß Silje am Empfang. Wie immer trug sie Uniform, doch die hellblonden Haare fielen ihr an diesem Morgen offen über die Schultern, dazu hatte sie ihre Augen dunkel umrandet und einen dezenten Lippenstift aufgelegt. Sie sah aus wie ein Soap-Star. Als Silje ihn entdeckte, lächelte sie.

»Hej, Rasmus. Wie geht es dir?«

Er fuhr sich mit der Hand in den Nacken. »Ist gerade ein bisschen viel im Moment.«

Silje nickte verständnisvoll. »Kann ich irgendetwas für dich tun?«

»Das kannst du tatsächlich.« Rasmus fischte den zusammengeknüllten Zettel mit Jenny Søs Adresse aus seiner Hosentasche. »Vielleicht könntest du diese Frau für mich auftreiben.« Er strich den Zettel glatt und legte ihn auf den Tresen. »Ich muss dringend mit ihr sprechen.«

»Geht es dabei um den Mord an Eva-Karin?«

Rasmus nickte.

»Dann erledige ich das sofort.« Silje langte nach dem Stück Papier.

»Danke, Silje, du bist die Beste. Ich muss jetzt nach

Padborg, aber du erreichst mich auf dem Handy.«
Rasmus verließ das Polizeigebäude und steuerte auf
seinen VW-Bus zu.

Zum ersten Mal seit Tagen ließ sich die Sonne blicken.

Padborg, Dänemark

Das Team war bereits vollständig versammelt, als Vibeke im Büro der Sondereinheit eintraf. Sogar Rasmus saß schon an seinem Platz. Er sah mitgenommen
aus, unrasiert und mit schlecht sitzender, zerknitterter
Kleidung. Er war schon immer hager gewesen, doch
jetzt wirkte er regelrecht hohlwangig. Auch die Falten an Augen und Stirn waren markanter geworden.

Sie schälte sich aus ihrer Jacke und hängte sie an
der Garderobe auf.

»Wie ihr wisst, waren Frank, Rasmus und ich gestern bei den Kollegen in Helsingborg«, sagte Vibeke, sobald sie hinter dem Schreibtisch saß. Sie fasste
den vorigen Tag in wenigen Sätzen für das restliche
Team zusammen. »Das wirft ein paar unserer The-
sen über Bord. Zumindest dass der Täter nach einem
geografischen Muster vorgeht, können wir jetzt ausschließen.«

»Was sagt denn der Herr Fallanalytiker dazu?«,
fragte Rasmus. Seine Stimme troff vor Sarkasmus.

»Du weißt selbst, dass eine Fallanalyse nicht von
heute auf morgen erstellt wird«, erwiderte Vibeke kühl. Ihr war bereits aufgefallen, dass die beiden

Männer nicht besonders gut miteinander klarkamen, doch sie hatte nicht vor, sich auf eine Seite ziehen zu lassen. »Frank und sein Team sind gerade mal seit drei Tagen an Bord.«

»Die Zeitabstände zwischen den Morden«, warf Jens ein.

Vibeke sah ihn fragend an.

»Sie sind kürzer geworden«, erklärte Jens. »Zwischen dem ersten und dem zweiten Mord liegen zwölf Tage. Der dritte erfolgte fünf Tage später, und beim vierten lagen gerade mal drei Tage dazwischen.«

»Was könnte das bedeuten?« Pernille zog die oberste Schublade ihres Schreibtisches auf und holte einen Apfel heraus. »Ein Countdown?«

Jens hob die Achseln. »Vielleicht befürchtet der Täter, dass ihm die Zeit davonrennt. Ihm ist völlig klar, dass noch mehr Augen auf ihn gerichtet sind, seit er eine Polizistin ermordet hat. Vielleicht befürchtet er auch, sein Werk nicht rechtzeitig vollenden zu können.« Er rieb sich den Nasenrücken, dabei rutschte seine Brille ein Stück höher. »Was auch immer am Ende sein Ziel dabei ist.« Die Brille glitt an ihren Platz zurück.

»Wie ist das jetzt eigentlich mit dem Mord an Eva-Karin?«, erkundigte sich Luís. »Behandeln wir ihn gesondert oder zusammen mit den drei anderen Fällen?«

Vibeke zögerte. »Ich denke, wir sollten da keine Unterschiede mehr machen.«

Rasmus schüttelte augenblicklich den Kopf. »Für dich sind also zwei Täter vom Tisch?«

»Das habe ich nicht gesagt«, erwiderte Vibeke.

»Ich denke nur, dass wir uns zu sehr auf den Mord an Eva-Karin versteifen und dabei den Blick auf das Wesentliche verlieren.«

»Das da wäre?«

»Eva-Karin ist für uns kein gewöhnliches Opfer. Weil wir sie kannten und sie eine von uns war. Das bedeutet aber nicht, dass sie beim Täter den gleichen Stellenwert einnimmt. Für ihn ist die Tatsache, dass sie Polizistin war, vielleicht vollkommen bedeutungslos, und sie ist nur ein Opfer von vielen.«

Rasmus verschränkte die Arme vor der Brust.

»Und davon abgesehen«, fuhr Vibeke fort, »sind wir zu wenige Leute, um zwei Ermittlungen parallel zu stemmen. Wir verzetteln uns nur unnötig. Es gibt zu viele offene Fragen, und es werden gefühlt immer mehr.« Resignation machte sich in ihr breit. »Wir haben zum Beispiel noch immer nicht die geringste Ahnung, was es mit den Bernsteinen auf sich hat.«

»Vielleicht fragst du da mal deinen Freund«, schlug Rasmus provokant vor.

Sämtliche Augenpaare hefteten sich auf Vibeke.

In ihr begann es zu brodeln, und es fiel ihr schwer, sich zusammenzureißen. »Claas hat die Auskunft von einem Informanten.«

»Dessen Namen er selbstverständlich nicht preisgeben will«, setzte Rasmus süffisant nach.

»Kein guter Journalist tut das«, hielt Vibeke dagegen und fragte sich im selben Moment, weshalb sie Claas in Schutz nahm. Schließlich hatte sie selbst von ihm gefordert, dass er seine Quelle offenlegte.

»Du glaubst ihm also?« Ihr Kollege ließ sie nicht aus den Augen.

Vibeke fühlte sich in die Enge getrieben. »Du kannst ein richtiges Arschloch sein, weißt du das eigentlich?«

Rasmus Kiefermuskeln verhärteten sich, und eine angespannte Stille machte sich breit. Dann lachte er leise. »Das haben mir schon so einige gesagt.«

»Lasst uns weitermachen.« Jens klopfte auf einen Stapel Unterlagen. »Ich hab noch jede Menge Zeug abzuarbeiten.«

Vibeke stand auf, um sich einen Kaffee zu holen.

»Möchte noch jemand?« Sie hielt die Kaffeekanne in die Höhe.

Alle schüttelten den Kopf. Vibeke setzte sich wieder an ihren Platz.

»Ich will jetzt eigentlich nicht noch einmal in die Bernsteinkerbe hauen«, Pernille legte ihren angebissenen Apfel beiseite, »aber ich habe da etwas Interessantes entdeckt.« Sie sah zu Vibeke. »Während ihr gestern in Helsingborg wart, hat die Frau von Nohr Lysgaard zwei Kisten mit Unterlagen ihres Mannes vorbeigebracht, die noch auf dem Dachboden standen. Ziemlich altes Zeug.«

Erst jetzt bemerkte Vibeke die beiden Umzugskartons neben Pernilles Schreibtisch.

»Ich habe noch nicht alles durchgesehen«, fuhr Pernille fort, »aber dafür habe ich das hier entdeckt.« Sie hielt einen Flyer hoch. Die Farbe war ein wenig verblasst, doch im oberen Drittel zeigte ein Foto das Meer und einen Teil von einem Strandabschnitt. Darüber war in großen Buchstaben »Geführte Bernsteinwanderung« zu lesen. Weiter unten standen Datum und Uhrzeit sowie ein Treffpunkt und eine Telefonnummer für die Voranmeldung. »Ich habe mit Mille

Lysgaard gesprochen. Ihr Mann hat wohl mit seinen Kindern an dieser Bernsteinwanderung teilgenommen.«

»Der Flyer ist von 2013«, stellte Luís irritiert fest. »Weshalb bewahrt man so etwas auf?«

Pernille zuckte die Achseln. »Viele Menschen tun das. Weil sie sich gerne an bestimmte Dinge erinnern. Ich selbst habe auch so eine Erinnerungskiste. Da sind sämtliche Eintrittskarten von Konzerten oder Ausstellungen drin, die ich besucht habe. Oder diese kleinen Streichholzkärtchen, die es in Restaurants gibt.«

»Die bewahrst du doch nur auf, weil deine Bewunderinnen da ihre Nummer draufschreiben«, neckte Søren sie.

Pernille ließ für einen kurzen Moment ihre Zahnlücke aufblitzen, dann wurde sie wieder ernst. »Das Interessante daran ist allerdings nicht die Veranstaltung an sich, sondern wer sie durchgeführt hat. Ich habe die Telefonnummer auf dem Flyer angerufen.« Sie machte eine bedeutungsvolle Pause. »Sie gehört Jon Bjørndahl.«

Søren pfiff durch die Zähne. Sein Blick ging zu Rasmus. »Das ist doch dieser Bernsteinfreak, bei dem du warst.«

Rasmus nickte. »Der Typ ist ziemlich schräg. Wohnt mit seinen Bernsteinen mitten im Wald. Und sogar recht luxuriös. Hätte nicht gedacht, dass sich mit dem Zeug so viel Geld verdienen lässt.«

»Ich hab mich ein wenig schlaugemacht«, sagte Jens. »Vor ein paar Jahren gab es einen regelrechten Boom auf Bernsteine, als die Chinesen den Markt aufgemischt haben. Zum Teil lag der Handelswert sogar höher als der Goldpreis. Wenn man da die richtigen Stücke an den richtigen Mann gebracht hat, konnte man sich eine goldene Nase verdienen. Das hat natürlich auch reichlich Kriminelle angelockt.« Er lächelte grimmig. »Illegale Grabungen, bei denen Bernsteine aus dem Boden gespült und weitertransportiert werden. Im Ravmuseet, dem früheren Bernsteinmuseum in Oksbøl, wurde 2014 sogar eingebrochen, und Ausstellungsstücke wurden gestohlen. Und ob ihr's glaubt oder nicht, in der Ukraine existiert sogar eine Bernsteinmafia. Da werden ganze Landstriche in Mondlandschaften verwandelt. Die Mafia kontrolliert das Geschäft, und die Behörden schauen weg, weil Schmiergelder fließen. Es ist eine riesige Sauerei.«

Vibeke nippte nachdenklich an ihrem Kaffee. »Vielleicht lohnt es sich, Jon Bjørndahl genauer unter die Lupe zu nehmen. Pernille, hast du seinen Namen schon durch die Datenbank gejagt?«

»Gleich nachdem ich die Sache mit der Bernsteinwanderung entdeckt habe. Es liegt nichts gegen ihn vor, noch nicht mal ein Strafzettel wegen Falschparken.«

Vibeke wandte sich an Rasmus. »Hattest du Jon Bjørndahl bei eurem Treffen auf Nohr Lysgaard angesprochen?« Sie hörte selbst den unterkühlten Ton in ihrer Stimme.

»Er hat gesagt, dass er ihn nicht kennt.« Rasmus kratzte sich am Kinn. »Aber die beiden wohnen nicht weit auseinander. Es könnte also durchaus sein, dass Jon Bjørndahl gelogen hat. Er schien mir ohnehin ein wenig nervös zu sein.«

»Kannst du später noch einmal bei ihm vorbeifahren und ihm auf den Zahn fühlen?«

Rasmus nickte.

Vibeke tippte mit dem Kugelschreiber auf ihre Schreibtischunterlage. »Gibt es etwas Neues über Liam Holm?«

»Ich habe mich ein wenig umgehört«, sagte Søren. »Um sein Lokal steht es wohl nicht zum Besten. Offenbar hat er Probleme mit dem Personal. In den einschlägigen Bewertungsportalen war zu lesen, dass nicht nur der Service, sondern auch die Qualität des Essens nachgelassen hat. Dementsprechend sind die Gäste ausgeblieben.« Er lehnte sich in seinem Schreibtischstuhl zurück und verschränkte die Hände hinter dem Kopf. »Dann gab es wohl noch einen Wasserschaden in der Wohnung über dem Restaurant. Das Wasser drang über die Versorgungsschächte ins Erdgeschoss, unter anderem in die Küche und die Vorratsräume des Restaurants. Sie mussten vorletzte Woche schließen. Der Schaden beziffert sich im hohen fünfstelligen Bereich, und bislang ist noch nicht klar, welche Versicherung zahlt. Liam Holm steht das Wasser wortwörtlich bis zum Hals.«

»Während seine Frau auf bestem Weg war, stellvertretende Polizeidirektorin von Esbjerg zu werden«, kommentierte Rasmus trocken.

»Was sagt denn Kasper dazu?«, erkundigte sich Vibeke. »Er wollte doch Liam Holm zur Vernehmung vorladen.«

Rasmus hob abwehrend die Hände. »Da musst du ihn schon selbst fragen. Ich sollte mich da schließlich raushalten.«

Vibeke seufzte. »Gibt es etwas Neues über Asger Groth?«

»Die interne Fahndung läuft.« Luís trank einen Schluck Wasser. »Aber es scheint, als hätte ihn der Erdboden verschluckt. Vielleicht sollten wir mit der Fahndung an die Öffentlichkeit gehen.«

»Und ihn damit unnötig aufscheuchen?« Rasmus schüttelte den Kopf. »Ich möchte erst noch einer anderen Spur nachgehen. Es gibt da eine Frau, Jenny Sø, die hat ihn während der Haftzeit regelmäßig besucht. Leider war sie nicht zu Hause, als ich sie vorgestern Abend unter ihrer Wohnadresse aufgesucht habe.«

»Vielleicht ist sie mit Groth zusammen«, erwiderte Luís.

Rasmus runzelte die Stirn. »Möglich.«

Vibeke wandte sich an Jens. »Was mir gerade noch einfällt. Ich habe mit Inger Hansson vereinbart, dass sie dir die Berichte und Befragungsprotokolle im Fall Erik Lindqvist zukommen lässt. Vielleicht gibt es Überschneidungen mit den anderen Opfern.«

Ihr Kollege verzog das Gesicht. »Ich hab ja nicht schon genug zu tun.« Er klopfte auf den Stapel Unterlagen.

»Ich habe später einen Termin mit Petersen«, sagte Vibeke. »Bei der Gelegenheit bitte ich ihn, dass wir Michael Wagner zur Unterstützung bekommen. Aber jetzt sollten wir dringend überprüfen, ob Eva-Karin durch ihren Job beim Rauschgiftdezernat auf irgendeine Weise in Berührung mit den Opfern gekommen ist.«

»Bei Nohr Lysgaard konnten wir keine Verbindung zu Drogen finden«, stellte Rasmus klar.

»Das heißt aber nicht, dass es keine gibt.«

Ihr Kollege antwortete nicht, stand stattdessen auf und langte nach seiner Jacke.

»Du willst gehen?« Vibeke sah ihn entgeistert an.

»Wir haben doch soweit alles besprochen«, erwiderte Rasmus grimmig. »Ich fahre jetzt jedenfalls Jon Bjørndahl einen Besuch abstatten, genau wie du es gerade vorgeschlagen hast.«

Vibeke schluckte die Bemerkung, die ihr auf der Zunge lag, herunter. Es nutzte niemandem, wenn sie hier einen privaten Kleinkrieg führten. Am Ende schadete es nur den Ermittlungen. »Nimm Søren mit. Besser, ihr seid zu zweit, sollte sich Jon Bjørndahl als verdächtig entpuppen.« Sie selbst hatte nicht die geringste Lust, neben dem Dänen im Auto zu sitzen. Auch ihre Geduld hatte schließlich Grenzen.

Rasmus wandte sich an Søren. »In zehn Minuten auf dem Parkplatz?«

Der Ermittler nickte.

Ohne Vibeke eines weiteren Blickes zu würdigen, verließ Rasmus den Raum.

Henne Strand, Dänemark

Asger ließ die Finger über den Pistolenlauf bis zur Mündung gleiten. Das Magazin hatte Platz für siebzehn Patronen. Zwei fehlten bereits.

Nichts war so gelaufen, wie er es geplant hatte. Jenny, die dumme Kuh, hatte ihm einen Strich durch die Rechnung gemacht. Ihm entfuhr ein Stöhnen bei dem Gedanken, was sich zwischen ihnen abgespielt hatte. Jetzt hockte er mächtig in der Scheiße. Mit Sicherheit lief bereits eine Fahndung nach ihm. Es war ihm nichts anderes übrig geblieben, als unterzutauchen.

Er brauchte dringend einen neuen Plan. Am besten haute er einfach ins Ausland ab. Nach Schweden. Oder nach Deutschland. Vielleicht konnte er sich auch auf eines der Containerschiffe in Esbjerg schmuggeln. Hauptsache, er war erst mal weg.

Natürlich blieb ihm noch die Möglichkeit, sich freiwillig zu stellen und reinen Tisch zu machen. Doch die Bullen würden ihm seine Geschichte niemals abkaufen, das hatten sie schon beim ersten Mal nicht getan. Sie würden ihn direkt zurück in den Knast befördern. Ehe das geschah, verpasste er sich lieber eine Kugel in den Kopf.

Asger ließ den Blick durch den Raum schweifen.

Zumindest hatte er es hier gemütlich. Das Haus war ein wenig in die Jahre gekommen, doch es war sauber und gut ausgestattet. Drei Schlafzimmer, zwei Bäder, ein großer Wohnraum mit offener Küche, sogar ein Kamin war vorhanden. Allerdings traute Asger sich nicht, ihn anzuzünden. Der Rauch könnte seine Anwesenheit verraten.

Früher oder später musste er ohnehin wieder abhauen. Seine Vorräte gingen zur Neige, und er ärgerte sich, dass er seine Wohnung Hals über Kopf verlassen und nur das Nötigste mitgenommen hatte. Eine halbe Packung Nudeln und ein paar Scheiben Toast waren das einzig Essbare, was noch übrig war, ansonsten gab es nur Leitungswasser.

Er überlegte, ob er es riskieren konnte, in den nahen Supermarkt zu gehen, um sich mit neuen Lebensmitteln einzudecken, doch womöglich kursierten bereits Fotos von ihm im Netz. Jemand könnte ihn erkennen und die Bullen rufen.

Der Wind pfiff ums Dach, und das darunter liegende Gebälk knarzte und ächzte. Draußen ging eine Frau mit ihrem Hund vorbei.

Instinktiv duckte er sich, damit sie ihn nicht durch die Scheiben sah.

Morgen früh, dachte Asger, wenn es noch dunkel ist, da haue ich ab. Entschlossen verstärkte er den Griff um seine Waffe.

Ho, Dänemark

Rasmus warf einen Blick in den Rückspiegel. Jon Bjørndahl stand vor seinem Haus und sah ihnen mit unbeweglicher Miene hinterher. Am Ende seines Grundstücks erhoben sich die Bäume dunkel am Waldrand.

Der Bernsteinexperte hatte ausgesagt, sich an Nohr Lysgaard und seine Kinder bei einer seiner Bernsteinwanderungen nicht erinnern zu können, was angesichts der langen Zeitspanne nicht völlig abwegig schien. Doch es war etwas am Verhalten des Mannes gewesen, das Rasmus erneut stutzig gemacht hatte. Jon Bjørndahls Nervosität ging weit über das normale Maß hinaus. Für ihn war klar, dass der Bernsteinmann etwas zu verbergen hatte. Zudem hatte er kein

Alibi. Er hatte angegeben, zu allen Tatzeiten allein zu Hause gewesen zu sein, nur am Abend, an dem Eva-Karin ermordet worden war, hatte er an einer Veranstaltung im Tirpitz-Museum teilgenommen. Doch unabhängig davon, welches Motiv sollte der Mann haben, vier Menschen zu töten?

»Ein komischer Kauz«, kam es von Søren auf dem Beifahrersitz.

»Stimmt«, pflichtete ihm Rasmus bei, ohne den Blick von der Straße zu nehmen.

»Ich frage mich, weshalb der uns nicht in sein Haus gelassen hat. Ihm muss doch klar sein, dass er sich schon allein deshalb verdächtig macht.« Søren schüttelte den Kopf. »Irgendwas stimmt da nicht.«

Rasmus hatte bereits ganz ähnliche Gedanken gehabt. Trotzdem war niemand verpflichtet, der Polizei Zutritt zu gewähren, solange kein offizieller Beschluss vorlag.

Er setzte den Blinker und bog in den Tane Hedevej, der Ho mit Blåvand verband. Die Sonnenstrahlen vom Morgen waren verschwunden, stattdessen türmten sich unheilvolle Wolken am schiefergrauen Himmel und kündigten Regen an. Blätter wirbelten durch die Luft und verfingen sich an der Windschutzscheibe seines Bullis im Scheibenwischer.

Die Baumreihen entlang der Straße lichteten sich und gingen in eine raue Heide- und Dünenlandschaft über. Irgendwo dahinter lagen der Strand und das Meer.

Wenige Minuten später ragten rechter Hand der Fahrbahn festungsartige Betonwände schwergewichtig aus den Sandhügeln heraus. Die noch aus dem Zweiten Weltkrieg stammende und nie vollständig fertiggestellte Bunkeranlage war ein Überbleibsel des Atlantikwalls und erst vor wenigen Jahren durch einen unterirdischen Gang mit dem neuen Tirpitz-Museum verbunden worden. Dabei handelte es sich um einen modernen Gebäudekomplex aus Beton, Stahl und Glas, der überwiegend ins Erdreich gebettet war und sich mit seinen mit Strandroggen bepflanzten Dächern auf natürliche Weise der Dünenlandschaft anpasste. Auf vier Ausstellungsflächen konnten sich die Besucher auf eine interaktive Zeitreise mit multimedialer Inszenierung durch die Region begeben. Neben Ausstellungen über die Bunker des Atlantikwalls und die Zeit der einheimischen Bevölkerung während des Naziregimes wurde im Museum auch die Geschichte der Westküste erzählt; zudem beherbergte es eine der beeindruckendsten Bernsteinsammlungen Westeuropas. Auch die historische Bunkeranlage konnte besichtigt werden.

Rasmus stellte den Bulli auf dem Besucherparkplatz ab, auf dem etwa zwei Dutzend Autos standen.

»Hier wollte ich schon immer mal mit den Kindern hin«, murmelte Søren, während sie dem geschwungenen Weg durch die Dünenlandschaft bis zum Bunker folgten. Neben ihnen reihten sich die Reste alter Kanonenrohre den Weg entlang.

In der vor ihnen liegenden Düne tat sich eine Schneise auf. Eine Rampe aus hellgrauen Sichtbetonelementen und Kanten aus Cortenstahl führte in einen tiefergelegten Lichthof zum Eingang des Museums. Die Fassaden waren hier dunkel verglast.

Hinter der Tür gelangten sie über eine Stahltreppe zum Kassentresen, an den direkt ein kleines Café angrenzte. Ein diagonaler Treppenlauf führte zum Foyer einer unteren Ebene, wo sich offenbar die Ausstellungsräume befanden, zumindest liefen dort einige Besucher herum, die sich digitale Audiogeräte ans Ohr hielten.

»Hej«, begrüßte sie eine junge Blondine mit Pferdeschwanz an der Kasse. Sie lächelte freundlich. »Zwei Tickets?«

»Vielleicht ein anderes Mal.« Rasmus legte seinen Dienstausweis auf den Tresen. »Jetzt benötigen wir eine Auskunft. Kennst du einen Jon Bjørndahl?«

Die Blondine tauschte einen bedeutsamen Blick mit ihrer Kollegin, einer zierlichen Brünetten, hinter der Kaffeebar. »Jeder hier kennt Jon. Er kommt oft hierher. Weshalb fragst du?«

»Wir müssen wissen, ob er sich am Sonntagabend hier aufgehalten hat.«

»Sonntag?« Die Kassiererin sah erneut ihre Kollegin an. »Sara, warst du an dem Tag hier?«

Die Barista nickte. »Da war doch der Veranstaltungsabend über Dänemarks größte Bernsteinfunde.«

»Und Jon Bjørndahl war dabei?«, erkundigte sich Rasmus.

Sie lächelte und entblößte dabei ein Piercing an ihrem Lippenbändchen. »Er war der Referent.«

»Wann genau fand die Veranstaltung statt?«

»Von 18.00 bis 19.30 Uhr, außerhalb der Öffnungszeit.«

Rasmus sah auf ihr Namensschild. Sara Hansen. Er steckte den Dienstausweis wieder ein, zog stattdessen sein Handy aus der Hosentasche und zeigte den jungen Frauen ein Foto von Nohr Lysgaard.

»Habt ihr den Mann schon einmal gesehen?«

Die beiden steckten die Köpfe über dem Handy zusammen.

»Das ist doch der Typ, den sie in Esbjerg umgebracht haben«, sagte die blonde Kassiererin. »Sein Foto wurde in den Nachrichten gezeigt. Nohr …« Sie suchte nach dem passenden Nachnamen.

»Lysgaard«, half ihr Søren auf die Sprünge. »Er hat in der Nähe ein Ferienhaus.«

»Ich kann mich nicht daran erinnern, ihn schon einmal getroffen zu haben.«

Auch ihre Kollegin schüttelte den Kopf.

»Könnt ihr mir noch etwas zu Jon Bjørndahl erzählen?«, fragte Rasmus. »Weshalb kommt er so oft hierher?«

»Jon sieht sich gerne die Bernsteinsammlung an. Da sind ein paar außergewöhnliche Fundstücke dabei.«

»Der Typ ist ein Freak«, rutschte es der Barista heraus. Rasmus tauschte einen schnellen Blick mit Søren. Hier würden sie nichts Neues erfahren. Er klopfte auf den Tresen. »Danke, das war's auch schon. Wobei«, er sah Sara an, »machst du uns bitte zwei Kaffee zum Mitnehmen?«

»Natürlich.«

»Und ein Sandwich mit Hähnchen und Speck«, schob Søren hinterher.

»Auch das.« Sie ließ erneut ihr Lippenbändchen-Piercing aufblitzen.

Rasmus hatte gerade bezahlt, als sein Handy klingelte. Mit dem Smartphone am Ohr nahm er die Stahltreppe zum Ausgang.

Eine Frau meldete sich. »Hier ist Jenny Sø.« Ihre Stimme zitterte ein wenig. »Ich sollte dich anrufen.«

Varde, Dänemark

Eine halbe Stunde später hielten sie im rund dreißig Kilometer entfernten Varde vor einem kleinen Spitzgiebelhaus mit roter Klinkerfassade.

Auf Sørens Klingeln hin bewegte sich die Gardine am angrenzenden Fenster. Kurz darauf wurde die Tür von einer zierlichen Frau mit dunklen Haaren geöffnet. Sie trug Jeans und einen dicken Strickpullover, in dem sie förmlich zu versinken schien, und hatte etwas Verhuschtes an sich. Rasmus schätzte ihr Alter auf Mitte dreißig.

»Rasmus Nyborg und Søren Molin von der Sondereinheit GZ Padborg«, stellte er sich und seinen Kollegen vor. Sie hielten der Frau ihre Dienstausweise zur Betrachtung hin. »Haben wir vorhin telefoniert?«

»Ja. Ich bin Jenny.« Sie ließ die beiden Kriminalbeamten eintreten. Ehe sie die Tür wieder schloss, glitt ihr Blick die Straße entlang. »Am besten, wir gehen in die Küche.«

Der Flur war hell und freundlich gestaltet. Weiße Wände und weiße Türen, der Fliesenboden war im Schachbrettmuster verlegt. Farbenfrohe gerahmte Illustrationen im Bauhausstil setzten Farbakzente. Aus dem oberen Stockwerk tönten die dumpfen

Bässe eines Popsongs und mischten sich mit Kinderstimmen. Auch die Küche war überwiegend in Weiß gehalten. Am Kühlschrank hingen Postkarten und Familienfotos. Auf keinem davon war Jenny Sø zu sehen.

»Wem gehört das Haus?«, fragte Rasmus, nachdem sie die Personalien der Frau aufgenommen hatten.

»Einer Freundin. Sie ist gerade mit ihrer Familie im Urlaub und hat erlaubt, dass wir hier zwischenzeitlich unterkommen.«

»Weshalb?«, fragte Søren. »Ich meine, warum wohnt ihr hier und nicht bei euch zu Hause?«

Jenny Sø senkte den Blick.

Sie hat Angst, schoss es Rasmus durch den Kopf.

»Wir sind auf der Suche nach Asger Groth«, sagte er und bemerkte, wie sich die zierliche Frau augenblicklich versteifte. »Weißt du, wo er sich zurzeit aufhält?«

Sie schüttelte den Kopf.

»Aber du hast ihn in den letzten Jahren regelmäßig im Gefängnis besucht, oder?«

»Das stimmt.« Jenny Sø nestelte an ihrer Armbanduhr. »Anfangs haben wir uns nur geschrieben. Sein Foto hatte mir gefallen. Er sah gut aus.« Ein trauriges Lächeln huschte über ihre Lippen. »Und er schrieb ewig lange Briefe. Welcher Mann tut das heutzutage noch?« Es war eine rein rhetorische Frage, denn sie sprach bereits weiter. »Asger schrieb viel über seine Kindheit. Die Brutalität seiner Mutter, ihre Lieblosigkeit. Wie einsam und verzweifelt er war.« Sie strich sich eine Haarsträhne hinters Ohr. »Ich hatte Mitleid.

Irgendwann fragte Asger, ob ich ihn vielleicht mal besuchen käme. Und das habe ich dann getan.«

»Du wusstest, weshalb er im Gefängnis saß?«

Jenny Sø nickte. »Asger hat es mir in einem seiner Briefe gestanden. Aber er sagte, er hätte die Frau nicht umgebracht. Dafür wäre er viel zu betrunken gewesen. Er könne sich an nichts erinnern und hätte auch nie eine Waffe besessen.« Ein trauriges Lächeln zog über ihre Lippen. »Niemand hat ihm geglaubt. Außer mir.« Sie sah Rasmus an. »Ich finde, jeder Mensch hat eine zweite Chance verdient.«

Rasmus neigte dazu, ihr zuzustimmen, aber nicht, was Asger Groth betraf. Man hatte bei seiner Festnahme tatsächlich Alkohol in seinem Blut gefunden, doch die Konzentration hatte gerade mal bei 0,5 Promille gelegen. Da ließen zwar in der Regel Reaktionsfähigkeit und Sehvermögen nach, doch von einem kompletten Filmriss war man damit meilenweit entfernt. Es war seine Masche gewesen, um die alleinerziehende Mutter einzuwickeln, was ihm offenbar gelungen war. Ein weiterer Beweis seiner Kaltblütigkeit.

»Hast du Asger getroffen, nachdem man ihn aus der Haft entlassen hat?«

Jenny Sø schob die Ärmel ihres Wollpullovers hoch. »Er hat ein paarmal angerufen und wollte mich sehen. Aber ich war mir nicht sicher.« Erneut wich sie seinem Blick aus. »Meine Töchter, was, wenn er …« Der Rest des Satzes blieb in der Luft hängen.

»Du hattest Angst, dass er die Frau vielleicht doch umgebracht haben könnte«, sagte Søren mitfühlend.

»Ja«, flüsterte Jenny Sø kaum hörbar. »Die Situ-

ation war mit einem Mal völlig anders als im Gefängnis. Ich war komplett überfordert. Wenn es nur
um mich alleine ginge … Aber ich trage ja die Verantwortung für meine Töchter.« Sie hielt einen kurzen
Moment inne. »Und vor ein paar Tagen stand Asger
dann vor meiner Tür.«

»Wann war das?«

»Am Montag.«

Rasmus tauschte einen raschen Blick mit Søren. Ein
Tag nach dem Mord an Eva-Karin. Mit einem Schlag
kehrte seine Anspannung zurück. »Was wollte er?«

Jenny Sø sagte lange Zeit nichts; gerade als er seine
Frage erneut stellen wollte, antwortete sie schließlich.

»Mich wiedersehen, damit wir endlich die Gelegenheit bekommen, uns richtig kennenzulernen. Er hat
mir sogar Blumen mitgebracht.« Sie starrte auf einen
imaginären Punkt auf der Tischplatte. »Die Mädchen
waren noch in der Schule, und wir …« Sie lief knall-
rot an. »Es lief jedenfalls viel besser, als ich erwartet
hatte. Asger kann sehr charmant sein.« Sie hob den
Blick. »Aber dann verlangte er plötzlich, dass ich der
Polizei sage, er wäre am Sonntag bei mir gewesen,
falls sie danach fragt.«

Schlagartig richtete Rasmus sich auf. »Er wollte ein
Alibi von dir?«

Jenny Sø nickte. »Als ich mich weigerte, ist er sauer
geworden.« Tränen stiegen ihr in die Augen. »Es war
schrecklich.«

Was hat sie erwartet, dachte Rasmus. Der Mann
war ein verurteilter Mörder. Es fiel ihm schwer, angesichts ihrer Naivität nicht den Kopf zu schütteln. »Ist
er handgreiflich geworden?«

»Nein, aber er hat mir gedroht.« Sie wurde eine Spur blasser im Gesicht. »Er sagte, wenn ich meinen Mund nicht halte, macht er mich fertig. In der Nacht habe ich dann ein paar Sachen zusammengepackt und bin mit den Mädchen hierher.« Jetzt liefen ihr die Tränen die Wangen hinunter. Søren reichte ihr ein Taschentuch.

Rasmus wartete mit der nächsten Frage, bis sich die Frau halbwegs wieder beruhigt hatte. »Für wann genau brauchte Asger das Alibi am Sonntag?« Er ahnte die Antwort bereits.

»Für den Abend«, erwiderte Jenny Sø prompt. »Er sagte, man wolle ihm etwas anhängen. Genau wie die Sache, wegen der er im Gefängnis gelandet ist.«

»Aber du hast ihm nicht geglaubt?«

»Ich wollte mich nicht in etwas reinziehen lassen. Erst als Asger sauer geworden ist und mir gedroht hat, habe ich plötzlich klargesehen.« Sie schnäuzte sich die Nase mit dem Taschentuch. »Ich habe Angst bekommen. Vor allem, als ich zwei Tage später den Namen der ermordeten Polizistin in der Zeitung gelesen habe.«

Rasmus' Hals wurde trocken. »Du kanntest die Frau?«

Sie errötete. »Nein. Nur ihren Namen.«

»Woher?«, fragte er scharf. »Von Asger?«

Jenny Sø presste die Lippen zusammen.

Søren signalisierte ihm mit einer beschwichtigenden Handbewegung, Ruhe zu bewahren.

Er riss sich zusammen. »Die Polizistin war meine Chefin«, sagte er eine Spur freundlicher. »Wenn du also irgendetwas weißt, was uns weiterhelfen könnte, dann hilf uns bitte.«

Jenny Sø starrte auf ihre Hände. »Ich will nicht, dass Asger davon erfährt.«

»Das wird er nicht«, versprach Søren. »Wir behandeln deine Aussage selbstverständlich vertraulich.«

Ihr Blick flatterte, im nächsten Moment bekam ihre Miene etwas Entschlossenes. »Also gut.« Sie holte tief Luft. »Asger hat mich schon einmal um einen Gefallen gebeten. Da saß er noch im Gefängnis. Er sagte, es wäre wichtig, um seine Unschuld zu beweisen.«

»Was war das für ein Gefallen?«, hakte Søren nach, als sie nicht weitersprach.

»Ich sollte einen Brief für ihn herausschmuggeln. Er war an die Frau adressiert, die in ihrem Auto verbrannt ist.« Jenny Sø schluchzte auf. »Eva-Karin Holm.«

Rasmus sog scharf die Luft ein.

»Ich wusste ja damals nicht …«, sie brach mitten im Satz ab. »Es tut mir leid.«

Søren beugte sich vor, legte seine schaufelgroßen Hände auf den Tisch. »Es ist wichtig, dass du uns jetzt die Wahrheit sagst. Hat Asger jemals über Eva-Karin gesprochen?«

»Nein. Und ich weiß auch nicht, was in dem Brief stand.«

»Wir kennen den Inhalt«, erwiderte Rasmus brüsk. »Wo könnte sich Asger aufhalten?«

»Ich habe keine Ahnung.«

»Dann denk nach«, forderte er sie auf. »Hat er irgendwo Freunde oder Familie, bei denen er untergekommen sein könnte?«

»Nicht dass ich wüsste. Es gibt nur noch seine Ex-

Frau und die Kinder, aber sie haben keinen Kontakt mehr.«

Das stimmte. Asger Groths Ex-Frau hatte Rasmus gleich als Erstes kontaktiert. Sie war bereits vor Jahren mit den Kindern ins Ausland gezogen.

»Gibt es einen bestimmten Ort, an dem Asger häufig war?«, half ihr jetzt Søren auf die Sprünge. »Vielleicht hat er in einem seiner Briefe davon geschrieben?«

Sie schüttelte den Kopf, dann hielt sie inne. »Er hat mir mal von einem Ferienhaus erzählt, in dem er früher mit seiner Frau und den Kindern im Urlaub gewesen ist.«

»Wo ist dieses Haus?«

Jenny Sø runzelte die Stirn. »Ich bin mir nicht ganz sicher, aber ich glaube, es war Henne Strand.«

Rasmus seufzte. Henne Strand lag nördlich von Blåvand und Vejers Strand. Dort gab es mehrere Hundert Ferienhäuser, vielleicht sogar an die Tausend. Die Spur war extrem vage, zumal sich die Frau nicht einmal sicher war. Er beschloss, die Sache abzukürzen. »Danke, das hilft uns unter Umständen weiter.« Er legte seine Visitenkarte auf den Tisch. »Bitte melde dich, wenn dir noch etwas einfällt oder du von Asger hören solltest.« Sein Blick fiel aus dem Fenster. Draußen regnete es mittlerweile Bindfäden. »Kann er wissen, dass du mit deinen Kindern hier bist?«

Jenny Sø schüttelte den Kopf.

»Ich schicke trotzdem einen Streifenwagen, der regelmäßig vorbeischaut.« Er rang sich ein Lächeln ab.

»Danke.«

Die beiden Kriminalbeamten verabschiedeten sich.

»Warum tut eine Frau so etwas?«, fragte Søren, sobald sie wieder im VW-Bus saßen. »Einem Mörder Briefe schreiben?«

Rasmus kannte das Phänomen. Die Frauen fühlten sich gebraucht, und sie hatten jemanden, der ihnen zuhörte, wenn sie redeten. Viele sahen sich auch als Retterinnen. Sie hielten zu einem Mann, den alle anderen verachteten, und glaubten trotz aller Tatsachen an das Gute in diesem Menschen, hielten ihn vielleicht sogar für unschuldig. »Vielleicht fühlte sie sich einsam«, sagte er. Es war ein Gefühl, das er nur allzu gut kannte.

»Irgendwie traurig.«

Rasmus drehte den Zündschlüssel um.

Flensburg, Deutschland

Vibeke trat in ihr Büro in der Polizeidirektion. Die Luft war schal und abgestanden. Sie öffnete das Fenster. Straßengeräusche drangen zusammen mit einem Schwall kühler Luft herein. Die Bäume an der südlichen Hafenspitze waren nun vollständig kahl. Ein paar Sonnenstrahlen blitzten hinter den Wolken hervor, verfingen sich in den nackten Ästen und Zweigen wie in einem Netz.

Sie hängte ihre Jacke über den Schreibtischstuhl und warf einen Blick in ihren Eingangskorb. Eigentlich war sie nur kurz hier, um nach dem Rechten zu sehen, ehe sie ihren Termin mit Kriminalrat Petersen hatte. Sie hoffte, dass er ihrem Vorschlag, was Michael Wagner betraf, zustimmte. Die Durchsicht des ganzen Papierkrams wuchs ihnen langsam über den Kopf, und der junge Kollege konnte ihnen eine große Hilfe sein. Zumal es in der Abteilung gerade ruhig war. Natürlich hätte sie die Zustimmung ihres Vorgesetzten auch am Telefon einholen können, doch sie wollte die Gelegenheit nutzen, um mit ihm unter vier Augen über den Zeitungsartikel in der *SHT* zu sprechen. Durch den Kurztrip nach Schweden stand dieses Gespräch noch aus. Ihr war ein wenig mulmig zumute, doch was auch immer am Ende dabei rauskam, sie würde die Konsequenzen tragen.

Vibeke zog ihr Notizbuch aus der Tasche und blätterte zu dem Eintrag mit den Bernsteinen. Vielleicht legt der Mörder absichtlich eine falsche Spur, dachte sie. Um uns in die Irre zu leiten. Das wäre ihm dann gut gelungen.

Nicht zum ersten Mal kam ihr der Gedanke, der Täter selbst könnte der unbekannte Informant sein. In dem Fall wäre ihr tatsächlich sogar ein herumschnüffelnder Claas lieber.

Ein schmerzhaftes Ziehen machte sich in ihrer Magengegend breit. Es waren erst drei Tage vergangen, seit sie den traumhaften Abend mit Claas in ihrer Wohnung verbracht hatte, trotzdem schien es ihr eine halbe Ewigkeit her zu sein. Bilder stiegen vor ihrem inneren Auge auf. Ineinander verschlungene Körper auf weißem Laken. Seine nackte Haut auf ihrer.

Vibeke verbot sich jeden weiteren Gedanken. Sie durfte sich keinesfalls durch ihre Gefühle leiten lassen. Alles, was sie jetzt brauchte, waren Antworten. Kurz entschlossen griff sie nach dem Handy und wählte Claas' Nummer. Nur die Mailbox. In geschäftsmäßigem Ton hinterließ sie ihm eine Nachricht, dass sie ihn dringend sprechen müsse. Ehe sie wieder auflegte, schob sie noch schnell ein »Bitte« hinterher.

Vibeke warf einen Blick auf ihre Armbanduhr. Bis zu ihrem Termin mit Kriminalrat Petersen blieben ihr noch gut vierzig Minuten. Ausreichend Zeit für ein Fischbrötchen. Oder ihren noch ausstehenden Bericht. Letzterer gewann.

Sie hatte gerade die ersten Zeilen getippt, als ihr Handy klingelte. Søren war dran und berichtete ihr davon, wie der Besuch bei Jon Bjørndahl verlaufen war und was sie im Anschluss bei Asger Groths Bekannter Jenny Sø in Erfahrung gebracht hatten.

Die Drohbriefe stammten also tatsächlich von Asger Groth, dachte Vibeke, nachdem sie aufgelegt hatte. Rasmus hatte wieder einmal den richtigen Riecher gehabt.

Trotzdem konnte sie sich nicht dazu durchringen, ihm das persönlich zu sagen. Es standen zu viele Dinge zwischen ihnen, und sie hatte es satt, ständig auf ihn zuzugehen.

Jemand klopfte an die offen stehende Tür. Claas.

»Hej«, rief sie überrascht. »Du hättest einfach zurückrufen können.« Es klang schroffer, als von ihr beabsichtigt.

»Jetzt bin ich hier.«

»Das ist nett von dir.« Vibeke bereute augenblicklich ihre Wortwahl. Nett? Sein plötzliches Erscheinen überforderte sie offensichtlich. Zumal sie nicht verhindern konnte, dass sich ihr Herzschlag in seiner Gegenwart automatisch beschleunigte. »Komm doch bitte rein.«

»Ich hatte gerade in der Nähe zu tun, als du angerufen hast.« Claas ging zum Fenster und sah hinaus. »Was für ein Ausblick. Aus meinem Büro sieht man auf einen Hinterhof.« Er drehte sich um. »Also, was willst du so dringend mit mir besprechen?«

»Ich habe gleich einen Termin mit Kriminalrat Petersen«, sagte Vibeke und legte Nachdruck in ihre Stimme. »Ich muss wissen, von wem die Information mit den Bernsteinen stammt. Es könnte von immenser Wichtigkeit für unsere Ermittlungen sein.« Sie suchte seinen Blick.

Claas sagte nichts, drehte sich stattdessen kopfschüttelnd zum Fenster.

Vibeke starrte auf seinen Rücken. Wut kroch in ihr hoch. Weshalb antwortete er nicht einfach?

Als Claas sich schließlich wieder umdrehte, fiel sein Blick auf ihren Schreibtisch, wo ihr aufgeschlagenes Notizbuch lag.

Sie klappte es zu. »Ich habe gewusst, dass es ein Fehler war. Das mit uns. Eigentlich war mir das von Anfang an klar.«

»Es hat dich niemand dazu gezwungen«, erwiderte Claas. Ein trauriges Lächeln streifte seine Lippen. Er raufte sich die Haare. Seufzte. Sein Blick wurde dunkel. »Es war dein Mitarbeiter, von dem ich die Information habe. Klaus Holtkötter.« Damit drehte er sich um und verließ ihr Büro.

Vibeke blieb fassungslos zurück.

Rasmus griff nach der Thermoskanne und schenkte sich Kaffee nach. Er saß bereits seit über zwei Stunden an seinem Schreibtisch in der Polizeistation, hatte ein halbes Dutzend Telefonate geführt und zahlreiche Datenbanken durchforstet. In Henne Strand gab es rund achthundert Ferienhäuser, etwas weniger als ein Drittel davon waren derzeit belegt. Zweihundertzweiundfünfzig Unterkünfte, die überprüft werden mussten. Das war allein nicht zu schaffen.

Rasmus hatte Kasper Saltum telefonisch auf den neuesten Ermittlungsstand gebracht, doch der Interimschef hatte sich verhalten gezeigt, was den Verbleib von Asger Groth in Henne Strand betraf. Rasmus konnte es ihm kaum verübeln. Wie hoch war die Wahrscheinlichkeit, dass der Ex-Häftling tatsächlich in einem der Ferienhäuser hockte? Ein vager Verdacht allein reichte nicht aus, um eine ganze Mannschaft ausrücken zu lassen. Vielleicht war der Typ längst über alle Berge. Trotzdem war es die einzige Spur, die sie hatten.

Der Rückruf von der Ex-Frau, der Rasmus vor wenigen Minuten aus dem sonnigen Kalifornien erreicht hatte, brachte ihn auch nicht viel weiter. Lisa Pedersen, wie sie seit der Scheidung hieß, hatte zwar bestätigt, dass sie früher ihre Urlaube häufig in einem Ferienhaus in Henne Strand verbracht hatten, allerdings konnte sie sich weder an den Namen des Anbieters noch an die genaue Adresse erinnern. Nur dass es in der Nähe des Hjelmevejs gewesen war. Sie hatte Rasmus versprochen, nach alten Unterlagen und Fotos zu suchen, ihm aber nicht allzu viel Hoffnung gemacht, dabei fündig zu werden. Fast sämtliche Erinnerungsstücke an ihren Ex-Mann waren vor langer Zeit im Müll verschwunden. Ihre Beschreibung des Hauses war ebenfalls dürftig. Schwarze Holzfronten. Weiße Fenster. Schwarzes Dach. Eine Beschreibung, die auf den Großteil der Ferienunterkünfte zutraf.

Rasmus rief im Internet Google Maps auf und gab den Straßennamen ein. Als er das Ergebnis sah, hätte er sich fast an seinem Kaffee verschluckt. Der Hjelmevej war an die zwei Kilometer lang und zog sich durch die halbe Ortschaft, zahlreiche kleine Nebenstraßen zweigten ab, alles dicht besiedelt mit Ferienhäusern. *Na, wunderbar.*

Er gab einen Befehl in die Computertastatur ein, und der Bildschirm wechselte in den Street-View-Modus. Mit der Maus scrollte Rasmus die Straße entlang. Die Häuser ähnelten einander und unterschieden sich höchstens in der Größe oder der Fassadenfarbe. Die meisten waren schwarz.

Er ging zurück in den Kartenmodus und druckte eine Vergrößerung des Hjelmevejs samt Nebenstraßen aus. Die einzelnen Häuser waren darauf als kleine Rechtecke abgebildet. Anschließend nahm er die Listen zur Hand, die ihm die Ferienhausanbieter zugeschickt hatten, und markierte die derzeit freien Unterkünfte auf dem Ausdruck mit einem Bleistiftkreuz. Insgesamt waren es achtundsiebzig.

Rasmus wechselte ein weiteres Mal in den Street-View-Modus, fuhr virtuell ein Haus nach dem anderen ab und überprüfte die Fassadenfarbe. Es war ein mühsames Unterfangen, doch eine halbe Stunde später hatte er schließlich vierunddreißig Rechtecke mit Leuchtstift markiert.

Sein Blick glitt zum Fenster. Es war schon seit Stunden dunkel. Auch die Lichter in den Verwaltungsbüros des gegenüberliegenden Rathauses waren nahezu vollständig erloschen. Er fuhr seinen Computer herunter. Gegen eine kleine Spazierfahrt nach Feierabend hatte mit Sicherheit niemand etwas einzuwenden.

Keine zehn Minuten später lenkte er seinen VW-Bus vom Parkplatz der Polizeistation. Je weiter er sich vom Stadtzentrum entfernte, desto weniger war auf den Straßen los. Auf der Landstraße Richtung Norden kam ihm kaum noch ein Auto entgegen. Links und rechts nur Felder, zwischendrin ein paar vereinzelte Häuser, hin und wieder setzte er an einer Kreuzung den Blinker, dann wieder lange Zeit nichts. Kilometer für Kilometer.

Rasmus spürte, dass er trotz des vielen Kaffees langsam müde wurde. Er kurbelte das Seitenfenster herunter, um frische Luft hereinzulassen, und stellte das Radio an. Ein Song von Rasmus Seebacher drang aus den Boxen. Er summte leise mit, während sein VW-Bus durch die Schwärze schnitt.

Irgendwann säumten Nadelbäume den Asphalt zu beiden Seiten, ehe er in die für diesen Küstenabschnitt typische Dünenlandschaft überging.

Kurz darauf erfassten die Scheinwerfer seines Bullis das Ortsschild von Henne Strand, und sein Navi dirigierte ihn in eine Seitenstraße. Auch hier gab es keine

Straßenbeleuchtung. Die Ferienhäuser duckten sich eng zwischen die mit Heidekraut bewachsenen Hügel.

Erstmals beschlich Rasmus das leise Gefühl, dass seine nächtliche Aktion eine Schnapsidee war.

Er erreichte den Hjelmevej und bog in die nächste Abzweigung. Eines der dortigen Ferienhäuser hatte er auf seinem Ausdruck mit Leuchtstift markiert. Es lag am Ende der Sackgasse völlig im Dunkeln. Hinter keinem der Fenster schimmerte Licht.

Rasmus stellte seinen Bulli im Schutz einiger Büsche ab und stieg aus. Der Mond versteckte sich hinter dichten Wolken, und er konnte kaum die Hand vor Augen sehen. Kies knirschte unter seinen Sohlen, als er die Einfahrt hinaufging, und kündigte seine Ankunft an. Blieb nur zu hoffen, dass Asger Groth bereits schlief, sollte er sich tatsächlich in dem Gebäude aufhalten.

Er erreichte den Hauseingang. Vorsichtig spähte er durch eines der Fenster ins Innere. Es war die Küche. Alles wirkte ordentlich und aufgeräumt, nirgends standen Lebensmittel oder benutztes Geschirr herum. Er umrundete das Gebäude und wiederholte die Prozedur bei den Fenstern an der Rückseite. Hier bot sich ihm ein ähnliches Bild. Weder im Wohnzimmer noch in den angrenzenden Schlafzimmern war die Anwesenheit eines Eindringlings zu erkennen. Eine zweite Etage gab es nicht.

Der Mond trat zwischen den Wolken hervor, und er ging zurück zu seinem VW-Bus. In der Ferne ertönte Donnergrollen.

Rasmus hatte gerade das sechste Rechteck auf seiner Karte durchgestrichen, als es wie aus Eimern zu

schütten begann. Es war an der Zeit, die Aktion ab-
zubrechen.

Er fuhr zurück zur Landstraße, doch anstatt den
Rückweg nach Esbjerg zu nehmen, steuerte er seinen
Bulli kurzerhand in die Gegenrichtung. Die Uhr am
Armaturenbrett zeigte weit nach Mitternacht.

13. Kapitel

Børsmose, Dänemark

Rasmus wachte frierend in seinem VW-Bus auf. Hinter den Scheiben war es dunkel. Einen kurzen Moment wusste er nicht, wo er sich befand, dann fiel ihm alles wieder ein. Seine Recherche in der Polizeistation, die nachfolgende Suche in dem Ferienhausgebiet und schließlich seine Fahrt zum Autostrand.

Er starrte aus dem Fenster. Die Wolken hingen bleischwer über der Bucht, zum Teil so tief, als wollten sie sich auf das Dach seines VW-Busses setzen. Am kilometerlangen Strand war weit und breit kein anderes Fahrzeug zu sehen.

Rasmus gähnte. Was gäbe er jetzt für einen Kaffee. Auf der Hinfahrt hatte er am Strandzugang einen Campingplatz mit Minimarkt gesehen. Vielleicht bekam er dort einen Kaffee und mit etwas Glück auch eine Zimtschnecke dazu. Wie spät war es überhaupt? Er zog das Handy aus seiner Jeans und warf einen Blick aufs Display. Zehn vor sieben. Er hatte an die sechs Stunden geschlafen.

Er bemerkte das Icon, das den Eingang einer Fotodatei in seiner Nachrichtenbox anzeige. Lisa Pedersen hatte ihm zwei Aufnahmen geschickt. Er rieb sich mit zwei Fingern den Nasenrücken und gähnte ein weiteres Mal herzhaft, ehe er die Fotos betrachtete.

Auf dem ersten war eine jüngere Ausgabe von Asger Groth mit zwei Kleinkindern vor einem Hauseingang mit schwarz getünchter Holzfassade zu sehen, auf dem zweiten das gesamte Gebäude. Neben der Eingangstür befand sich eine Außenlampe in Form eines Leuchtturms.

Rasmus war augenblicklich hellwach. Er leitete das Foto an Luís weiter und wählte anschließend dessen Handynummer. Der Portugiese meldete sich nach dem dritten Klingeln. »Hej, Luís. Ich hoffe, ich habe dich nicht geweckt.«

»Da musst du schon ein bisschen eher kommen.« Luís lachte trocken. »Ich checke gerade die Aufnahmen der Überwachungskameras, die Helsingborg an uns weitergeleitet hat. Wo steckst du?«

Rasmus erklärte es ihm. »Ich habe dir gerade ein Foto von einem Ferienhaus geschickt. Kannst du mir bitte einen Gefallen tun und es mit den Satellitenbildern von der Gegend abgleichen?«

»Hast du einen ungefähren Standort für mich?«

»Hjelmevej.«

Er hörte, wie Luís' Finger über die Computertastatur flogen. »Das dauert ein wenig. Du hast dir nicht gerade die kürzeste Straße ausgesucht.«

»Ich weiß. Danke, Luís.« Rasmus legte auf und öffnete die seitliche Schiebetür des Bullis.

Ein Schwall frischer Luft strömte herein. Er verzichtete darauf, Schuhe und Jacke anzuziehen, schnappte sich stattdessen nur den schwarzen Hoodie und schlüpfte hinein.

Kurz darauf spürte er den feuchten Sand unter den Füßen. Rasmus reckte die Arme nach hinten und hörte, wie es in seinem Rücken knackte. Vielleicht war es an der Zeit, endlich die alte Matratze auszutauschen.

Eiskalter Wind schlug ihm entgegen und trieb ihm Tränen in die Augen, als er zur Wasserkante ging. Vor ihm tobte das Meer, brach sich in meterhohen Wellen und spülte Schaumkronen an Land.

Rasmus breitete die Arme aus, schloss für einen Moment die Augen. Zum ersten Mal seit Tagen hatte er das Gefühl, wieder frei atmen zu können.

Wenige Minuten später kletterte er völlig durchgefroren zurück auf die Ladefläche seines VW-Busses und schlang sich die Decke um die Schultern, bis ihm wieder halbwegs warm war. Anschließend machte er sich notdürftig die Füße sauber, schlüpfte in Socken und Schuhe und zündete sich schließlich hinter dem Lenkrad die erste Zigarette an.

Er startete den Bulli und rollte im Schritttempo vom Strand. Nicht mehr lange, und die Sonne würde aufgehen.

Der Campingplatz hatte geschlossen, genau wie der dazugehörige Minimarkt. Saisonende. Also gab es erst mal kein Frühstück.

Rasmus fuhr zurück nach Henne Strand. Gerade als er das Ortsschild passiert hatte, klingelte sein Handy. Es war Luís. Er setzte den Blinker und hielt am Straßenrand. Um diese Uhrzeit herrschte kaum Verkehr.

»Ich konnte die Suche auf zwei Häuser eingrenzen«, informierte ihn sein Kollege, sobald Rasmus das Gespräch angenommen hatte. »Ich schicke dir gleich die Map mit den Markierungen.«

»Großartig. Ich fahre sofort dorthin.«

»Sei vorsichtig.«

»Immer doch.« Rasmus legte auf und rief sich die Karte aufs Display, die ihm Luís geschickt hatte. Besser, er beeilte sich. Bei Tageslicht würde er in seinem Bulli nicht lange unentdeckt bleiben.

Rasmus steuerte sein Gefährt zurück auf die Straße. Keine fünf Minuten später erreichte er das erste Ferienhaus. Es lag noch im Dunkeln und sah auf den ersten Blick exakt so aus wie das auf dem Foto. Beim genaueren Hinsehen erkannte er jedoch, dass die Anordnung der Fenster nicht übereinstimmte.

Rasmus fuhr weiter den Hjelmevej entlang. Am Horizont zeigte sich ein leuchtend roter Streifen. Die Morgendämmerung brach an, und die Konturen der Dünenlandschaft traten aus der Nacht hervor.

Haus Nummer zwei befand sich am Ende einer Sackgasse, versteckt hinter einer Reihe von Nadelbüschen. Er parkte seinen Bulli etwas weiter vorne an der Straße, ging die wenigen Meter zurück und schlich seitlich an den Gebüschen die Auffahrt entlang. Hinter einem Hagebuttenstrauch, etwa zwanzig Meter vom Eingang entfernt, blieb er stehen. Er kniff die Augen zusammen, um besser sehen zu können, und entdeckte neben der Tür die Leuchtturmlampe. Das war definitiv das Ferienhaus von den Fotos.

Auf den ersten Blick schien alles ruhig zu sein, doch gleich im nächsten Moment meinte Rasmus hinter einem der Fenster im Halbdunkel eine Bewegung zu erkennen. Automatisch fuhr seine rechte Hand zum

Waffenholster. Die Heckler & Koch saß griffbereit an Ort und Stelle.

Das Herz schlug ihm bis zum Hals, als er leicht gebückt zum Eingang lief und sich neben der Tür gegen die Hauswand presste. Er lauschte. Aus dem Gebäude drang kein einziges Geräusch. Ein Carport, das von der Straße aus nicht einsehbar gewesen war, geriet in sein Blickfeld. Darin stand ein alter weißer Polo. Also war tatsächlich jemand hier. Sein Puls beschleunigte sich.

Er spähte durch das nächstgelegene Fenster ins Innere des Hauses und sah die Silhouette eines kräftigen Mannes, der ihm den Rücken zuwandte.

Rasmus ging sofort in Deckung. Die Größe. Die Statur. Es könnte tatsächlich Asger Groth sein. Zumindest wäre es schon ein verdammter Zufall, wenn sich hier noch eine andere Person unbefugten Zugang verschafft hätte.

Kurz war Rasmus versucht, ins Gebäude einzudringen, um den Mann zu überwältigen, doch dabei konnte einiges schiefgehen. Vielleicht war der Typ nicht allein. Er schlich zurück zum Hagebuttenstrauch. Dort holte er sein Handy heraus, wählte die Rufnummer der Leitstelle und forderte Verstärkung an, ohne dabei den Blick vom Hauseingang zu nehmen.

Kurz nachdem er aufgelegt hatte, vibrierte sein Handy. Der Grünschnabel. Der Flurfunk in der Polizeistation funktionierte vorbildlich. Rasmus widerstand dem Versuch, den Anruf wegzudrücken, und meldete sich im Flüsterton.

»Die Leitstelle hat mich gerade informiert«, bellte ihm Kasper Saltums Stimme entgegen. »Du wartest, bis die Kollegen vor Ort sind, Nyborg. Keinesfalls gehst du dort alleine rein, hörst du? Der Mann könnte bewaffnet sein.«

»Das bin ich auch«, murmelte Rasmus und sah, wie die Haustür geöffnet wurde.

»Und nur dass wir uns richtig verstehen. Das ist eine Dienst...«

»Ich muss Schluss machen.« Rasmus beendete hastig das Gespräch und steckte das Telefon wieder ein. Seine Hand ging zum Waffenholster. Im nächsten Moment spürte er das kühle Metall zwischen seinen Fingern.

Ein blonder Mann trat aus der Tür. Er trug einen Bart, trotzdem erkannte Rasmus Asger Groth sofort. Er hatte eine Reisetasche dabei. Sein Blick ging zur Straße, ohne den Polizeibeamten zu bemerken, dann steuerte er auf den Carport zu.

Verdammte Scheiße, dachte Rasmus. Der will abhauen. Er traf seine Entscheidung in Sekundenschnelle. Gerade als Asger Groth die Heckklappe des Polos öffnete, schlich er sich mit der Waffe im Anschlag heran. »Polizei. Hände hoch!«

Nahezu zeitgleich schnellte der Ex-Häftling herum und schleuderte ihm die Reisetasche entgegen. Rasmus wich instinktiv aus, und das Gepäckstück flog an seinem Oberkörper vorbei. Als er sich wieder aufrichtete, hatte Asger Groth den Moment genutzt und lief zu den angrenzenden Dünen.

»Stehen bleiben!« Rasmus feuerte einen Warnschuss ab, doch Asger Groth hechtete eine Anhöhe hinauf und war in der nächsten Sekunde dahinter verschwunden.

»Verdammt!« Adrenalin pumpte durch Rasmus' Blutbahnen, während er geduckt hinterherrannte. Der Kerl durfte ihm keinesfalls entwischen.

Ein Schuss peitschte an seinem Ohr vorbei. Rasmus warf sich hinter eine Ansammlung Strandroggen, rollte sich ab, kam zurück auf die Beine und rannte im Zickzack durch die Dünenlandschaft. Der Scheißkerl hatte tatsächlich auf ihn geschossen.

Vor ihm tauchte der blonde Haarschopf wieder auf. Rasmus zog das Tempo an. *Ich krieg dich.* Der Abstand zwischen ihnen verringerte sich. Asger Groth warf einen gehetzten Blick über die Schulter, feuerte im Laufen einen weiteren Schuss ab, verfehlte sein Ziel jedoch um mehrere Meter. Sie rannten weiter zwischen Grasbulten, Schilf und Heidekraut hindurch. Die Landschaft wurde hügeliger und sandiger.

Rasmus wusste, dass er das Tempo nicht mehr lange würde halten können, doch er biss die Zähne zusammen und lief weiter. Etwa dreißig Meter entfernt hastete Asger Groth gerade eine Düne hinauf. Das war seine Chance. Rasmus blieb stehen, umschloss den Griff seiner Pistole fest mit beiden Händen, blendete für den Bruchteil einer Sekunde alles um sich herum aus und drückte ab. Zeitgleich fiel ein zweiter Schuss.

Direkt nach dem Frühstück ging die Hektik los. Anna scheuchte die Kinder in ihre Zimmer, damit sie ihre Sachen zusammensuchten, während sie selbst gefühlt tausend Dinge gleichzeitig erledigte. Betten abziehen, Koffer packen, die feuchten Handtücher aus den Badezimmern zusammenraffen und auf einen Haufen befördern, um ihn später beim Ferienhausanbieter vorbeizubringen, die leeren Weinflaschen in Pappkartons stellen und all die Kleinigkeiten einsammeln, die sie während ihrer Urlaubswoche in den Räumen verteilt hatten.

Henning lächelte. Es war, als wäre die alte Anna zurück. Ein Glücksgefühl machte sich in ihm breit.

Als Anna seinen Blick bemerkte, stemmte sie die Hände in die Hüften. »Hast du eigentlich nichts Besseres zu tun, als hier rumzustehen und zu grinsen?«

»Doch.« Henning ging zu seiner Frau, schlang ihr den Arm um die Hüften und küsste sie.

Überrascht erwiderte sie seinen Kuss. Sie verweilten einen Moment in einer innigen Umarmung, ehe Anna ihn schließlich von sich schob. »Wir kommen noch zu spät los.« Sie wandte sich ab, um die restlichen Lebensmittel aus dem Kühlschrank zu nehmen.

»Schatz, wir haben alle Zeit der Welt«, beruhigte er sie. Was auch stimmte. Sie fuhren immer freitags anstatt samstags zurück, wenn sich die Fahrzeugkolonnen der Urlauber im Schritttempo durch die Ferienorte und über die Autobahnen schoben. Das ersparte ihnen nicht nur den einen oder anderen Stau, sondern auch den Stress, das Ferienhaus bis um zehn Uhr räumen zu müssen.

Anna schien sein Einwand nur wenig zu beeindrucken, zumindest fuhr sie mit ihrer Rumräumerei fort.

»Bringst du die Flaschen später zum Glascontainer?«, erkundigte sie sich und stellte eine angebrochene Tube Erdbeermarmelade in die Klappbox zu den übrigen Lebensmitteln, die sie mit nach Hause nahmen.

»Mama, ich finde meinen roten Pullover nicht«, ertönte Leonies Stimme aus dem Obergeschoss.

»Der ist in der Tasche mit der Dreckwäsche«, rief Anna zurück.

»Okay, mache ich.« Henning trug seine leere Kaffeetasse zur Spüle. Der Geschirrspüler lief bereits.

Anna sah ihn irritiert an.

»Der Glascontainer«, erinnerte er seine Frau.

»Prima, dann gebe ich die Handtücher und die Schlüssel ab.« Anna roch an einer offenen Milchtüte. »Wann musst du in Hamburg sein?«

»Um 17.00 Uhr.«

Sie verzog das Gesicht, sagte aber nichts. Stattdessen kippte sie die restliche Milch in den Ausguss.

Sein Job war häufig Streitthema zwischen ihnen. Dabei war Henning genauso wenig begeistert davon, dass ihm sein Chef am letzten Ferientag noch einen Termin reingedrückt hatte. Vor allem, da er wegen seiner Arbeit bereits einen Tag später als seine Familie im separaten Auto in Dänemark angereist war.

»Fahr vorsichtig«, bat ihn Anna. »Es soll Schnee geben.«

Ehe er antworten konnte, polterte Emmi mit ihrem Kinderkoffer die Treppe hinunter.

»Ich habe alles eingepackt«, krähte sie fröhlich.

»Hast du deinen Schatz?«, fragte er seine kleine Tochter.

Emmi nickte und klopfte mit der Hand auf die Kängurutasche ihres rosa Kapuzenpullovers.

Eine Dreiviertelstunde später waren sie startklar. Vor dem Haus umarmte Henning seine Frau und seine Kinder und sah ihnen dabei zu, wie sie in den roten Kombi stiegen.

Der Himmel war wolkenverhangen, und es war so klirrend kalt und feucht, dass er seinen Atem sehen konnte. Die Wettervorhersage hatte von einer heranziehenden Kaltfront berichtet. In der Ferne war das Kreischen von Möwen zu hören. Unwillkürlich musste er an Jon Bjørndahl denken. »Schau auf die Möwen«, hatte er Emmi erklärt. Der Typ war ihm irgendwie unangenehm gewesen. Schnell schob er den Gedanken an den Bernsteinmann beiseite. Sie würden ihn so schnell nicht wiedersehen.

Der rote Kombi fuhr an, und er hob die Hand und winkte. Beim Anblick des Spruchs auf dem Heckaufkleber musste er lächeln. »Ich brauche keine Therapie. Ich muss nur nach Blåvand«, prangte dort zusammen mit dem Dannebrog.

Seit Langem fühlte Henning sich wieder glücklich. Das Gefühl von aufziehendem Unheil, das ihn in den letzten Tagen erfasst hatte, war verschwunden. Das Schicksal hatte ihnen einen Neuanfang geschenkt.

Zurück im Ferienhaus sah er, dass Anna ihr Handy auf dem Küchentisch hatte liegen lassen. Er steckte es in seine Jackentasche und schnappte sich den Karton mit den leeren Weinflaschen.

Dann verließ auch er das Haus. Mit einem zufriedenen Lächeln stieg er ins Auto. Im Sommer würden sie wiederkommen.

Flensburg, Deutschland

Vibeke stand mit einem Becher Kaffee in der Hand am Küchenfenster und starrte auf den wolkenverhangenen Himmel.

Sie hatte nur wenige Stunden geschlafen. Das Gespräch mit Claas ging ihr nicht aus dem Kopf. *Es war dein Mitarbeiter, von dem ich die Information habe.*

Sie hatte nicht einmal versucht, Claas zurückzuhalten, um sich bei ihm zu entschuldigen. Zu sehr schämte sie sich. Dafür, dass sie nicht erkannt hatte, was ihr Stellvertreter hinter ihrem Rücken für ein Spiel trieb, wie weit er bereit war zu gehen, um ihr zu schaden. Was sagte das über ihre Menschenkenntnis aus? Holtkötter hatte es nicht einmal abgestritten, als sie ihn im Anschluss zur Rede gestellt hatte. Stattdessen hatte er den Spieß einfach umgedreht und über ihre Unprofessionalität gelästert, sich mit einem Journalisten einzulassen, und dies ausgerechnet auch noch auf dem Präsentierteller vor der Polizeidirektion zu tun, wo ihr alle Welt dabei zusehen konnte.

In dem Moment war ihr klar geworden, dass sie das Ausmaß an Hinterhältigkeit ihres Stellvertreters gnadenlos unterschätzt hatte. Klaus Holtkötter hatte sie und Claas offenbar nach der Pressekonferenz zusammen beobachtet und eins und eins zusammengezählt. Er hatte sich gegenüber der Presse nicht einfach nur verplappert oder sich profilieren wollen, sondern er hatte ganz gezielt beabsichtigt, ihr eins auszuwischen. Weil er wusste, dass die ganze Angelegenheit irgendwann auf sie zurückfallen würde.

Noch schlimmer als Holtkötters Verrat wog allerdings die Tatsache, dass sie Claas nicht vertraut hatte. Und egal, was sie jetzt tat, es ließ sich durch nichts mehr rückgängig machen. Claas würde ihr nicht verzeihen, das hatte sie an seinem Blick gesehen. Ihre Beziehung war vorbei, noch ehe sie richtig begonnen hatte. Sie hatte es verbockt. Wieder einmal. Weil sie nicht dazu in der Lage war, anderen Menschen zu vertrauen. Zumindest bis auf ein paar wenige Ausnahmen. Es blieb immer ein kleiner Restzweifel. *Das hat das Leben mit mir gemacht.*

Ein dumpfer Schmerz regte sich in ihr. Und wenn sie es versuchte? Ihn einfach anrief und um Verzeihung bat?

Vielleicht bekam sie die Gelegenheit zu erklären, weshalb ihr die Sache mit dem Vertrauen so schwerfiel.

Sie nippte an ihrem Kaffee. Verdammt, Claas, wieso hast du nicht einfach gleich gesagt, dass es Holtkötter war?

Sie stellte den Kaffeebecher auf die Küchenzeile und ging in ihr Schlafzimmer, um ihr Handy zu holen, das dort auf dem Nachttisch lag.

Ihr Finger schwebte bereits über der Taste mit dem grünen Hörer, als ihr Handy unvermittelt klingelte.

Es war die Nummer der Sondereinheit. Vibeke nahm augenblicklich ab.

»Rasmus wurde angeschossen.« Pernilles dunkle Stimme klang angespannt. »Gerade hat Kasper angerufen. Offenbar ist es in Henne Strand zwischen ihm und Asger Groth zu einem Schusswechsel gekommen.«

Vibeke schloss unvermittelt die Augen. Kälte machte sich in ihr breit. »Wie schwer ist die Verletzung?«

»Es war wohl nur ein Streifschuss.«

Vibeke atmete erleichtert auf. »Was ist mit Groth?«

»Den hat es schlimmer getroffen. Rasmus hat ihm eine Kugel in den Oberschenkel verpasst. Er wird gerade operiert.«

»Weiß man schon, was genau passiert ist?«

»Nur dass Rasmus wohl nicht auf die Verstärkung gewartet hat. Kasper tobt jedenfalls.«

»Kann ich mir denken.«

»Wir sollten abwarten, was Rasmus sagt, ehe wir voreilige Schlüsse ziehen«, erwiderte Pernille. »Vielleicht hat ihn die Situation dazu gezwungen. Dank ihm haben wir Groth jetzt.«

Pernille hat recht, schoss es Vibeke durch den Kopf. Wann war sie so dünnhäutig geworden? »Wo ist Rasmus jetzt?«

»Er wird noch im Krankenhaus versorgt.«

Eine Erinnerung flammte in Vibekes Hinterkopf auf. Das Team im Flur eines Krankenhauses, während sie gemeinsam um das Leben von Søren Molin gebangt hatten, der während eines Einsatzes lebensbedrohlich angeschossen worden war. Eine Erfahrung, die sie zusammengeschweißt hatte. Damals war Rasmus für sie da gewesen, und das Gleiche würde sie jetzt für ihn tun, egal, was zwischen ihnen vorgefallen war. »Ich fahre nach Esbjerg.«

»Gut, dann gebe ich den anderen Bescheid. Willst du, dass wir auch kommen?«

Vibeke überlegte. »Wie weit seid ihr mit Erik Lindqvist? Hat Inger die Befragungsprotokolle geschickt?«

»Da sitzen wir gerade dran.«

»Dann macht damit weiter. Im Moment wissen wir ohnehin nicht, welche Rolle Asger Groth bei der ganzen Sache spielt.«

»In Ordnung. Hat das eigentlich mit Michael Wagner geklappt?«

»Er müsste bald in Padborg eintrudeln«, bestätigte Vibeke. Ihr junger Mitarbeiter hatte sich nahezu glücklich gezeigt, bei der Sondereinheit mitarbeiten zu dürfen, und hatte keinen Gedanken daran verschwendet, dass Samstag war. Dies war allerdings auch der einzige erfreuliche Aspekt gewesen, der aus ihrem Termin mit Kriminalrat Petersen hervorgegangen war. Der Rest war äußerst unangenehm verlaufen. Sie hatte ihren Vorgesetzten darüber informiert, dass Klaus Holtkötter interne Ermittlungsergebnisse an die Presse weitergegeben hatte und dass sie unter diesen Umständen eine weitere vertrauliche Zusammenarbeit mit ihrem Stellvertreter für ausgeschlossen hielt. Petersen hatte sich in Ruhe alles angehört und ihr zugestimmt, sich jedoch vorbehalten, zunächst mit Holtkötter ein Gespräch unter vier Augen zu führen, ehe vorschnell ein Disziplinarverfahren wegen Verletzung von Dienstgeheimnissen eingeleitet wurde. Das erschien Vibeke nur fair, trotzdem nagte an ihr das Gefühl, versagt zu haben.

»Jens wird sich über die Hilfe freuen«, durchbrach Pernille ihre Gedanken. »Gibst du Bescheid, wie es Rasmus geht?«

»Natürlich«, versprach Vibeke. »Ich melde mich.« Sie legte auf und langte nach dem Autoschlüssel.

Esbjerg, Dänemark

Sie fand Rasmus im Flur vor dem OP-Bereich. Er saß auf einem der Stühle, hatte den Kopf mit geschlossenen Augen gegen die Wand gelehnt und war kalkweiß im Gesicht. Sein linker Arm steckte dick bandagiert in einer Schlinge.

»Hej!« Vibeke ließ sich auf den freien Stuhl neben ihm sinken.

Rasmus blinzelte. »Du sprichst ja wieder mit mir.«

»Verdient hast du es jedenfalls nicht.« Sie deutete auf seine Verletzung. »Verdammt, Rasmus, das hätte auch schiefgehen können.«

»Ist es aber nicht.« Der Däne lächelte matt. »Außerdem ist das nur ein Kratzer. Ein paar Stiche, das war's. Kein Grund, so viel Aufhebens darum zu machen.« Er zupfte an der Schlinge herum. »Du hättest in der Situation das Gleiche getan.«

»Ich wäre da erst gar nicht alleine hingefahren.« Vibeke schüttelte den Kopf. »Dir ist echt nicht mehr zu helfen.«

Einen Moment saßen sie schweigend nebeneinander.

»Erzähl schon«, forderte sie ihn schließlich auf.

Die nächsten fünf Minuten schilderte Rasmus die Ereignisse. Wie er am späten Abend nach Henne Strand gefahren war, um sich dort in der Ferienhaussiedlung umzusehen, wie der entscheidende Hinweis der Ex-Frau in Form eines Fotos am frühen Morgen gekommen war und Luís ihm dabei geholfen hatte, das richtige Haus ausfindig zu machen, und wie sich Asger Groth gerade aus dem Staub hatte machen wollen, als Rasmus ihn endlich aufgespürt hatte.

»Du hättest auch einfach mit dem Auto dranbleiben können«, sagte Vibeke, nachdem er seinen Bericht beendet hatte.

»Mit dem Bus?« Er lächelte spöttisch. »Sehr unauffällig.«

»Vielleicht ein Anlass, beim nächsten Mal über einen Dienstwagen nachzudenken«, erwiderte sie trocken. Es war ihr ohnehin schleierhaft, wie es ihm bislang gelungen war, seinen alten VW-Bus bei seinen Vorgesetzten als Dienstgefährt durchzusetzen. Zumal er mit dem Teil schon einmal während eines Einsatzes liegen geblieben war.

»Außerdem hätte er mir mit dem Auto viel leichter entwischen können«, setzte Rasmus nach.

Damit hatte er leider recht. Vibeke gab sich geschlagen. »Vermutlich hätte ich in der Situation tatsächlich das Gleiche getan«, gab sie zu. »Aber zumindest wäre ich nicht alleine vor Ort gewesen.« Sie bemerkte, dass Rasmus bei ihrem Eingeständnis zufrieden nickte. »Was ist mit Groth?«

»Er wird noch operiert. Ich warte darauf, dass mir jemand Bescheid gibt, wann wir mit ihm sprechen können.«

Wie aufs Stichwort öffnete sich die Flügeltür zum Operationsbereich, und ein Mann in OP-Kleidung kam heraus. »Seid ihr von der Polizei?«

Die beiden Kriminalbeamten erhoben sich.

»Rasmus Nyborg von der Mordkommission Esbjerg und Vibeke Boisen von der deutschen Polizei«, stellte Rasmus sie vor.

Der Arzt lüpfte seine OP-Kappe, und ein grauer Haarschopf kam zum Vorschein. Er betrachtete den bandagierten Arm ihres Kollegen. »Du bist der Polizist, der auf meinen Patienten geschossen hat.«

Rasmus nickte. »Wir ermitteln in vier Mordfällen. Du hast bestimmt in den Medien davon gehört. In diesem Zusammenhang müssen wir mit Asger Groth sprechen.«

»Verstehe. Aber das wird heute nicht möglich sein. Der Patient muss sich erst von seiner Operation erholen.«

»Es ist äußerst wichtig, dass wir so schnell wie möglich mit ihm sprechen«, sagte Rasmus. »Unter Umständen hängen davon Menschenleben ab. Vielleicht kann mich jemand anrufen, sobald er bei Bewusstsein ist.« Er reichte dem Arzt seine Visitenkarte, die dieser ungelesen in seiner Hosentasche verschwinden ließ.

»Wir geben Bescheid.« Der Arzt nickte knapp und ging zurück durch die Flügeltür.

Vibeke zog ihren Autoschlüssel aus der Hosentasche. »Dann bringe ich dich jetzt nach Hause.«

Rasmus sah sie an, als hätte sie ihm gerade vorgeschlagen, eine Bank zu überfallen. »Was soll ich da? Wenn du mir einen Gefallen tun willst, dann bring mich zur Polizeistation, damit ich meinen Einlauf kassieren kann. Mich wundert ohnehin, dass Kasper hier nicht längst aufgetaucht ist.«

»Du bist unvernünftig, aber das weißt du sicherlich.«

Rasmus schnaubte verächtlich durch die Nase. »Was ist jetzt? Fährst du mich, oder soll ich mir ein Taxi nehmen?«

Vibeke seufzte. »Schon gut. Ich fahre dich. Ansonsten reißt mir Pernille noch den Kopf ab.« Sie warf ihm einen warnenden Blick zu. »Aber überstrapaziere meine Geduld nicht.«

Esbjerg, Dänemark

Zwanzig Minuten später drückte Vibeke in der Küche der Polizeistation auf die Starttaste am Kaffeeautomaten. Es brodelte, zischte und dampfte, während sich der Becher mit der braunen Flüssigkeit füllte. Ehe sie zurück nach Padborg fuhr, wollte sie kurz mit Kasper Saltum darüber sprechen, wie die Vernehmung von Liam Holm verlaufen war.

»Hej, Vibeke.« Mads Østergård kam herein. »Üble Geschichte, die da gerade läuft. Man fragt sich, was da noch alles kommt.«

»Stimmt.« Vibeke nahm den Kaffeebecher aus dem Automaten. »Wir stehen alle unter Hochdruck.«

»Das sieht hier ganz ähnlich aus.« Er lächelte sie an. »Wo ich dich gerade treffe … Pernille hatte mich darum gebeten, mich im Rauschgiftdezernat umzuhören, ob es dort möglicherweise zu Berührungspunkten zwischen Eva-Karin und den anderen Opfern gekommen ist.« Er rieb sich das Kinn. »Ich habe bereits mit einigen Ermittlern gesprochen. Leider kann sich keiner daran erinnern, die Namen von Nohr Lysgaard oder Lennard Friedrichs je im Zusammenhang mit Drogendelikten oder in Verbindung mit Eva-Karin gehört zu haben. Aber ich bleib dran.«

»Danke, Mads.« Vibeke warf einen Blick auf die Uhr. »Ich muss gleich zurück ins GZ, wollte aber vorher noch kurz mit Kasper sprechen. Ist Rasmus noch bei ihm?«

Der Ermittler nickte. »Am besten, du trinkst erst deinen Kaffee aus.«

»So schlimm?«

»Jep.« Mads stellte einen Becher unter den Auslauf des Kaffeeautomaten.

»Ich gehe trotzdem hin.«

»Aber sag nicht, ich hätte dich nicht gewarnt.« Er drückte den Startknopf.

Vibeke lächelte angespannt. Mit dem Becher in der Hand verließ sie die Küche und steuerte auf Eva-Karins ehemaliges Büro zu. Schon von Weitem schlugen ihr zwei aufgebrachte Stimmen entgegen.

»Es reicht, Nyborg«, drang die Stimme des Interimschefs durch die halb offene Tür. »Du hattest eine klare Dienstanweisung von mir erhalten.«

»Ich hätte Groth also laufen lassen sollen?« Das war Rasmus. Er klang sichtlich aufgebracht.

Unschlüssig blieb Vibeke stehen.

»Genau genommen hättest du nicht einmal dort sein sollen«, erwiderte sein neuer Vorgesetzter. »Nichts davon war mit mir abgesprochen. Genauso wenig wie dein unbefugtes Eindringen in Asger Groths Wohnung.«

Vibeke sog scharf die Luft ein. Rasmus war unbefugt dort eingedrungen? Den Part hatte er bislang für sich behalten. Sie hörte ihren Kollegen schnauben.

»Weil ihr ohne mich ja auch auf Groth gekommen wärt«, ließ er jetzt verlauten.

»Spar dir deinen Sarkasmus, Nyborg«, entgegnete Kasper scharf. »Hast du irgendetwas, was du einem Richter vorlegen kannst und was dein Vorgehen rechtfertigt? Denn wenn die ganze Sache vor Gericht landet, dann können wir nichts von dem, was wir in der Wohnung vorgefunden haben, verwenden. Dann hast du den Fall ganz allein vermurkst.«

Obwohl Vibeke dem Interimschef bislang nicht viel Positives abgewinnen konnte, musste sie ihm insgeheim recht geben. *Verdammt, Rasmus.*

»Einen Scheiß hab ich.« Ihr Kollege machte es mit jedem Wort schlimmer.

Vibeke klopfte kurz entschlossen an die Tür und trat ein. Kasper Saltum stand in einem schicken anthrazitfarbenen Anzug, der ihm wie auf den Leib geschneidert schien, am Fenster und hatte die Hände lässig in den Hosentaschen versenkt, während Rasmus mit fahlem Gesicht auf dem Besucherstuhl hockte.

»Hej!« Überrascht stellte Vibeke fest, dass sich in dem Büro seit ihrem letzten Besuch einiges verändert hatte.

Der Interimschef hob abwehrend die Hand. »Einen Moment, Vibeke.« Er wandte sich wieder dem hageren Ermittler zu: »Das war's, Nyborg. Du bist raus.«

Rasmus kniff die Augen zusammen.. »Wie jetzt? Suspendierst du mich etwa gerade?«

»Ich ziehe dich von dem Fall ab. Mit deinem kopflosen Handeln gefährdest du noch die gesamte Ermittlung.« Kasper Saltum nahm seine rechte Hand aus der Hosentasche und deutete auf seinen verletzten Arm. »Fahr nach Hause und ruh dich aus. Damit tust du nicht nur dir, sondern uns allen einen Gefallen.« Er lächelte kalt. »Lass dich eine Weile krankschreiben oder mach zwei Wochen Urlaub mit deiner Frau und deinen Kindern.«

Rasmus' Gesichtsmuskeln verhärteten sich.

Vibeke griff ein. »Wir brauchen Rasmus bei dieser Ermittlung. Er kennt sich mit dem Fall von allen am besten aus.«

Der Interimschef taxierte sie mit kühler Miene. »Ich werde meine Personalentscheidung ganz sicher nicht mit der deutschen Polizei diskutieren.« Er warf einen flüchtigen Blick auf seine Armbanduhr. »Und jetzt entschuldigt mich, ich habe einen Termin mit dem Polizeidirektor. Schließt die Tür, wenn ihr geht.« Er schnappte sich sein Handy vom Schreibtisch und verließ den Raum.

»Ganz großartig.« Vibeke taxierte ihren Kollegen. »Hättest du dich nicht etwas zurückhalten können?«

Die Kiefermuskeln des Dänen malmten. »Der Typ ist ein Arsch.«

»Das war dumm, Rasmus«, blaffte Vibeke ihn an. »Einfach nur dumm. Jetzt müssen wir ohne dich auskommen. Vielen Dank auch.«

Rasmus erhob sich. Dabei streifte sein verletzter Arm die Stuhllehne, und er verzog für einen kurzen

Moment schmerzerfüllt das Gesicht. »Ich hab's langsam satt, dass mir alle möglichen Leute erklären wollen, wie ich meinen Job zu machen habe. Du kennst mich nicht erst seit gestern, Vibeke, und du weißt, wie ich arbeite.« Seine Augen wurden schmal. »Bislang dachte ich, dass es genau das ist, was uns als Team ausmacht. Dass jeder von uns seine eigenen Qualitäten einbringt und wir einander ergänzen. Aber du tust gerade so, als wäre ich die ganze Zeit auf dem Egotrip, nur weil du irgendwelche Maßstäbe anlegst, denen niemand außer dir selbst gerecht werden kann. Sag mir: Wann war ich einmal nicht da, wenn es drauf ankam?«

Seine Worte hatten Vibeke eiskalt erwischt, und sie suchte nach einer passenden Antwort, doch ihr Kollege sprach bereits weiter.

»Und nur weil ich vor langer Zeit einen Fehler gemacht habe und hin und wieder die Grenzen ausdehne, heißt das noch lange nicht, dass ich sie auch überschreite.« Seine Stimme nahm den unverschämten Tonfall an, den er so gut beherrschte. »Also, Miss Perfect, pack deine verdammte Rüstung ein. Ich brauche niemanden, der für mich in die Bresche springt und mich rettet. Ich komme noch immer ganz gut alleine klar.« Damit hob er zum Abschied seine unverletzte Hand und verschwand aus der Tür.

Vibeke starrte auf den Kaffeebecher in ihrer Hand. Am liebsten hätte sie ihn samt Inhalt quer durch den Raum geschleudert. Doch wie immer riss sie sich zusammen.

»Und Rasmus ist tatsächlich raus aus den Er-mittlungen?«, fragte Søren ungläubig, als Vibe-ke anderthalb Stunden später dem restlichen Team der Sondereinheit und dem frisch aus Flensburg ein-getroffenen Michael Wagner von den neuesten Ent-wicklungen berichtet hatte.

Vibeke strich sich über das eng am Kopf liegende Haar, das wie üblich zu einem straffen Pferdeschwanz gebunden war. »Es sieht ganz danach aus.«

Betroffene Gesichter.

»Und du konntest da nichts machen?«, schob Søren hinterher.

»Leider nein.« Sie lächelte gequält. »Kasper dis-kutiert seine Personalentscheidungen nicht mit der deutschen Polizei.«

»Der Typ geht mir so was von auf die Eier.« Luís feuerte seinen Kugelschreiber auf die Schreibtisch-platte. »Entschuldigt die Ausdrucksweise, aber ist doch wahr. Wisst ihr, was ich mich schon die ganze Zeit frage? Ob der nicht vielleicht noch ganz andere Gründe hat, um Rasmus von dem Fall abzuziehen. Der hatte ihn doch schon von Anfang an auf dem Kieker.«

»Vielleicht sieht er in ihm Konkurrenz, was den Job von Eva-Karin betrifft«, kam es von Pernille. Sie spitzte nachdenklich die Lippen.

Luís nickte. »Zum Beispiel.«

»Ihr tut ja gerade so, als wäre das eine Ver-schwörung.« Jens rückte seine runde Brille zurecht. »Eigentlich war das doch nicht anders zu erwarten bei seinen Alleingängen. Ehrlich gesagt wundert es mich viel mehr, dass ihn nicht längst jemand zurückgepfiffen hat. Wir wissen schließlich alle, was Rasmus sich schon geleistet hat.«

»Hey, jetzt mach mal halblang.« Søren stützte die muskelbepackten Arme auf den Tisch. »Rasmus ist einer von uns. Wir sind ein Team.« Seine Miene wurde grimmig. »Was glaubst du eigentlich, weshalb ich noch hier sitze? Wäre Rasmus nicht gewesen, als ich angeschossen wurde, dann würde ich mir jetzt die Radieschen von unten ansehen. Also pass lieber auf, was du sagst.«

»Das eine hat rein gar nichts mit dem anderen zu tun«, erklärte Jens sachlich. »Besser, du kommst ein wenig runter.«

»Schluss jetzt.« Vibeke schlug mit der flachen Hand auf die Tischplatte. Auch wenn sie Jens' Ansichten, was Rasmus' Alleingänge betraf, durchaus teilte, hatte Søren völlig recht. Sie waren ein Team, und sie mussten zusammenhalten. Trotzdem war es kein Wunder, dass die Emotionen langsam überkochten. Sie waren alle müde, hatten in den letzten Tagen bis an die Belastungsgrenze gearbeitet, dazu kamen die Trauer um Eva-Karin und der Druck, den Fall aufklären zu müssen, ehe ein weiterer Mensch starb. »Wir sind alle fertig. Aber es hilft niemandem, wenn wir uns hier gegenseitig an die Gurgel gehen.« Sie machte eine kurze Pause, ehe sie weitersprach. »Rasmus hat getan, was er für richtig hielt. Ohne ihn wäre Asger Groth vermutlich längst über alle Berge. Dass er jetzt für die Ermittlung ausfällt, ist natürlich schwierig, aber wir werden es auch ohne ihn schaffen.« Sie sah in die

Runde. »Lasst uns weitermachen, damit wir den Fall lösen, ehe es noch ein Opfer gibt. Ich glaube, darauf können wir uns alle einigen, oder?«

Zustimmendes Nicken.

»Gut, dann lasst uns loslegen.«

»Ich habe gerade einen Anruf von Silje Sørensen bekommen«, informierte Pernille sie. »Sie sitzt bei der Polizei in Esbjerg am Empfang.«

»Ich kenne Silje.« Vibeke sah ihre Kollegin interessiert an. »Was wollte sie?«

»Eva-Karin hat sich ihre private Post an die Adresse der Polizeistation schicken lassen.« Pernille machte eine bedeutsame Pause. »Genau genommen einen Brief von einem Anwalt. Offenbar wollte Eva-Karin sich scheiden lassen.«

»Ach«, entfuhr es Jens. »Und der wusste noch nicht, dass Eva-Karin tot ist?«

»Nicht zu dem Zeitpunkt, als der Brief geschrieben wurde«, erwiderte Pernille. »In der Poststelle der Kanzlei hat wohl jemand geschlafen und die Unterlagen erst verspätet rausgeschickt. Dass Eva-Karin einen Anwalt eingeschaltet hat, ist umso bedeutsamer, wenn man bedenkt, dass man sich ganz unbürokratisch online scheiden lassen kann. Quasi per Mausklick.« Sie drehte an einem schmalen goldenen Ring an ihrer Hand, der Vibeke zuvor nie aufgefallen war. »Zumindest wenn die Scheidung einvernehmlich erfolgt. Also hab ich den Anwalt angerufen. Natürlich wollte er ohne Beschluss, noch dazu am Telefon, nicht in die Einzelheiten gehen, aber er hat durchblicken lassen, dass sich Liam Holm quergestellt hat, was die Scheidung betrifft. Richtig interessant wird es im Zusammenhang mit den Dokumenten, die in Eva-Karins Haus sichergestellt wurden.« Sie ließ ihre Zahnlücke aufblitzen.

»Spann uns bitte nicht länger auf die Folter, Pernille«, bat Vibeke.

»Die beiden hatten Gütertrennung vereinbart. Und das bereits zum Zeitpunkt der Hochzeit. Im Fall einer Scheidung hätte Liam Holm keine einzige Krone von seiner Frau gesehen. Eva-Karin gehörte nicht nur das Haus samt Grundstück, sondern auch das gesamte Inventar.«

»Demnach hätte ihr Mann vor dem Nichts gestanden«, überlegte Vibeke laut. »Er hat also nicht nur kein Alibi, sondern auch ein Motiv. Damit wäre er im Normalfall dringend tatverdächtig.«

»Ganz genau«, bestätigte Pernille.

»Hast du Kasper informiert?«

»Ja, aber er wusste schon von Silje Bescheid.«

»Und was fangen wir jetzt damit an?« Søren zog eine Schublade seines Schreibtisches auf und holte eine Papiertüte heraus.

»Wir behalten es im Hinterkopf«, entschied Vibeke. »Erst will ich wissen, wie Liam Holms Vernehmung gelaufen ist. Eigentlich wollte ich längst mit Kasper darüber sprechen, aber vorhin war es eher ungünstig.«

»Er hat das Vernehmungsprotokoll heute Vormittag geschickt«, sagte Pernille. »Ich hab's mir schon durchgelesen. Liam Holm ist in sämtlichen Punkten bei seiner ersten Aussage geblieben. Es ist an uns, ihm etwas nachzuweisen.«

Vibeke seufzte. »Was haben wir noch?«

»Jon Bjørndahl«, sagte Søren. »Er konnte nur für den Mord an Eva-Karin ein Alibi nachweisen, zu allen anderen Tatzeiten war er zu Hause. Allein.« Er zog ein Schinken-Käse-Sandwich aus der Papiertüte und biss genüsslich hinein.

»Was für ein Motiv sollte er haben?«

»Keine Ahnung«, erklärte Søren zwischen zwei Bissen. »Aber der Mann war extrem nervös. Er wollte uns noch nicht einmal in sein Haus lassen. Und er hat ein starkes Faible für Bernsteine, von denen wir wissen, dass sie bei unserem Fall eine Rolle spielen. Darüber hinaus hatte er Kontakt zu einem der Opfer, auch wenn er behauptet, sich nicht an Nohr Lysgaard erinnern zu können.«

Vibeke rieb sich die Stirn. »Das ist alles ein wenig schwammig. Wir sollten überprüfen, ob es eine Verbindung zwischen Bjørndahl und den anderen Opfern gibt. Vielleicht haben alle schon einmal eine Bernsteinwanderung bei ihm gemacht.«

»Ich nehme den Punkt auf.« Jens sah zu Michael Wagner, der an der Querseite seines Schreibtisches saß. »Könntest du die Leute abtelefonieren?«

»Natürlich.« Der junge Kriminalkommissar nickte eifrig.

Vibeke schenkte ihm ein flüchtiges Lächeln, ehe sie sich wieder Jens zuwandte. »Wie weit bist du mit den Tabellen gekommen?«

»Es sind noch einige Anrufe zu erledigen und zahlreiche Unterlagen zu sichten.« Er deutete auf den Papierberg, der sich auf seinem Schreibtisch türmte, und anschließend auf drei prall gefüllte Kartons, die auf dem Boden standen. »Pernille und Michael helfen mir dabei.«

»Irgendwelche weiteren Überschneidungen?«

Jens lächelte grimmig. »Die einzige Gemeinsamkeit ist bislang der Täter. Ich hoffe, der ganze Aufwand ist am Ende nicht für die Katz.«

Der Skype-Klingelton auf Pernilles Tablet-Computer ertönte.

»Das ist Inger.« Pernille nahm den Videoanruf entgegen. Sie begrüßte die schwedische Ermittlungsleiterin auf Englisch. »Warte, ich drehe den Bildschirm, dann können dich auch die anderen sehen.«

»Hej, ihr.« Die Kriminalinspektorin lächelte ihnen entgegen.

»Ich habe Neuigkeiten«, fuhr die Schwedin fort. »Mein Team und ich haben mit den Angehörigen und Freunden von Erik Lindqvist gesprochen. Keiner von ihnen kennt die Namen der anderen Opfer oder hat von ihnen im Zusammenhang mit Eriks Drogenvergangenheit gehört. Alle haben übereinstimmend ausgesagt, er sei seit dem Gefängnisaufenthalt clean gewesen.« Der Anflug eines Lächelns streifte ihre Lippen. »Allerdings haben wir eine Spur zu euch nach Dänemark gefunden. Wie ihr wisst, hat sich Erik Lindqvist vor seiner Zeit als Fitnesstrainer mit Jobs in der Baubranche über Wasser gehalten. Auch im Ausland. Unter anderem hat er für einen dänischen Messebauer gearbeitet.« Sie senkte den Blick, und das Rascheln von Unterlagen war zu hören. »Fair Design A/S in Herning. Lindqvist zwar dort von 2012 bis 2013 beschäftigt.«

Vibeke dachte sofort an Lennard Friedrichs, der einige Jahre als Grenzpendler unterwegs gewesen war. Hatten sich ihre Wege damals gekreuzt? »Ist Erik Lindqvist gependelt?«

»Nicht regelmäßig. Sein Arbeitgeber hat ihm eine Wohnung vor Ort gestellt.«

»Kannst du uns bitte die Kontaktdaten des Arbeitgebers schicken?«

Das Klappern einer Computertastatur war zu hören.

»Schon unterwegs«, erwiderte die Schwedin. »Ihr meldet euch, wenn ihr etwas habt?«

»Natürlich«, versicherte ihr Pernille.

Sie verabschiedeten sich, und Ingers Gesicht verschwand vom Bildschirm.

Vibeke schaute nachdenklich auf die Landkarte an der Wand, die sie um den restlichen Teil Dänemarks erweitert hatten.

Herning lag etwa in der Mitte von Jütland, rund neunzig Kilometer von Esbjerg entfernt und doppelt so weit von ihrem jetzigen Standort. »Wissen wir, zu welcher Zeit Lennard Friedrichs Grenzpendler war?«

»Warte, es steht in meiner Tabelle«, sagte Jens. »Einen Moment, ich gebe nur noch kurz die Informationen von Inger ein.« Seine langen Finger flogen über die Tastatur. »Na also. Wer sagt's denn.« Er hob den Blick. »Wir haben eine Überschneidung. Sowohl Friedrichs als auch Lindqvist waren 2012 und 2013 in Jütland beschäftigt. Allerdings bei unterschiedlichen Arbeitgebern.«

Vibeke überlegte. »Vielleicht gibt es eine Verbindung zwischen den Firmen. Beide Männer waren in der Baubranche tätig.«

»Ist das nicht etwas weit hergeholt?«, brummte Søren.

»Möglich. Aber wir sind in dem Stadium, in dem wir auch über Umwege denken müssen. Jedes Detail könnte wichtig sein.«

Jens nickte. »Ich überprüfe das.«

»Die Bernsteinwanderung, an der Nohr Lysgaard mit seinen Söhnen teilgenommen hat, war auch 2013«, erinnerte Pernille.

»Stimmt.« Vibeke nahm einen roten Edding zur Hand, ging damit zur Landkarte und kreiste dort die Orte Herning, Esbjerg und Leck ein. Sie überlegte kurz und umkreiste auch noch Blåvand. Es bildete sich ein lang gezogenes Dreieck.

»Und was soll das jetzt?« In Sørens Stimme schwang Skepsis.

»Das kann ich dir erst beantworten, wenn ich es herausgefunden habe.« Vibeke sah in die Runde. »Habt ihr noch was?«

Allgemeines Kopfschütteln.

»Dann lasst uns jetzt weitermachen. Wir drehen jeden einzelnen Stein um.« Vibeke bemühte sich, kämpferisch zu klingen, um ihr Team zu motivieren, doch alles, was sie sah, waren resignierte Gesichter.

Die nächsten drei Stunden herrschte im Büro der Sondereinheit emsiges Treiben. Es wurden etliche Unterlagen gewälzt – Kundenrechnungen und Lieferscheine, die aus Lennard Friedrichs' Tischlerei stammten, dazu stapelweise Dokumente auch von Nohr Lysgaard und Eva-Karin Holm, die noch nicht gesichtet worden waren. Zeugnisse, Studienunterlagen, Arbeitsverträge und Gehaltspapiere, Unterlagen von Fortbildungen, Rechnungen von Handwerkern, Dienstleistern und medizinischen Behandlungen, Steuerunterlagen, Kreditverträge, Schreiben von Krankenkassen und ärztliche Gutachten, Verträge mit Versorgungsträgern und Telefonanbietern, Mitgliedschaften in Vereinen, Versicherungs- und Reiseunterlagen. Jedes einzelne Stück Papier wurde begutachtet, Telefonate wurden geführt, zwischendurch brachte ein Lieferservice einen Stapel Pizzen. Das Team arbeitete unter Hochdruck, jeder Einzelne wollte, dass ihnen der Durchbruch gelang, ehe ein weiterer Mord geschah.

Als Vibeke das nächste Mal auf die Uhr schaute, war es bereit kurz vor acht. Die Tabellen der Rasterfahndung waren zu drei Vierteln gefüllt. Es gab keine weiteren Überschneidungen. Nohr Lysgaard und Eva-Karin Holm waren die einzigen Opfer mit Berührungspunkten zu Blåvand. Die früheren dänischen Arbeitgeber von Lennard Friedrichs und Erik Lindqvist hatten ihre Unternehmen am Wochenende geschlossen, sodass eine Befragung erst am Montag möglich war. Sie traten auf der Stelle.

Vibeke spürte, wie sich auch in ihr die Resignation ausbreitete. »Lasst uns morgen weitermachen.«

»Ich habe morgen die Kinder«, sagte Søren.

Natürlich. Es war Sonntag. Sie konnte nicht erwarten, dass alle das Wochenende durcharbeiteten, nur weil sie das tat. »Kümmere dich um deine Kinder, Søren. Und grüß Brigitte von mir.«

»Das mache ich.« Søren stand auf. »Meldet euch, wenn sich etwas tut, dann bin ich sofort da.«

Vibeke lächelte ihn dankbar an. Auch die anderen Stühle scharrten.

Pernille stapelte die leeren Pizzakartons übereinander. »Bis morgen.« Sie verließ zusammen mit ihren Kollegen das Büro.

Nur Luís und Vibeke blieben zurück.

»Es muss Rasmus scheiße gehen«, sagte der Portugiese.

»Erst wird er angeschossen und dann vom Fall abgezogen. Weißt du, was das für ihn bedeutet, von den Ermittlungen ausgeschlossen zu sein?« Sein Blick ging zu Rasmus' Schreibtisch. »Sein Job ist alles, was er noch hat.«

»Er hat Familie und eine Tochter«, verbesserte ihn Vibeke.

»Du weißt genau, wie ich das meine«, erwiderte Luís. Sein Blick verdunkelte sich. »Außerdem sind wir Freunde. Und ich lass meine Freunde nicht hängen.« Er rollte ohne ein weiteres Wort hinter seinem Schreibtisch hervor, schnappte sich im Vorüberfahren seine Jacke von der Garderobe und verließ den Raum. Die Tür ließ er offen stehen.

Vibeke wusste nicht, wie lange sie auf die vor ihr liegenden Akten gestarrt hatte, als es klopfte. Sie hob den Blick.

»Hallo.« Frank Liebermann lehnte am Türrahmen. Anders als an den Tagen zuvor war er leger gekleidet, hatte den formellen Anzug gegen Jeans und ein hellblaues Hemd mit Button-down-Kragen getauscht. Die Ärmel waren hochgerollt und entblößten vernarbtes Hautgewebe am Unterarm.

»Hej, Frank. Du bist noch hier?« Sie hatte den Fallanalytiker in den letzten zwei Tagen kaum zu Gesicht bekommen, doch sie wusste bereits aus der Vergangen-

heit, dass er und sein Team sich während der Analyse-
phase weitestgehend von der Außenwelt abschotteten.

»Du doch auch.«

Sie lächelten sich an.

Frank schlenderte herein. »Hast du Hunger? Wollen wir eine Kleinigkeit essen gehen?«

»Danke, aber wir hatten vorhin Pizza.«

Der Fallanalytiker blieb vor dem Fenster stehen
und sah hinaus auf den Parkplatz und das Padborger
Industriegebiet. »Hat es sich gelohnt, dass du Hamburg für das hier eingetauscht hast?« Er drehte sich
wieder um und musterte sie aufmerksam.

»Es hat alles seine Vor- und seine Nachteile«, erwiderte Vibeke diplomatisch. Sie war zu müde für
Small Talk, und für ein ernsthaftes Gespräch über
ihre derzeitige Arbeitssituation in Flensburg fehlten
ihr in Anbetracht der Situation mit Klaus Holtkötter schlichtweg die Nerven. Sie wechselte das Thema.
»Wie weit seid ihr mit eurer Analyse?«

»Ein paar Tage werden wir noch brauchen.« Frank
betrachtete die roten Kreise auf der Landkarte. »Herning? Das ist neu.«

Vibeke erzählt ihm von Inger Hanssons Anruf.

»Kannst du mir schon irgendetwas sagen, was euer
Täterprofil betrifft? Ich verspreche dir auch, dich nicht
darauf festzunageln.«

Frank krauste die Stirn, während sein Blick weiterhin auf die Landkarte gerichtet war. »Von jedem
Opfer führt eine Spur nach Mitteljütland. Die Verbindung zwischen diesen Menschen liegt möglicherweise irgendwo hier.« Er zog mit dem Zeigefinger das
imaginäre Dreieck zwischen den markierten Orten

nach, ehe er sich wieder Vibeke zuwandte. »Es ist selten, dass ein Serientäter verschiedene Modi Operandi wählt. Genau genommen habe ich das in all den Jahren, in denen ich diesen Job mache, kein einziges Mal erlebt. Ich bin sicher, es hat eine zentrale Bedeutung, dass alle Opfer einen anderen Tod starben. Genauso unterschiedlich ist die Auswahl der Opfer. Man könnte es als Zufall oder Willkür deuten, aber ich denke, es steckt ein ausgeklügelter Plan dahinter. Das bestätigen auch die Ergebnisse der Kriminaltechnik oder vielmehr die nicht vorhandenen. Knudsen, der Leiter der Spurensicherung, sagte, er hätte in sämtlichen Berufsjahren nicht dermaßen saubere Tatorte gesehen. Der Täter ist demnach sehr darauf bedacht, keine Spuren zu hinterlassen. Er trägt Handschuhe, ein Haarnetz, vielleicht sogar einen Ganzkörperanzug wie einen Spurenoverall. Das ist keine Willkür, sondern gut vorbereitet.« Er wandte ihr das Gesicht zu. »Mindestens drei der vier Opfer waren während der Tat bei Bewusstsein. Der Täter wollte sie nicht nur umbringen, sondern gezielt leiden lassen. Die Handfesseln dienten als Sicherheit dafür, dass sie sich keinesfalls aus ihrer Situation befreien konnten.«

»Und die Bernsteine?«

»Ich bin kein Hellseher, Vibeke.«

Frank Liebermann lächelte verschmitzt. »Dazu kann ich höchstens eine Einschätzung abgeben, aber vermutlich willst du die ebenfalls hören.«

»Ja, bitte.«

»Die Steine haben für den Täter eine wichtige Bedeutung, vielleicht beinhalten sie auch eine versteckte Botschaft.«

»An die Polizei?«

»An die Opfer. Möglicherweise handelt es sich um eine Markierung oder um eine Art Mahnmal. Aber ehe ich mich hier noch um Kopf und Kragen rede, mache ich jetzt lieber Feierabend.« Erneut flog ein Lächeln über seine Lippen. Dabei musterte er sie mit intensivem Blick. »Vielleicht solltest du das auch tun.«

»Mache ich. Tschüss, Frank.«

Er verschwand durch die Tür. Vibeke schaltete ihren Computer aus und schnappte sich ihre Sachen.

Zwanzig Minuten später passierte sie in ihrem Dienstwagen den Grenzübergang Kruså, doch anstatt auf direktem Weg nach Hause zu fahren, hielt sie kurze Zeit darauf gegenüber von Claas' Wohnhaus am Straßenrand.

Die Fenster seiner Wohnung im zweiten Stock waren hell erleuchtet. Vibeke stieg aus und überquerte die Straße. Vor der Haustür zögerte sie. Schließlich drückte sie auf die Klingel neben seinem Namen. Nichts passierte.

Sie klingelte erneut, doch auch dieses Mal wurde nicht geöffnet. Die Gegensprechanlage blieb ebenfalls stumm. Vielleicht stand Claas gerade unter der Dusche und hatte das Klingeln nicht gehört. Oder er trug Kopfhörer, während er Musik hörte. Um die Nachbarn nicht zu stören.

Vibeke ging zurück zu ihrem Auto. Ehe sie wieder einstieg, drehte sie sich noch einmal um und sah zu seiner Wohnung hoch. Claas stand am Schlafzimmerfenster und blickte zu ihr hinunter. Dann zog er die Vorhänge zu.

Rasmus' Arm schmerzte. Genau wie sein Kopf. Es war einfach zu viel. Der Tod von Eva-Karin. Seine Verletzung. Der Abzug vom Fall. Dazu der schwelende Konflikt mit Vibeke. Ihre Vorwürfe hatten ihn getroffen. Dabei hatte er gedacht, von allen würde sie ihn am besten verstehen. Fehlanzeige. Er hatte alles so dermaßen satt.

Rasmus wühlte in seiner Hosentasche nach den Schmerztabletten, die ihm der Arzt im Krankenhaus gegeben hatte, drückte zwei aus dem Blister und spülte sie mit einem kräftigen Schluck Bier hinunter.

Ausruhen sollte er sich. Oder mit seiner Familie Urlaub machen. Der Grünschnabel hatte gut reden. Vermutlich war es sein erster Schritt, um Rasmus endgültig loszuwerden. Damit er sich den Chefsessel unter den Nagel reißen konnte.

Vielleicht hätte er doch den Job beim Wirtschaftskriminalistischen Prüfdienst in Kopenhagen nehmen sollen. Dann wäre er jetzt bei Ida, hätte einen gesunden Arm und könnte für den Rest seines Lebens eine ruhige Kugel schieben.

Er trank einen weiteren Schluck. Die Dunkelheit drückte schwer gegen die bodentiefen Fenster. Das Meer war von der Nacht verschluckt, nur vereinzelt schimmerten an der Küste entfernte Lichter.

Was die anderen wohl gerade machten? Ob sie ihn bereits abgeschrieben hatten? Der Gedanke verursachte ein schmerzhaftes Ziehen in seiner Magengegend. Vor nicht einmal zwei Wochen hatten sie noch zusammen gefeiert.

Sein Blick glitt suchend zur Couch, wo er den kompletten Nachmittag und einen Großteil des Abends unter einer Wolldecke verbracht hatte, die nun zusammengeknüllt am Fußende lag. Ihm fiel ein, dass sein Handy noch immer in der Jackentasche steckte. Er glitt vom Barhocker und ging in den Flur zur Garderobe.

Das Display seines Handys war schwarz, als er es herauszog. Er hängte es in der Küche ans Ladegerät.

Sein Magen knurrte, und er sah im Kühlschrank nach, was an Essbarem vorhanden war. Eine Packung Brot, ein paar Eier, etwas Schinken. Rasmus hätte sich gerne Spiegeleier gebraten, doch mit dem verletzten Arm war die Zubereitung ein wenig umständlich, deshalb begnügte er sich mit einem Schinkenbrot.

Er hatte gerade den ersten Bissen hintergeschluckt, als sein Handy piepte. Das Display zeigte vier eingegangene Anrufe auf seiner Mailbox an. Er hörte die Sprachnachrichten ab. Die erste stammte von Pernille, die sich mit besorgter Stimme erkundigte, wie es ihm ging. Gleich danach folgte Søren, der ihm ebenfalls gute Besserung wünschte und erklärte, felsenfest hinter ihm zu stehen. Notfalls würde er die Dinge höchstpersönlich mit der Polizeiführung regeln. Der dritte im Bunde war Luís, der ihm anbot, ihn jederzeit anzurufen. Tag und Nacht. Er müsse seine Wunden keinesfalls alleine lecken. Die letzte Anruferin war Camilla, die fragte, ob er am nächsten Tag kurzfristig auf Ida aufpassen könne, und ihn bat, sich zu melden. Unschlüssig schwebte sein Finger über der Rückruftaste, doch es war zu spät für einen Anruf. Er legte sein Handy beiseite, setzte sich wieder an den Tresen und widmete sich dem Rest seines Schinkenbrots.

Das Team hatte ihn also nicht vergessen, nur Jens hatte sich nicht gemeldet, doch von dem Deutschen hatte er ohnehin nichts anderes erwartet. Eigentlich sollte er jetzt erleichtert sein, stattdessen spürte er Frustration. Keiner seiner Kollegen hatte über die Ermittlungen gesprochen oder ihm angeboten, ihn diesbezüglich auf dem Laufenden zu halten. So, als würde ihn das alles nichts mehr angehen.

Rasmus leerte seine Bierflasche und ging zum Kühlschrank, um sich eine neue zu holen. Die Tabletten begannen langsam ihre Wirkung zu zeigen, und er schaffte es, die Flasche mit der Hand des verletzten Arms nahezu schmerzfrei festzuhalten, während er sie mit der anderen öffnete. Er hätte gerne geduscht, doch der Arzt hatte ihn gewarnt, dass die frisch genähte Wunde keinesfalls nass werden durfte.

Rasmus fühlte sich wie ausgebremst, während alles andere um ihn herum seinen gewohnten Gang nahm. Die Sondereinheit arbeitete weiter, als hätte er nie dazugehört.

Er nahm einen kräftigen Schluck Bier. Seine Gedanken wanderten zurück in die Dünen von Henne Strand.

Asger Groths Flucht. Die Schießerei. Seine Verletzung. Und schließlich sein Abzug vom Fall. Was für ihn anfangs wie ein Durchbruch ausgesehen hatte, war zu einem Rückschlag geworden. Er war auf dem absoluten Tiefpunkt angelangt.

14. Kapitel

Regen trommelte gegen die Scheiben. Es war vier Uhr morgens, und Vibeke lag wach in ihrem Bett und starrte an die Decke. Eine seltsame innere Unruhe hatte sie erfasst. Das hing weniger mit der schmerzhaften Erkenntnis zusammen, dass es zwischen ihr und Claas tatsächlich zu Ende war und die sie rigoros beiseitegeschoben hatte, sondern vielmehr an dem Gespräch mit Frank Liebermann.

Die verschiedenen Modi Operandi hatten eine zentrale Bedeutung, hatte er gesagt. Diese Aussage bezog sich sowohl auf die Tötungsart als auch auf den Fundort der Opfer.

Vibeke ging die Fälle in Gedanken noch einmal durch. Nohr Lysgaard war nach einem Kehlenschnitt in einer Lagerhalle verblutet. Lennard Friedrichs war in einer Papierpresse zu Tode gequetscht worden. Eva-Karin Holm war in ihrem Auto verbrannt und Erik Lindqvist an den Folgen eines Schädel-Hirn-Traumas in einer Parkgarage gestorben, nachdem ihm zuvor fast jeder einzelne Knochen gebrochen worden war.

Vibeke dachte an das, was der Fallanalytiker in der Tischlerei gesagt hatte, als sie festgestellt hatten, dass die Holzpresse defekt war. Dass es dem Täter wichtig war, dass Lennard Friedrichs auf diese Art starb.

Und wenn man nur die Verletzungsbilder der Opfer betrachtete, schoss es ihr durch den Kopf, losgelöst vom Fundort? Was blieb in dem Fall übrig? Knochenbrüche, Quetschungen, Blutungen, Verbrennungen, zählte Vibeke im Geiste auf. Typische Verletzungsbilder, wie sie Unfallopfer erlitten. Bei Verkehrsunfällen oder bei Zugunglücken, Flugzeugabstürzen, Explosionen. Wenn sie genau darüber nachdachte, ließ sich die Liste endlos weiterführen. Busunglücke, Tunnel- oder Brückeneinstürze, Brandkatastrophen. Nicht zu vergessen Terroranschläge oder Naturkatastrophen. Doch die kamen in Dänemark äußerst selten vor. Vielleicht war sie dabei, sich zu verrennen.

Vibeke warf einen erneuten Blick auf die Uhr. Zwanzig nach vier. Sie musste jetzt dringend schlafen, wenigstens ein paar Stunden, um zumindest halbwegs wieder einen klaren Kopf zu bekommen. Sie schloss die Augen.

Zwanzig Minuten später schob sie entnervt die Bettdecke beiseite. Die Ungewissheit ließ sie nicht zur Ruhe kommen. Wie viele Tote würden sie noch finden?

Vibeke stellte in der Küche die Kaffeemaschine an, anschließend ging sie ins Badezimmer. Sie duschte sehr lange und sehr heiß, bis das Warmwasser im Boiler verbraucht war. Um Viertel nach fünf verließ sie mit einem Thermobecher Kaffee in der Hand und noch feuchten Haaren ihre Wohnung.

Es war kalt und regnerisch, und von der Förde zog ein kräftiger Wind an Land. Die angrenzenden Häuser waren in frühmorgendlicher Stille versunken.

Sie stieg in ihren Dienstwagen, der ausnahmsweise direkt gegenüber vom Hauseingang geparkt war. An der Harrisleer Straße legte sie einen kurzen Zwischenstopp an der vierundzwanzig Stunden geöffneten Tankstelle ein, kaufte im Backshop ein paar noch ofenwarme Croissants und drei Schnitzelbrötchen, ehe sie nach Padborg fuhr. Draußen strömte der Regen unablässig weiter.

Sie traf zeitgleich mit Pernille auf dem Parkplatz des *Gemeinsamen Zentrums* ein.

»Hej!« Ihre Kollegin schwenkte ebenfalls eine Papiertüte in der Hand. »Da hatten wir wohl beide denselben Gedanken.« Sie eilten ins Gebäude.

»Danke, dass du auch am Sonntag kommst«, sagte Vibeke, während sie ihre nasse Jacke abstreifte.

Pernille sah sie irritiert an. »Das ist doch klar. Oder hattest du etwas anderes erwartet?«

»Rasmus sagt, ich hätte zu hohe Ansprüche an andere.«

Pernille legte ihre Papiertüte auf dem Sideboard ab. »Du willst deinen Job halt besonders gut machen.« Sie schien ihre Worte sorgfältig abzuwägen. »Was angesichts dessen, dass wir hier Mordfälle aufklären, nur verständlich ist. Du trägst eine hohe Verantwortung. Wir alle tun das.«

»Aber?«

»Na ja«, Pernille sah ihr in die Augen. »Du versuchst immer perfekt zu sein, das ist für den einen oder anderen mitunter etwas anstrengend. Ich spreche damit nicht für mich, aber wir Dänen gehen die Dinge im Allgemeinen ein wenig anders an als ihr Deutschen.« Sie suchte nach dem richtigen Wort.

»Entspannter. Das bedeutet aber nicht, dass wir deshalb uneffektiver sind.«

Pernilles Worte waren Vibeke nicht neu, doch es war etwas anderes, sie aus dem Mund ihrer Kollegin zu hören. Sie schätzte die Ermittlerin nicht nur wegen ihrer Arbeitsweise, sondern vor allem wegen ihrer Persönlichkeit. Pernille war das Herz ihres Teams, unterstützte und vermittelte, wo immer sie konnte, und hatte dabei stets für jeden ein offenes Ohr.

»Danke, Pernille. Vielleicht schaffe ich es, künftig einen Gang runterzuschalten.«

»Bloß nicht.« Pernille lächelte, und ihre Zahnlücke wurde sichtbar. »Ich bin nur Halbdänin. Meine Mutter kommt aus Schweden, und mein Großvater stammt ursprünglich aus der Schweiz. Meine Familie sagt, ich käme ganz nach ihm. Vor allem, was effizientes Arbeiten betrifft.« Ihr Lächeln wurde noch eine Spur breiter. »Ich geh uns mal einen Kaffee machen.«

Das Büro der Sondereinheit füllte sich nach und nach. Draußen ging die Nacht in den Tag über. Es hörte auf zu regnen, und ein rosafarbener Streifen bildete sich am Horizont.

Um halb neun saßen die Teammitglieder der Sondereinheit, bis auf Søren und Rasmus, an ihren Plätzen. Alle hatten ihre Wochenendpläne auf Eis gelegt und etwas zum Frühstück mitgebracht. Sogar Michael Wagner schwenkte beim Eintreffen eine Papiertüte der dänischen Bäckerei in Flensburg. In Sekundenschnelle verteilte sich der betörende Duft nach Zimt und Butter im Büro. Ihr junger Mitarbeiter hatte offenbar schnell dazugelernt, was die Zusammenarbeit mit den dänischen Kollegen betraf.

Jetzt galt es, die letzten Punkte zusammenzutragen und nach übereinstimmenden Merkmalen oder Auffälligkeiten zu suchen.

Die großen Steine hatten sie bereits alle umgedreht, nun waren die kleinen dran. Sie wühlten sich durch die restlichen Unterlagen. Es war die reinste Sisyphusarbeit.

Vibeke rieb sich mit der Hand den Nacken. Und wenn sie falschlagen? Wenn es keine Gemeinsamkeit gab, weil der Täter die Opfer doch zufällig ausgewählt hatte? Ein Fernfahrer zum Beispiel, der Befriedigung beim Töten fand und der diesen vier Menschen während seiner Touren begegnet war. Ihr Blick glitt zur Landkarte. Zwischen den markierten Orten lagen zwei Autobahnen. Die E45 und die E20. Letztere führte bis nach Schweden.

Doch weshalb sollte ein Fernfahrer das Risiko eingehen und nach der Tat Bernsteine auf die Fensterbänke seiner Opfer legen, anstatt schnurstracks wieder in seinen LKW zu steigen und abzuhauen?

Das passte alles hinten und vorne nicht. Der fehlende Schlaf machte sich in ihrem Gehirn definitiv bemerkbar.

Sie biss ein Stück von dem Croissant ab, das neben ihrer Computertastatur auf einem Teller lag, und spülte es mit einem Schluck Kaffee hinunter. Dabei wanderte ihr Blick zu Rasmus' Schreibtisch. War sie zu hart zu ihm gewesen? Sie wusste, dass sie oftmals unnachgiebig war, wenn sie auf ihrem Standpunkt beharrte, und dass ihr Anspruch an die Menschen, mit denen sie arbeitete, hoch war. Doch es war der gleiche Anspruch, den sie an sich stellte. War sie am Ende zu hart zu sich selbst?

»Ich glaube, ich hab da was«, unterbrach Pernille ihre Gedanken.

Luís, der gerade telefonierte, beendete sein Gespräch. Alle sahen zu der Ermittlerin, die jetzt ein amtlich aussehendes Schreiben in der Hand hielt. »Das ist ein Anhörungsbogen an Nohr Lysgaard wegen einer Verkehrsordnungswidrigkeit. Er lag in der Kiste mit den Unterlagen, die uns Mille Lysgaard vorbeigebracht hat.«

»Welcher Tatbestand?«, fragte Vibeke.

»Behinderung eines Rettungseinsatzes.« Pernille zog ihre kräftigen Brauen zusammen. »Offenbar hat er in einer Rettungsgasse gewendet.«

»Wann war das?«

Ihre Kollegin sah auf dem Schriftstück nach. »Am 4. Januar 2013.«

»Steht da noch mehr?«

»Nur ein Aktenzeichen.«

Vibeke wandte sich an Jens. »Wissen wir, ob gegen die anderen Opfer etwas Ähnliches vorlag?«

Der Ermittler schüttelte den Kopf.

»Dann finden wir das heraus.« Vibeke spürte unvermittelt ein leichtes Kribbeln in ihrer Bauchregion. »Ich übernehme die Schweden. Pernille, du überprüfst bitte das Aktenzeichen. Ich will Einzelheiten wissen.«

»Dann kontaktiere ich Kasper und erkundige mich wegen Eva-Karin«, sagte Jens. »Michael, kümmerst du dich um die Angehörigen von Lennard Friedrichs?«

Der Flensburger nickte. »Ich rufe seinen Vater an.«

Vibeke griff zum Telefon und wählte die Nummer von Inger Hansson. Sie schilderte in knappen Worten ihr Anliegen, und die Schwedin versprach, so schnell wie möglich zurückzurufen.

»Der Vorgang ist nicht mehr im System.« Pernille blickte von ihrer Computertastatur hoch, als Vibeke aufgelegt hatte. »Das Bußgeldamt ist am Wochenende nicht besetzt. Ich rufe die zuständige Polizeidienststelle an. Vielleicht haben die etwas über den Rettungseinsatz in ihren Akten.«

»Welche Dienststelle ist es?«

»Die in Kolding.« Pernille langte erneut zum Telefon.

Während die restlichen Teammitglieder telefonierten, erhob sich Vibeke von ihrem Platz und ging zur Landkarte. Kolding lag rund hundert Kilometer nördlich von Padborg an der Ostküste Jütlands. Dort kreuzten sich die Nord-Süd-Autobahn E45 und Ost-West-Autobahn E20. Ihr Kribbeln verstärkte sich.

»Kasper spricht mit dem Polizeidirektor.« Jens legte den Telefonhörer auf. »Wenn Eva-Karin eine Verkehrsordnungswidrigkeit begangen hat, wurde unter Umständen ihr Dienstherr in Kenntnis gesetzt. In dem Fall muss Thure Christensen Bescheid wissen.«

Vibekes Handy klingelte. Es war Inger Hansson. »Hej, Inger.« Sie wechselte ins Englische. »Ich stell dich auf laut, dann kann Jens mithören.«

»Wir haben in den Unterlagen von Erik Lindqvist einen Anhörungsbogen gefunden«, informierte sie die schwedische Ermittlungsleiterin. »Offenbar hat er vor Jahren Rettungskräfte durch Wenden in der Rettungsgasse blockiert. Interessanterweise kam das Schreiben von einer dänischen Behörde.«

Vibeke sog scharf die Luft ein. »Von welcher?«

»Vom Politiets Administrative Center in Holstebro. Der Vorfall selbst ereignete sich auf der Autobahn in Höhe Kolding.«

»Wann war das?«

»Am 4. Januar 2013.«

Sie tauschte mit Jens einen bedeutsamen Blick, ehe sie sich wieder Inger Hansson zuwandte. »Hast du ein Aktenzeichen für mich?«

Die Schwedin gab es ihr durch.

»Vielen Dank, Inger«, sagte Vibeke, nachdem sie es notiert hatte. »Ich muss jetzt Schluss machen, aber ich melde mich später noch einmal.« Sie legte auf und reichte den Zettel mit dem Aktenzeichen an Pernille weiter, die offenbar in der Warteschleife der Polizeidienststelle hing.

»Das ist mit Sicherheit derselbe Vorgang«, sagte Jens. Eine kaum hörbare Aufregung schwang in seiner Stimme mit.

»Darauf tippe ich auch, aber wir werden es bald genau wissen.« Vibeke nahm den roten Edding von ihrem Schreibtisch, trat zur Landkarte und kreiste dort das Autobahnkreuz Kolding ein. »Sollte unsere Vermutung zutreffen, dann haben sich die Wege von zwei unserer Opfer irgendwo hier vor sieben Jahren gekreuzt. Jetzt müssen wir nur noch herausfinden, ob die beiden anderen zu dem Zeitpunkt ebenfalls dort unterwegs waren.«

Pernille signalisierte per Handzeichen, dass sie bei der Polizeidienststelle endlich jemanden erreicht hatte. Sie begann ihr Anliegen zu schildern.

Rasmus erwachte mit einem Ruck. Irgendwo klingelte ein Handy. Schlaftrunken tastete er auf seinem Nachtschrank danach, doch da lag nichts. Wie spät war es überhaupt?

Er setzte sich auf. Hinter den bodentiefen Fenstern war es bereits hell. Die Sonne lag versteckt hinter einer dunklen Wolkenbank, das Meer war grau und aufgewühlt.

Das Klingeln verstummte. Rasmus sank zurück in die Kissen. Die Wunde an seinem Oberarm pochte, doch der Schmerz war wesentlich besser auszuhalten als am Vortag. Ein Piepen durchdrang die Stille seines Apartments und kündigte den Eingang einer Sprachnachricht an.

Rasmus schob die Bettdecke beiseite und stand auf. Er fand sein Handy in der Küche, wo es noch immer am Netzteil hing. Er hörte die Mailbox ab. Das Krankenhaus teilte ihm mit, dass Asger Groth jetzt ansprechbar war. Kurz war Rasmus irritiert, dass man ihn und nicht seine Dienststelle informierte, bis ihm einfiel, dass er dem Arzt seine Visitenkarte mit seiner Handynummer gegeben hatte.

Das ist ein Zeichen, dachte Rasmus. Er verzichtete darauf zurückzurufen und ging stattdessen ins Bad, um sich fertig zu machen. Mit dem verletzten Arm dauerte alles ein wenig länger, und als er es schließlich geschafft hatte, in frische Kleidung zu schlüpfen und die Armschlinge anzulegen, war er schweißgebadet.

Zurück in der Küche, trank er noch schnell einen Kaffee und schaute dabei aus dem Fenster. Auf dem

Meer steuerte gerade eine Fähre auf Fanø zu. Rechts, am Strand von Sæding, leuchteten die Skulpturen der weißen Männer aus dem morgendlichen Grau hervor.

Ehe Rasmus sein Apartment verließ, drückte er eine Tablette aus dem Blister und spülte sie mit dem letzten Schluck Kaffee hinunter. Am VW-Bus angekommen, hievte er sich umständlich auf den Fahrersitz und verhedderte sich dabei mit der Armschlinge an seinem Lenkrad. »Verdammtes Mistding!« Kurzerhand riss er das Teil ab.

Keine zehn Minuten später lenkte Rasmus seinen Bulli in eine der Parkbuchten vor dem Krankenhaus. Er war extrem angespannt. Gleich würde er dem Mann gegenüberstehen, der ihm gestern fast das Licht ausgeknipst hätte und vielleicht sogar der Mörder von Eva-Karin war.

Wut wallte in Rasmus hoch. *Dieser Scheißkerl.* Er zündete sich eine Zigarette an und kurbelte das Seitenfenster hinunter. Nach ein paar Zügen beruhigte er sich wieder.

Er musste sich im Griff behalten, egal, wie schwer ihm das fiel. Einen Tatverdächtigen einzuschüchtern oder gar zu bedrohen, brachte in der Regel nichts, außer die nächste Dienstaufsichtsbeschwerde.

Rasmus blies einen Rauchkringel in die Luft, wippte unruhig mit den Knien, dann drückte er den Glimmstängel kurzerhand in einem Becher mit Kaffeeresten aus und stieg aus dem Bus.

Es dauerte eine Weile, bis er sich im Krankenhaus durchgefragt hatte, doch schließlich erreichte er die Station, auf der Asger Groth untergebracht war. Eine streng blickende Krankenschwester nahm ihn in Empfang und bedeutete ihm, ihr durch den Flur zu folgen. Es roch streng, eine Mischung aus Urin, Desinfektionsmitteln und verkochtem Essen.

Vor einem der Krankenzimmer saß ein Polizeibeamter, der sich sofort erhob, als er den Ermittler kommen sah. Rasmus nickte dem Uniformierten höflich zu. Er verspürte den Anflug eines schlechten Gewissens, dass er erneut im Begriff war, gegen Kasper Saltums Anweisungen zu verstoßen, doch schon mit dem nächsten Wimpernschlag war das Gefühl wieder verschwunden. Er ließ sich nicht aufs Abstellgleis schieben. Schon gar nicht, wenn es dabei um Menschenleben ging. Er war bereits Polizist gewesen, da hatte der Grünschnabel noch in den Windeln gelegen.

»Zwei Minuten«, mahnte ihn die Krankenschwester, »und keine Sekunde länger. Der Patient ist noch nicht vernehmungsfähig.« Sie öffnete die Tür zum Krankenzimmer, ging hinein und platzierte sich direkt neben dem Eingang.

Asger Groth lag blass unter der sterilen Decke des Krankenhausbettes, Bart und Haare waren zerzaust, sein rechtes Bein lugte dick bandagiert auf einem weißen Polster hervor. Er war in ein Fußballspiel vertieft, das über den seitlich am Rollcontainer angebrachten Fernsehbildschirm lief.

»Asger Groth?« Rasmus trat einen Schritt näher an das Bett heran. Er bemühte sich um einen neutralen Tonfall. »Ich bin Rasmus Nyborg von der Polizei in Esbjerg. Wir beide hatten bereits gestern das Vergnügen.«

Asger Groth schenkte ihm nur einen kurzen Blick

aus den Augenwinkeln, ehe er sich wieder dem Fußballspiel zuwandte. »Du bist der Kerl, dem ich den
ganzen Scheiß hier zu verdanken habe.«

»Du hättest nicht fliehen sollen«, stellte Rasmus
ungerührt fest. »Ich wollte mit dir nur ein Gespräch
über Eva-Karin Holm führen.«

Keine Reaktion.

»Du weißt, dass sie tot ist, oder?«

Anstelle einer Antwort griff Asger Groth nach der
Fernbedienung und schaltete den Bildschirm aus.

»Was soll das hier eigentlich werden?« Erstmals
sah er Rasmus direkt an. Seine Augen leuchteten blau
und intensiv. »Für eine Vernehmung stellst du die falschen Fragen.«

Der Mann kannte sich offensichtlich aus.

»Nennen wir es eine inoffizielle Befragung.« Rasmus registrierte, wie die Krankenschwester auf ihre
Armbanduhr tippte. Er kam ohne weitere Umschweife
zur Sache. »Hast du Eva-Karin Holm umgebracht?«

»Jeder Anwalt würde mir jetzt dazu raten, nicht zu
antworten.« Asger Groth lächelte spöttisch.

Rasmus ließ sich nicht provozieren. »Wir können
auch das volle Programm abziehen, wenn dir das lieber ist. Allein die Tatsache, dass du auf einen Polizisten geschossen hast, reicht aus, um dich eine ganze
Weile einzubuchten. Wenn du also nicht mit mir reden
willst, ist das dein gutes Recht. Aber es macht die
ganze Sache nicht unbedingt einfacher für dich. Eher
im Gegenteil.« Er machte eine bedeutungsvolle Pause.
»Solltest du allerdings mit der Polizei kooperieren,
kann sich das unter Umständen positiv auf dein Strafmaß auswirken.«

»Das habe ich schon einmal gehört.« Die Lippen des Ex-Häftlings wurden schmal wie ein Bleistift. »Es hat mir zwölf Jahre Knast eingebracht. Außerdem ist das Erpressung.«

»Ich nenne es offene Transparenz. Schließlich reden wir hier nicht nur über einen Mord, sondern über vier.«

Asger Groth wurde noch eine Spur blasser, und Rasmus konnte förmlich sehen, wie es hinter seiner Stirn arbeitete.

»Die zwei Minuten wären dann um«, sagte die Krankenschwester spitz.

Rasmus fluchte innerlich. Er zwang sich zu einem Lächeln. »Einen Moment noch.« Zähneknirschend schob er ein »Bitte« hinterher. Asger Groth schien unterdessen zu einer Entscheidung gekommen zu sein. »Ich habe keinen dieser Menschen umgebracht.« Er fuhr mit der Hand zu seinem bandagierten Bein. Dabei rutschte der Ärmel seines Krankenhaushemds ein Stück höher und entblößte die Tätowierung einer züngelnden Schlange am Oberarm. »Auch nicht die Polizistin.«

Es fiel Rasmus schwer einzuschätzen, ob Asger Groth die Wahrheit sagte. Der Mann war mit allen Wassern gewaschen.

»Und weshalb bist du dann abgehauen?«

Als keine Antwort kam, legte Rasmus die Karten auf den Tisch. »Ich war in deiner Wohnung, Asger. Ich habe gesehen, was du dort alles so gesammelt hast. Ganz schön heftig, muss ich sagen.« Unter den Argusaugen der Krankenschwester trat er einen Schritt näher an das Bett heran. »Ich weiß also, dass du Eva-Karin Holm seit deiner Haftentlassung verfolgt hast. Und nicht nur das. Ich weiß auch von den Drohbriefen, die du ihr aus dem Knast geschickt hast. Es fällt mir also schwer zu glauben, dass du deine Finger nicht auch bei dem Mord im Spiel hast. Und der Richter wird das vermutlich ganz ähnlich sehen.« Er machte eine bedeutsame Pause. »Besser, du spuckst es gleich aus.«

»Einem Ex-Knacki glaubt doch ohnehin keiner.« Der Zug um Asger Groths Mund wirkte verbittert, doch in seinen Worten schwang eine Gleichgültigkeit mit, die von den vielen Jahren im Knast hervorgerufen sein mochte.

»Das käme wohl auf einen Versuch an.«

Der blonde Mann im Krankenbett tastete erneut nach seinem bandagierten Bein, doch dieses Mal verzog er dabei schmerzerfüllt das Gesicht.

»So, es reicht.« Die Krankenschwester öffnete die Tür. »Der Patient braucht jetzt Ruhe.«

Rasmus wandte sich an den Ex-Häftling. »Das war deine Chance, Asger. Sobald du hier rauskommst, wanderst du in Untersuchungshaft. Dort wird man dich sitzen lassen, bis genügend Indizien zusammen sind, um dich für alles wasserdicht verantwortlich zu machen.« Er verließ den Raum. Am liebsten hätte er Asger Groth aus dem Bett gezerrt und die Wahrheit aus ihm herausgeprügelt. Wenn der Typ nicht redete, war alles umsonst gewesen. Seine Verletzung. Der Abzug vom Fall. Und wenn es noch mieser lief, wurde er obendrein suspendiert.

Rasmus war bereits am Ende des Flurs angelangt, als die Krankenschwester ihn einholte. Sie machte ein missmutiges Gesicht. »Der Patient möchte dich noch einmal sprechen.«

Kolding, Dänemark – Januar 2013

Kurz hinter dem Autobahnkreuz Kolding tat sich eine weißgraue Nebelwand auf. Für einen Moment leuchteten die Bremslichter der vorderen Autos auf.

Henning nahm den Fuß vom Gaspedal und drosselte das Tempo. Der Regen vor der Windschutzscheibe vermischte sich mit Schnee, die Temperaturen sanken unter den Gefrierpunkt. Bis auf das Quietschen des Scheibenwischers war es im Auto vollkommen still. Auf der Gegenfahrbahn schoben sich kolonnenartig LKWs Richtung Norden, vermutlich um über die E20 nach Schweden zu gelangen.

Der Nebel war jetzt so dicht, dass Henning kaum noch die Stoßstange seines Vordermanns erkennen konnte. Irgendwo in der Ferne ertönte plötzlich ein dumpfer Knall. Gleich darauf folgte ein weiterer. Im Anschluss krachte es nahezu im Sekundentakt.

Bremslichter leuchteten auf, und das vorausfahrende Fahrzeug, ein schwarzer SUV, kam keine fünfzig Meter vor ihm abrupt zum Stehen.

Henning trat reflexartig auf die Bremse. Sein Auto geriet ins Schlingern, zeitgleich scherte ein Wagen von der rechten Fahrbahn aus, zog hinüber in seine Spur. Bremsen quietschten, von allen Seiten ertönte kräftiges Hupen.

Henning umklammerte das Lenkrad mit beiden

Händen, machte sich auf den Aufprall gefasst, doch in letzter Sekunde kam sein alter Golf zum Stehen. Von dem SUV trennte ihn kein halber Meter.

Sein Herz klopfte wie verrückt, und unter seinem Wollpullover war er schweißgebadet. Mein Gott, es hat nicht viel gefehlt. Er warf einen Blick in den Rückspiegel. Auch die Autos hinter ihm hatten es gerade noch rechtzeitig geschafft anzuhalten. Einige standen quer auf der Fahrbahn.

Hennings Hand zitterte, als er den Motor abstellte. Der Wagen rechts neben ihm hatte die Leitplanke touchiert. Die Fahrerin, eine ältere grauhaarige Frau, lehnte mit geschlossenen Augen an der Kopfstütze. War sie verletzt?

Er schlüpfte in seine Winterjacke vom Beifahrersitz, zog die gelbe Warnweste aus dem seitlichen Ablagefach und streifte sie notdürftig über. Schließlich stieg er mit leicht wackeligen Knien aus dem Wagen und wäre dabei fast ausgerutscht. Eine dünne Eisschicht zog sich über den Asphalt der Autobahn.

Er tastete sich vorsichtig am Heck seines Golfs entlang zum Nebenfahrzeug und klopfte dort gegen die Scheibe der Fahrerseite. »Hallo? Sind Sie in Ordnung?«

Die ältere Frau schlug die Augen auf und nickte.

»Meine Güte!« Der Fahrer des SUV, ein kleiner untersetzter Mann mit Halbglatze, stieg jetzt ebenfalls aus. Der Schock stand ihm deutlich ins Gesicht geschrieben. »Da vorne hat's anscheinend ordentlich gekracht. Ich informiere die Polizei.« Er zog sein Handy aus der Jackentasche.

Henning starrte auf die vor ihm liegende Nebelwand. Eine unerwartete Furcht erfasste ihn. Wie ferngesteuert ging er die Gasse zwischen den Fahrzeugen entlang. Die meisten Leute waren ausgestiegen, einige telefonierten oder posteten bereits in den sozialen Netzwerken, ein Stück weiter vorne hatten sich zwei Autos ineinandergeschoben. Doch wie es schien, war dabei niemand verletzt worden.

Der Schrei einer Frau durchdrang den Nebel. Schrill. Hysterisch.

Henning ging schneller. Mehrere Male wäre er auf dem glatten Untergrund um ein Haar ausgerutscht, doch die Vorahnung trieb ihn wie eine unsichtbare Macht weiter voran.

Der Nebel lichtete sich, und Henning blieb abrupt stehen. Er hatte Mühe, das Ausmaß des Szenarios zu begreifen, das sich ihm bot.

Etliche Wracks zertrümmerter Autos standen ineinander verkeilt auf der Fahrbahn. Einige lagen auf der Seite, ein Sportwagen war über die Leitplanke hinausgeschossen, hing zerdrückt zwischen Büschen.

Menschen schrien. Eine Frau kreischte wie von Sinnen. Überall lagen Scherben und Trümmerteile herum. Dazwischen verteilten sich Gepäckstücke. Kleiderfetzen. Ein kleiner Jack-Russell-Terrier rannte orientierungslos zwischen den Fahrzeugen herum. Irgendwo glomm ein Feuer. Staub und Rauch hingen in der Luft, mischten sich mit der eisigen Kälte und den Nebelschwaden.

Henning tastete nach seinem Handy, um den Notruf zu wählen, bis ihm einfiel, dass es in der Mittelkonsole seines Wagens lag. Das Trümmerfeld zog sich über mehrere Hundert Meter.

In der nächsten Sekunde erfasste ihn die Kälte mit voller Wucht. Weiter vorne hatte sich ein roter Kombi unter einen Sattelschlepper geschoben. Motorhaube und Cockpit des Fahrzeugs waren nahezu vollständig zerstört. Auf dem Heck prangte ein Aufkleber mit Dannebrog. »Ich brauche keine Therapie. Ich muss nur nach Blåvand.«

Die Schrift verschwamm vor seinen Augen. Henning atmete schwer. Schluchzte. Weinte. Dann begann er verzweifelt zu rufen.

Padborg, Dänemark

»Es war der erste Glatteisunfall des Jahres«, berichtete Pernille, nachdem sie das Telefonat mit der Polizeidienststelle beendet hatte. »Eine Massenkarambolage. Insgesamt sechsunddreißig Fahrzeuge waren darin verwickelt, einige davon sind in Brand geraten. Es gab drei Tote, acht Schwer- und zwölf Leichtverletzte. Die Bergungsarbeiten dauerten den ganzen Tag.« Sie strich sich eine dunkle Haarsträhne aus dem Gesicht, die sich aus ihrem Pferdeschwanz gelöst hatte. »Der Unfall hat damals für großes Aufsehen gesorgt, denn ein paar Autofahrer hatten in der Rettungsgasse gewendet und den Zugang für die Rettungskräfte blockiert.« Sie hielt einen Moment inne. »Für einige Unfallopfer kam die Hilfe zu spät. Eine Mutter und ihre drei Kinder waren mit dem Auto unter einen Sattelschlepper gerutscht und eingeklemmt, als das Fahrzeug Feuer fing. Nur die jüngste Tochter konnte schwer verletzt geborgen werden, alle anderen starben noch vor Ort.«

Entsetztes Schweigen.

Vibeke hatte Mühe, die Bilder aus ihrem Kopf zu vertreiben.

»Ich erinnere mich an den Unfall«, durchbrach Luís das Schweigen. »Ich habe mich damals furchtbar aufgeregt über das Verhalten dieser Fahrer.«

Jens strich sich über sein kreideweißes Gesicht. »Ich war selbst mal in einen Auffahrunfall auf der Autobahn verwickelt. Eine Sekunde nicht aufgepasst, und dann geht plötzlich alles so schnell, dass du kaum noch reagieren kannst. Ich hatte damals ein Riesenglück. Nur ein Schleudertrauma.« Seine Augen funkelten empört. »Aber wenn ich mir vorstelle, dass da Leute schwer verletzt in ihren Autos liegen, und irgendwelchen Vollidioten fällt nichts Besseres ein, als in der Rettungsgasse zu wenden, überkommt mich die kalte Wut. Die sollte man alle einsperren.« Sein Blick glitt zu Pernille. »Aber das ist vermutlich nicht passiert, oder?«

Die Ermittlerin schüttelte den Kopf. »Gegen die Autofahrer wurde lediglich ein Bußgeld verhängt.«

»Unglaublich«, erwiderte Jens. »Obwohl mich das nicht wirklich überrascht. Das Wenden in der Rettungsgasse mit Behinderung von Rettungskräften ist auch bei uns erst seit 2017 ein Straftatbestand, und in den meisten Fällen wird das Verfahren ohnehin eingestellt.« Er wandte sich an Pernille. »Wie hat man herausgefunden, welche Autofahrer es waren?«

»Ein anderer Fahrer, der ebenfalls im Stau stand,

hat alles mit dem Handy gefilmt und der Polizei das Material zur Verfügung gestellt.«

»Und eine von denen, die gewendet haben, war Eva-Karin?«, fragte Vibeke. Für sie war es nur schwer vorstellbar, dass eine intelligente und integre Polizistin so etwas tat.

Pernille nickte.

»Du sagtest eben, es wären fünf Autofahrer gewesen.«

»Vier Namen kennen wir bereits«, erwiderte ihre Kollegin. »Es sind die der Mordopfer. Die fünfte Person ist eine Ivonne Faber.« Sie griff nach ihrer Computertastatur und gab ein paar Befehle ein. »Der Kollege hat mir versprochen, die Unfallakte mit den Einzelheiten gleich zu schicken. Was er auch getan hat.« Sie hob kurz den Blick, ehe sie sich wieder in ihren Bildschirm vertiefte. »Da steht es. Ivonne Faber. Geboren am 19.03.1986. Zum Zeitpunkt des Unfalls wohnhaft in Schleswig.«

Vibekes Gedanken überschlugen sich. »Dann ist sie das nächste Opfer.«

»Davon ist auszugehen.« Pernille schaute erneut auf ihren Bildschirm, scrollte parallel mit der Maus.

»Wir müssen die Frau sofort ausfindig machen«, sagte Vibeke und sah, wie sich die Augen ihrer Kollegin weiteten. »Was ist los, Pernille?«

»Die toten Unfallopfer, die Mutter und ihre Kinder ...« Pernille stockte. »Der Vater ... er war ebenfalls am Unfallort. In einem Auto ein paar Hundert Meter weiter hinten. Er war es, der die jüngste Tochter aus dem Auto gezogen hat.« Sie verstummte. In ihrem Blick spiegelte sich blankes Entsetzen.

Vibeke spürte eine kaum erträgliche Anspannung. »Herrgott, Pernille«, brach es aus ihr heraus. »Jetzt rede endlich!«

»Der Name des Vaters ist Claas Henning Behring.«

Es wurde so still im Raum, dass man eine Stecknadel hätte fallen hören können.

Vibekes Kehle wurde vollkommen trocken. Sekundenlang starrte sie ihre Kollegin an. Im nächsten Moment fielen sämtliche Puzzleteile an ihren Platz. Das Kennenlernen mit Claas. Sein Interesse an ihrem Job. Seine Zurückhaltung, was persönliche Dinge betraf. Die anonyme Wohnung in Nordstadt und ihr Bauchgefühl, das sie von Anfang an gewarnt hatte. Nur dass sie es in einer völlig falschen Richtung interpretiert hatte. Claas hatte sich an den Menschen gerächt, die er für den Tod seiner Frau und seiner Kinder verantwortlich machte, nachdem die Justiz versagt hatte. Jetzt begriff sie auch, weshalb er bei ihrem letzten Treffen nicht über Nacht geblieben war. Nach dem Sex mit ihr hatte er sich in sein Auto gesetzt und war nach Helsingborg gefahren. Im nächsten Moment hatte sie die Bilder von Erik Lindqvists zertrümmertem Körper vor Augen.

Eine Welle der Übelkeit erfasste sie.

»Vibeke?« Pernilles besorgte Stimme. »Kommst du klar?«

Erst jetzt fiel ihr auf, dass alle sie anstarrten.

Vibeke straffte sich. »Natürlich.« Sie trank einen kräftigen Schluck Wasser. Ab jetzt war Claas für sie nur noch der Täter.

»Pernille, du und Jens, ihr fahrt zu Claas Behrings Wohnung.« Sie schnappte sich einen Stift und notierte die Adresse auf einem Zettel, den sie an Pernille weiterreichte.

Jens griff zum Telefon, und Vibeke hörte mit halbem Ohr, wie er mit Søren sprach. »Michael, du fährst zur Redaktion der *SHT*. Nimm zwei Kollegen von der Streife mit. Haben wir die aktuelle Adresse von Ivonne Faber?«

Luís' Finger flogen über die Computertastatur. »Laut EWO ist sie jetzt in Flensburg gemeldet. Lundweg 1.«

»Das übernehme ich«, sagte Vibeke. »Ich weiß, wo das ist.«

»Soll ich Søren dorthin schicken?«, fragte Jens, nachdem er aufgelegt hatte.

»Nein. Ich ordere Verstärkung bei meiner Dienststelle. Søren soll Michael unterstützen.« Ihr Handy auf dem Schreibtisch klingelte, und der Name von Rasmus erschien auf dem Display. Nicht jetzt, Rasmus. Sie drückte den Anruf weg und wandte sich an Luís. »Vielleicht kannst du die Telefon- und Handynummer von Ivonne Faber auftreiben, unter der wir sie erreichen können. Für den Fall, dass sie nicht zu Hause ist.« Vibeke stand auf und überprüfte den Sitz ihrer Dienstwaffe. »Lasst uns los.« Sie griff nach ihrer Jacke.

Ivonne trat von der stickigen Luft des Lokals ins Freie. Sofort fegte ihr nasskalter Wind ins Gesicht, und sie bemerkte, dass sie einen ordentlichen Schwips hatte.

Ihre Freundin Britta hatte sie und ein paar weitere Frauen zu einem Geburtstagsfrühstück in das kleine schwedische Café eingeladen und neben zahlreichen kulinarischen Köstlichkeiten auch zwei Flaschen Sekt spendiert. Sie hatte drei Gläser getrunken, zwei mehr als gewöhnlich.

Es war eine fröhliche Runde gewesen, und Ivonne hatte sich so unbeschwert gefühlt wie seit Langem nicht mehr. Der drohende Rechtsstreit, der Anwaltstermin, der am nächsten Tag stattfinden sollte, der Stress mit ihrer Chefin, all das hatte sie für ein paar Stunden ausblenden können.

Ivonne winkte ihrer Freundin durch das Fenster ein letztes Mal zu, ehe sie dem Lokal endgültig den Rücken zukehrte. Die Norderstraße war an diesem trüben Sonntagvormittag nahezu menschenleer, einzig ein eng umschlungenes Pärchen überquerte das Kopfsteinpflaster der Fahrbahn, um auf die andere Seite zu gelangen.

Ivonne schwankte leicht und erkannte, dass sie in ihrem Zustand lieber kein Auto fahren sollte. Nur allzu gerne hätte sie sich ein Taxi gerufen, doch das gab ihr Budget nicht her. Sie beschloss, den Bus zu nehmen.

Sie ging die Fußgängerzone entlang, vorbei an geschlossenen Geschäften, Cafés und Restaurants und den lauschigen Kaufmanns- und Handwerkerhöfen.

In Höhe vom McDonald's kam ihr eine Gruppe Jugendlicher mit Papiertüten entgegen.

Kurz darauf stieg sie am ZOB in den Bus. Im letzten Moment zwängte sich noch ein Mann zwischen die Tür. Er trug dunkle Kleidung und eine tief in die Stirn gezogene Mütze, die untere Gesichtshälfte war von einem Schal verdeckt.

Als Ivonne vier Haltestellen später den Bus wieder verließ, stieg der Vermummte ebenfalls aus. Sie warf einen flüchtigen Blick über die Schulter und sah, dass er ihr mit einigen Metern Abstand folgte.

Ivonnes Herzschlag beschleunigte sich. Mit einem Mal war sie überzeugt, dass der Mann hinter ihr her war. Vielleicht war er derjenige, der ihr Wohnhaus beobachtet hatte. Sie fingerte in ihrer Jackentasche nach ihrem Schlüssel, fand ihn und presste ihn zwischen Zeige- und Mittelfinger, sodass die Spitze wie eine Stichwaffe herausragte.

Kurz darauf bog sie in ihre Straße ein, widerstand dem Reflex, sich umzudrehen. Folgte ihr der Mann?

Ivonne konnte ihr Wohnhaus bereits sehen. Sie beschleunigte ihre Schritte. Horchte. Doch außer dem Straßenverkehr war nichts zu hören. Du bist paranoid, Ivonne. Und betrunken.

Jetzt drehte sie sich doch um. Der Mann war noch immer hinter ihr. Ivonne ging schneller, fing an zu laufen. Wenige Augenblicke später erreichte sie endlich ihr Wohnhaus, steckte mit zittrigen Fingern den Schlüssel ins Schloss, drehte ihn herum. Sie schlüpfte in den Hausflur und drückte hastig die Eingangstür hinter sich zu.

Ivonne war so erleichtert, dass sie aufschluchzte.

Du bist in Sicherheit. Sie sah durch das Fenster der Tür. Der Mann war verschwunden.

Hatte er sie tatsächlich verfolgt, oder gingen ihr langsam die Nerven durch? Weil sie das schlechte Gewissen nach all den Jahren wieder eingeholt hatte.

Ivonne nahm den Fahrstuhl. Sie lehnte sich mit dem Rücken gegen die Kabine und schloss die Augen. Ihr Puls normalisierte sich. Sieben Etagen höher glitt die Fahrstuhltür auseinander, und sie stieg aus. Vermutlich bildete sie sich alles nur ein.

Sie ging zu ihrer Wohnung und öffnete die Tür. Irgendetwas stimmte nicht.

Jütland, Dänemark

Rasmus drückte aufs Gaspedal. Seine Nerven waren zu Drahtseilen gespannt. Asger Groth hatte zugegeben, Eva-Karin am Tag ihrer Ermordung verfolgt zu haben. Angeblich nur, um mit ihr zu reden, doch natürlich war er schlau genug, einem Polizisten gegenüber keine geplante Straftat zu erwähnen.

Asger war Eva-Karin in den Golfklub gefolgt und hatte sie auf dem Rückweg auf dem Parkplatz abpassen wollen, doch die Anwesenheit eines Mannes, der plötzlich aus einem parkenden Transporter gestiegen war, hatte seinen Plan zunichtegemacht. In der Dunkelheit hatte Asger nicht viel erkennen können, nur dass der Mann, kurz nachdem Eva-Karin wieder im Auto saß, die Beifahrertür geöffnet hatte und eingestiegen war.

Asger hatte sich an das wegfahrende Auto drangehängt, als es völlig unerwartet in eine Seitenstraße abgebogen war und zwischen Feldern und Äckern angehalten hatte. Plötzlich hatte das Fahrzeug in Flammen gestanden, und eine dunkel gekleidete Gestalt war querfeldein in Richtung Golfklub davongelaufen.

Ohne weiter nachzudenken, war Asger zurück zum Parkplatz gefahren, wo kurz darauf die flüchtige Person in den Transporter gestiegen war. In dem Moment war ihm klar geworden, dass nicht Eva-Karin das Weite gesucht hatte, sondern der Unbekannte. Was hieß, dass sie noch in dem brennenden Auto gesessen hatte.

Rasmus hatte nicht alle Einzelheiten aus Asger Groth herausbekommen. Offenbar war er dem Transporter zu einem Parkhaus in Aabenraa gefolgt, wo der Fahrer in einen Kleinwagen umgestiegen war. Das Kennzeichen hatte Asger sich auf die Schnelle nicht merken können, nur dass in der Windschutzscheibe des Fahrzeugs ein deutsches Presseschild gelegen hatte.

Rasmus hatte augenblicklich an den Journalisten denken müssen, der die Informationen mit den Bernsteinen veröffentlicht hatte. Claas Behring.

Er hatte Luís angerufen, um ihm das Kennzeichen des Transporters für die Kfz-Halterabfrage durchzugeben, war jedoch direkt auf die Mailbox umgeleitet worden. Er hatte seinem Kollegen eine Nachricht hinterlassen und sich umgehend auf den Weg nach Padborg gemacht. Von unterwegs aus hatte er versucht, Vibeke zu erreichen, doch die hatte ihn einfach weggedrückt. Schließlich hatte er bei der Kfz-Fahndung angerufen, nur um dort zu erfahren, dass das durchgegebene Kennzeichen nicht existierte.

Kurz hinter Torp, südlich von Aabenraa, klingelte sein Handy in der Halterung. Es war Luís. Er nahm das Gespräch an und tippte auf das Lautsprechersymbol.

»Hej, Rasmus. Ich habe gesehen, du hast angerufen.« Der Portugiese klang angespannt.

»Jep. Hast du deine Mailbox abgehört? Ich hatte dir ein Kennzeichen zur Überprüfung durchgegeben, ein schwarzer Transporter, möglicherweise das Fahrzeug des Täters. Leider ist das Kennzeichen falsch.« Rasmus setzte den Blinker, um ein Wohnmobil zu überholen. »Ich komme gerade von Asger Groth aus dem Krankenhaus. Halte mich jetzt nicht für verrückt, aber möglicherweise ist Claas Behring der Täter, nach dem wir suchen.«

Stille.

»Luís?«

Sein Kollege räusperte sich. »Das ist nicht verrückt.« In den nächsten Minuten erzählte Luís ihm von einer Massenkarambolage am Autobahnkreuz Kolding, die sich im Januar 2013 ereignet hatte. Von einer Mutter und ihren Kindern, die dabei gestorben waren, und einer Gruppe rücksichtsloser Autofahrer, die in der Rettungsgasse gewendet und die Zufahrt für die Rettungskräfte blockiert hatten. »Claas Behring hat seine jüngste Tochter noch aus dem Auto befreien können, ehe das Feuer ausbrach. Seine Frau und die beiden anderen Kinder waren eingeklemmt.« Luís' Stimme klang belegt. »Sie sind vor seinen Augen verbrannt.«

Rasmus spürte, wie sich sein Hals zuzog. Tiefes Mitgefühl für den Familienvater wallte in ihm auf.

»Schrecklich. Hat die jüngste Tochter überlebt?«

»Ich weiß es nicht, aber ich finde es heraus.«

»Wie hat es Vibeke aufgenommen?«

»Du kennst sie doch. Sie läuft wie ein Schweizer Uhrwerk. Aber wer weiß schon, wie es in ihrem Inneren aussieht.«

Vibeke muss am Boden zerstört sein, dachte Rasmus. Doch sie war auch ein Vollprofi. Wenn es überhaupt jemandem gelingen konnte, seine persönlichen Gefühle in so einem Fall zurückzustellen, dann war es Vibeke Boisen. Er räusperte sich. »Wie kann ich euch unterstützen?«

»Muss ich dich erst daran erinnern, dass du gestern angeschossen wurdest?«, erwiderte Luís. »Abgesehen davon wurdest du von den Ermittlungen abgezogen.«

»Ja, und?«

Luís seufzte. »Wo bist du gerade?«

»Auf der E45 Richtung Süden. Die nächste Ausfahrt ist Kruså. Ich könnte in einer Viertelstunde in Padborg sein.«

»Dann fahr am besten gleich nach Flensburg durch.« Luís nannte ihm eine Adresse. »Vibeke hat eine Streife geordert. Aber möglicherweise kann sie jemanden aus dem Team zur Unterstützung gebrauchen. Sie ist gerade erst los.«

»Danke, Luís.« Rasmus beendete das Gespräch und startete die Navigation seines Handys. Dann drückte er das Gaspedal bis zum Anschlag durch.

Nebeldunst umhüllte die Hochhäuser am Lundweg, als Vibeke zeitgleich mit zwei Streifenwagen dort eintraf.

Ivonne Faber wohnte im Gebäude mit der Hausnummer eins. Grauschleier an weiß verputzter Fassade, gelbe Balkone, neun Geschosse.

»Sie sichern den Hinterausgang«, instruierte Vibeke die beiden uniformierten Beamten, die aus dem ersten Fahrzeug gestiegen waren, ehe sie sich an das andere Zweierteam wandte, eine junge Polizistin mit kurzen dunklen Haaren und ihr älterer, etwas beleibter Kollege. »Und Sie beide kommen mit mir.« Sie eilte zum Hauseingang. Ihre Müdigkeit war wie weggeblasen, stattdessen pumpte Adrenalin durch ihren Körper.

Vibeke drückte auf den Klingelknopf neben dem Schild mit Ivonne Fabers Namen. Als nichts passierte, probierte sie es bei einem der Nachbarn. Kurz darauf ertönte der Summer, ohne dass sich jemand über die Gegensprechanlage meldete. Die Leute sind zu vertrauensselig, dachte Vibeke und schob die Tür auf. Ein Fahrstuhl brachte die Bewohner bis unters Dach.

»Sie halten hier unten die Stellung«, wies sie den älteren Beamten an und nahm die Treppe nach oben. Dem Klingelschild nach wohnte Ivonne Faber im siebten Stock.

In einer der Wohnungen in der zweiten Etage wurde gerade lautstark gestritten, drei Stockwerke höher öffnete sich eine Haustür, und eine ältere Frau mit grauem Lockenschopf erschien, verschwand jedoch angesichts der Polizeibeamten sofort wieder in ihren vier Wänden. Von irgendwo weiter oben ertönte ein quietschendes Geräusch.

Vibeke warf einen raschen Blick über ihre Schulter. Die junge Polizeibeamtin war dicht hinter ihr. Ihr Namensschild an der Uniform wies sie als E. Yildirim aus.

Im siebten Stock angekommen, stach Vibeke sofort ein getöpfertes Schild an einer der Haustüren ins Auge. Es informierte die Besucher darüber, dass dort Ivonne und Lea Faber wohnten. Ein Paar pinkfarbener Kindergummistiefel stand seitlich neben dem Eingang.

Vibeke bemerkte, dass die Wohnungstür einen Spalt weit offen stand. Sofort läuteten bei ihr die Alarmglocken. Sie löste den Verschluss ihres Holsters und hielt gleich darauf ihre Dienstwaffe in der Hand. Erst dann trat sie vor die Tür. »Frau Faber?«

Keine Antwort.

Vibeke lauschte. Aus der Wohnung drang kein einziger Laut. Das Gefühl von Unheil erfasste sie. *Hoffentlich sind wir nicht zu spät.*

Sie gab der Streifenbeamtin mit dem Kopf ein Zeichen, die sich daraufhin links neben dem Eingang positionierte. Vibeke atmete tief durch, dann stieß sie die Tür auf. »Hier ist die Polizei. Ist jemand in der Wohnung?«

Nichts rührte sich. Vielleicht war Ivonne Faber nur kurz den Müll rausbringen. Doch was war mit dem Kind?

Mit der Walther im Anschlag trat Vibeke über die

Schwelle, dicht gefolgt von der Streifenbeamtin, die im Flur unmittelbar nach links ins Badezimmer abbog.

Vibeke näherte sich einer offenen Tür auf der rechten Seite. Dahinter befand sich das Kinderzimmer. Ein Mädchentraum in Rosa und Pink.

»Gesichert!«, rief die Uniformierte vom Flur.

Hochkonzentriert durchsuchte Vibeke den Raum, sah in Schränken nach, in denen sich jemand verstecken konnte, hinter den Vorhängen und auch unter dem Bett. Hier befand sich niemand. »Gesichert!«

»Gesichert!«, schallte es im nächsten Moment zurück.

Vibeke traf mit der Streifenbeamtin im Flur zusammen. Mit gezückten Waffen näherten sie sich dem letzten Raum der Wohnung. Die Tür stand halb offen.

Vibekes Puls beschleunigte sich. Mit einem kräftigen Tritt stieß sie die Tür ganz auf und schnellte in den Raum. Keine Spur von Ivonne Faber oder ihrer Tochter.

»Hier ist niemand«, sagte die Streifenbeamtin, nachdem sie auch auf dem Balkon nachgesehen hatte. Sie steckte ihre Waffe zurück ins Holster.

Auch Vibeke ließ ihre Walther sinken. »Kein Mensch lässt einfach seine Wohnungstür offen stehen.« Sie sah sich um.

Bei dem Raum handelte es sich um das Wohnzimmer. Helle Schränke aus Birkenfurnier, eine graue Couch, ein Tisch mit vier Stühlen und ein Bücherregal. Nirgends Spuren eines Kampfes.

Ihr Handy klingelte. Es war Luís.

»Michael hat gerade angerufen«, informierte sie der Portugiese. »Behring ist nicht in der Redaktion.«

»Hat Pernille sich gemeldet?«

»Ich hab noch nichts von ihr gehört.«

»Ivonne Faber ist nicht in ihrer Wohnung. Aber ihre Wohnungstür stand offen.« Vibeke betrachtete die Couch. Vermutlich wurde sie abends in ein Bett umgewandelt, zumindest gab es in der Wohnung kein Schlafzimmer. Ihr Blick wanderte weiter zur Fensterbank.

»Ich muss dir was sagen.« Luís räusperte sich unbehaglich. »Rasmus ist zu dir unterwegs.«

Vibeke hörte nur mit halbem Ohr zu. »Scheiße.« Zwischen ein paar Töpfen mit Sukkulenten lag ein braungelber Bernstein auf der Fensterbank. »Er war hier.«

»Rasmus?«

»Claas Behring. Auf der Fensterbank liegt ein Bernstein.« Ihr Blick ging zur Tür. »Er hat Ivonne Faber in seiner Gewalt. Wir müssen sofort eine Fahndung nach seinem Auto rausgeben.«

»Er ist höchstwahrscheinlich mit einem schwarzen Transporter unterwegs.« Luís gab ihr ein Kennzeichen durch.

Vibeke fiel ein, dass sie vorhin genau so ein Fahrzeug gesehen hatte. Sie trat auf den Balkon hinaus und blickte hinunter zur Straße. Der Transporter stand in einer Parkbucht schräg gegenüber vom Hauseingang. Das Kennzeichen konnte sie nicht erkennen, trotzdem wusste sie instinktiv, dass es das Fahrzeug war, von dem Luís sprach.

»Er ist noch hier. Schick mir Verstärkung. Auch die Verhandlungsgruppe und das SEK.«

»Wird sofort erledigt«, versprach Luís. »Ehe du

auflegst – Behrings jüngste Tochter. Emmi. Sie ist letztes Jahr gestorben. Nach jahrelangem Wachkoma. Er hat also nichts mehr zu verlieren. Ich denke, das solltest du wissen.«

Vibeke schloss für einen kurzen Moment die Augen, dann legte sie auf. Am Ende der Straße tauchte ein hellblauer VW-Bus auf. Sie wandte sich der Streifenbeamtin zu, die aufmerksam zugehört hatte. »Geben Sie Ihren Kollegen Bescheid, dass sich der Gesuchte möglicherweise noch im Haus befindet, und dann schnappen Sie sich einen von denen und durchsuchen die Kellerräume. Und sichern Sie den Transporter! Ach ja, falls gleich ein großer, hagerer Däne auftaucht, der Rasmus heißt, dann schicken Sie ihn zu mir hoch.«

»In Ordnung.« Die Polizistin griff nach ihrer Waffe.

Vibeke folgte der Uniformierten ins Treppenhaus. Was hatte Claas vor? Ihr Blick glitt nach oben. Gab es dort neben den Wohnungen noch weitere Räume? Einen Dachboden vielleicht?

Mit vorgehaltener Waffe schlich Vibeke die Stufen hinauf.

Am Treppenabsatz zum achten Stock blieb sie stehen. Sämtliche Wohnungstüren waren geschlossen. Ein paar Stufen führten zu einer weiteren Ebene, wo sich neben einer Tür zur Dachzentrale mit der Haustechnik auch eine Brandschutztür befand.

Der Zugang zur Dachzentrale war verschlossen. Vibekes Atem ging stoßweise, und ihr Herz hämmerte, als sie nach der Klinke der Brandschutztür griff und diese sich mit einem leichten Quietschen öffnen ließ. Es war das gleiche Geräusch, das sie vorhin im Treppenhaus gehört hatte.

Vor ihr lag das Hochhausdach. Schiefergraue Platten, ein Geländer zur Absturzsicherung und ein schmaler Sockel, hinter dem es rund fünfundzwanzig Meter in die Tiefe ging. Es war keine Menschenseele zu sehen. Im nächsten Moment vernahm sie entfernte Stimmen.

Vibeke trat ins Freie. Der Himmel war noch immer zugezogen, dicke Wolken hingen herab, und kalter Wind fegte ihr ins Gesicht. Nicht mehr lange, und es würde regnen.

Sie schlich in Habachtstellung an der Seitenwand der Dachzentrale entlang, die rund ein Drittel der Fläche einnahm. Die Stimmen wurde lauter, die Worte halb verschluckt vom Wind.

Am Gebäudeende lugte Vibeke um die Ecke. Claas stand nur wenige Meter vom Geländer entfernt am Rand des Daches und hatte den linken Arm um den Hals einer zarten blonden Frau geschlungen, mit der rechten Hand hielt er ihr eine Waffe an den Kopf. Das musste Ivonne Faber sein. Ihre Hände waren auf dem Rücken gefesselt, die Augen weit aufgerissen.

Vibeke ging in Deckung, presste vor Anspannung die Lippen zusammen. Ihr Blick glitt zurück zur Brandschutztür. Jede Minute konnten Rasmus oder einer der Uniformierten auftauchen, doch bis dahin verrann kostbare Zeit. Zeit, die Ivonne Faber unter Umständen nicht hatte. Die Situation konnte jeden Moment eskalieren.

Sie spähte erneut um die Ecke. Claas zerrte die widerstrebende Frau jetzt näher ans Geländer heran. Er will sie vom Dach stoßen, schoss es Vibeke durch den Kopf.

Ihr blieb keine andere Option. Sie musste eingreifen. Jetzt.

Mit der Waffe im Anschlag trat sie um die Gebäudeecke. »Lass die Frau gehen, Claas!« Sie machte einige Schritte auf ihn zu.

Claas schnellte mit dem Oberkörper zu ihr herum, ohne die Pistole vom Kopf der Geisel zu nehmen.

»Bleib, wo du bist, sonst drück ich auf der Stelle ab.«

Vibeke blieb stehen. Es trennten sie nur wenige Meter. Sie suchte den Blick von Ivonne Faber. Angsterfüllt starrte die zierliche Frau zurück. Tränen liefen ihr übers Gesicht.

»Das bringt doch nichts, Claas«, sagte Vibeke beherrscht, während ihr Puls unterdessen in die Höhe schnellte. »Meine Kollegen werden jeden Moment hier sein. Du kommst hier nicht mehr weg. Es ist vorbei.«

»Es ist erst vorbei, wenn sie tot ist.« Claas wirkte wie ein völlig Fremder. Sogar seine Stimme klang anders.

Vibekes Gedanken rasten. Wie konnte sie ihn erreichen? Sie war für eine solche Situation nicht ausgebildet. Zudem war sie persönlich involviert. Eine denkbar schlechte Kombination. Sie rief sich ins Gedächtnis, dass er vor einiger Zeit nicht nur Journalist, sondern auch ein Familienvater gewesen war. Sie musste an seine Vatergefühle appellieren.

»Ich weiß, was mit deiner Familie passiert ist«, sagte sie. »Und es tut mir unendlich leid.« Sie machte einen Schritt auf ihn zu. »Aber es bringt dir weder deine Frau noch deine Kinder zurück, wenn du Ivonne tötest. Sie hat eine achtjährige Tochter. Soll das Mädchen ohne ihre Mutter aufwachsen?« Bei ihren letzten Worten schluchzte Ivonne Faber auf.

»Lass es, Vibeke«, erwiderte Claas kalt. »Glaubst du ernsthaft, dass ich jetzt einen Rückzieher mache? Ich hätte dich für klüger gehalten. Die Frau hat es verdient zu sterben. Sie trägt die Schuld daran, dass Anna und die Kinder nicht rechtzeitig gerettet werden konnten. Sie und die vier anderen.« Er stieg über das Geländer, presste dabei den Arm noch fester um den Hals seiner Geisel. Ivonne Faber wimmerte, dabei strömten ihr jetzt unaufhaltsam die Tränen übers Gesicht.

Vibeke dachte fieberhaft nach. Keinesfalls durfte die Frau über das Geländer gelangen. Doch wie konnte sie das verhindern? Die Gefahr, Ivonne Faber zu treffen, wenn sie schoss, war zu groß. Sie entschied sich, Zeit zu schinden. »Weshalb hast du das mit den Bernsteinen veröffentlicht?«

»Weil es verdächtiger gewesen wäre, es nicht zu tun.«

Ein kaum hörbares Quietschen drang an Vibekes Ohr. Sie lauschte nach weiteren Geräuschen, doch sie hörte nur den Wind. Hatte sie sich geirrt?

Claas hatte offenbar nichts bemerkt, denn er sprach bereits weiter. »Dieser Holtkötter hat mir die Information förmlich aufgedrängt. Er wollte sich wichtigmachen, und vermutlich wollte er dir auch eins auswischen. Jedenfalls gehörte die Veröffentlichung nie zu meinem Plan.«

Vibeke setzte alles auf eine Karte, wohl wissend, dass sie sich damit auf gefährliches Terrain begab.

»Was war ich für dich, Claas?« Sie machte einen weiteren Schritt auf ihn zu. »Eine Spielfigur, die man nach Belieben herumschieben kann? Gehörte ich von Anfang an zu deinem Plan?«

»Ich wusste natürlich, dass du die Ermittlungen leiten würdest.«

Vibeke spürte, wie etwas in ihr zerbrach. »Dann war also alles gelogen?«

Etwas in seiner Miene veränderte sich. Ein weicher, melancholischer Ausdruck lag plötzlich in seinem Blick. »Nicht alles. Es gab Momente, da habe ich mir gewünscht, alles hinter mir zu lassen.« Seine Stimme klang belegt. »Aber ich konnte nicht zurück.«

In der Ferne ertönten die Rotoren eines Helikopters.

Bei Claas legte sich augenblicklich ein Schalter um. Der melancholische Ausdruck in seinen Augen verschwand, stattdessen regte sich etwas Dunkles und Düsteres in seinem Blick. »Schluss jetzt. Du kannst mich nicht aufhalten.« Er nahm die Waffe vom Kopf seiner Geisel und richtete sie auf Vibeke. »Zwing mich nicht, auf dich zu schießen.«

Sie verstärkte den Griff um ihre Walther. Gleichzeitig nahm sie aus den Augenwinkeln eine seitliche Bewegung wahr. Im nächsten Moment trat Rasmus hinter der gegenüberliegenden Gebäudeecke hervor. Kalkweiß im Gesicht, mit gezückter Pistole und finsterem Blick wirkte er zu allem entschlossen.

Claas hatte ihn offenbar gehört, denn er schwenkte überrascht den Kopf herum.

Im Bruchteil einer Sekunde schnellte Vibeke vor und kickte ihm mit einem gezielten Fußtritt die Waffe aus der Hand. Sie flog im hohen Bogen über seinen Kopf in die Tiefe.

Claas heulte vor Schmerz auf. Ivonne Faber versuchte, sich loszureißen, doch er behielt sie weiterhin fest im Griff. Ein lebender Schutzschild.

Von der Straße ertönten Sirenen. Zeitgleich setzte Nieselregen ein.

»Lass jetzt die Frau los«, forderte Rasmus Claas auf. »Sonst endet das für dich sehr unschön. Es sind zwei Waffen auf dich gerichtet.«

»Ihr schießt nicht auf einen Unbewaffneten.«

Rasmus' Augen wurden schmal. »Da wäre ich mir an deiner Stelle nicht so sicher.« Sein rechter Zeigefinger wanderte zum Abzugsbügel.

Auch Vibeke hielt ihre Waffe weiterhin auf Claas gerichtet, jederzeit schussbereit.

Im nächsten Augenblick stieß Claas Ivonne Faber von sich. Sie stürzte mit ihren auf dem Rücken gefesselten Händen vornüber und wurde von Rasmus rechtzeitig aufgefangen, ehe sie mit dem Gesicht auf den Steinplatten aufprallen konnte. Gleichzeitig machte Claas einen Schritt rückwärts auf den schmalen Sockel. Nur wenige Zentimeter trennten ihn vom Abgrund.

Vibeke wurde schlagartig eiskalt. Sie ließ die Waffe sinken. »Komm da runter, Claas.«

Ihre Blicke verkeilten sich. Einen kurzen Moment schien es, als wollte Claas etwas sagen, doch in der nächsten Sekunde wurde sein Gesicht vollkommen starr. Es war, als hätte er von innen eine Tür zugemacht. Dann ließ er sich lautlos nach hinten fallen.

Vor dem Hochhaus wimmelte es von Polizei und Rettungskräften, als Rasmus durch den Hauseingang trat. Das gesamte Areal war mit rot-weißem Flatterband abgesperrt worden, dahinter verrenkten sich Schaulustige und Anwohner die Hälse. Auch die Presse war bereits vor Ort. Die Leiche von Claas Behring lag abgedeckt mit einem Tuch auf dem Grünstreifen vor dem Gebäude.

Rasmus war vollkommen neben der Spur. Er hatte noch immer Vibekes markerschütternden Schrei im Ohr, nachdem Claas Behring in die Tiefe gefallen war, und es hatte ihn förmlich zerrissen, ihr dabei zuzusehen, wie sehr sie litt. Er hatte zu ihr eilen wollen, doch er war wie erstarrt gewesen. Das Hochhaus. Der herunterstürzende Mensch. Das alles hatte ihn an den Tod von Anton erinnert, dazu kam die weinende Ivonne Faber, die sich wie eine Ertrinkende an ihn geklammert hatte. Bis zum Eintreffen von Verstärkung und Rettungskräften waren nur wenige Minuten vergangen, doch es hatte sich angefühlt wie Stunden.

Vibeke hatte stocksteif im Regen gestanden, als er schließlich an ihre Seite getreten war, aber ehe er etwas sagen, geschweige denn sie in den Arm nehmen konnte, hatte sie abwehrend die Hand gehoben und war wortlos an ihm vorbeigegangen. Sie hatte ihn nicht einmal angesehen.

Jetzt koordinierte sie routiniert und professionell die Einsatzkräfte, sprach mit Kollegen und mit Kriminalrat Petersen, der ebenfalls am Einsatzort eingetroffen war, und hatte sogar noch ein paar tröstende Worte für die schwer traumatisierte Ivonne Faber übrig gehabt, hinter der sich gerade die Heckklappen des Rettungswagens schlossen. Niemand, der es nicht wusste, würde erahnen, was Vibeke kurz zuvor durchgemacht hatte.

Mittlerweile hatte es aufgehört zu regnen, die Wolkendecke war ein Stück weit aufgerissen, und nur noch vereinzelt fielen Tropfen vom Himmel.

In der Auffahrt erschien ein Polizeitransporter. Ein halbes Dutzend Beamte stieg aus und hüllte sich in Schutzkleidung. Gleich dahinter kamen zwei zivile Fahrzeuge vom GZ zum Stehen. Türen klappten, und Pernille, Søren und Jens eilten auf Rasmus zu, während Michael Wagner direkt auf seine Vorgesetzte zusteuerte.

»Hej, Rasmus, alles in Ordnung?« Pernille musterte ihn besorgt, während ihm Søren freundschaftlich auf den Rücken klopfte. Jens Greve schaute verkniffen.

»Mir geht es gut«, erwiderte Rasmus. »Wir haben ihn. Eva-Karins Mörder.« Er hatte erwartet, bei den Worten Genugtuung zu spüren oder zumindest Erleichterung, doch beides blieb aus. Stattdessen fühlte er sich seltsam leer.

»Was ist mit Ivonne Faber?«, erkundigte sich Søren.

»Sie wird gerade ins Krankenhaus gebracht.« Er deutete auf den davonfahrenden Rettungswagen. »Die Frau steht unter Schock. Claas Behring wollte sie vom Hochhaus stürzen.«

»Damit wollte er den Aufprall symbolisieren, dem seine Familie im Auto ausgesetzt war.« Jens rückte seine Brille zurecht. »Wie geht's Vibeke?«

»Sie musste alles mit ansehen.« Rasmus fuhr sich mit der Hand über den Mund. Sein Blick glitt zu der zugedeckten Leiche, um die Kriminaltechniker gerade einen Sichtschutz aufstellten. »Er hat sich einfach fallen lassen.«

»Ich gehe mal zu ihr rüber«, sagte Pernille und steuerte auf ihre Kollegin zu, die mit Michael Wagner sprach. Kriminalrat Petersen stand daneben und telefonierte.

»Einfach unglaublich, das alles.« Søren schüttelte den Kopf. »Und das nur, weil diese Idioten in der Rettungsgasse gewendet haben.«

»Sie haben es teuer bezahlt«, sagte Rasmus. Er dachte an die tote Eva-Karin in ihrem ausgebrannten Auto.

»Wie geht es jetzt bei dir weiter?«, erkundigte sich Jens.

Rasmus zuckte die Achseln. »Das hängt von Kasper ab. Wenn ich Pech hab, krieg ich ein Disziplinarverfahren an den Hals.«

»Der soll mal schön den Ball flach halten.«

Rasmus sah seinen Kollegen überrascht an.

»Ohne dich wäre keiner auf Asger Groth als Zeugen gekommen.« Jens lächelte grimmig. »Ich soll dir übrigens einen Gruß vom NKC ausrichten. Die Waffentechniker haben die Pistole untersucht, mit der Groth auf dich geschossen hat. Es ist die Tatwaffe, mit der er damals die Rentnerin erschossen hat. Er muss sie all die Jahre versteckt haben. Damit ist dann auch der letzte Zweifel an seiner Schuld vom Tisch.«

Pernille kam zurück.

»Und?«, fragte Rasmus.

»Sie lässt sich nichts anmerken.« Die Ermittlerin blickte besorgt zu Vibeke hinüber, ehe sie sich wieder ihren Kollegen zuwandte. »Petersen hat gerade mit Thure Christensen gesprochen«, erzählte sie. »Er wusste von dem Vorfall auf der Autobahn. Eva-Karin hat ihm selbst davon erzählt. Sie wurde damals zu einem Einsatz gerufen, deshalb hat sie in der Rettungsgasse gewendet. Allerdings war sie mit ihrem Privatwagen ohne Blaulicht unterwegs. Thure wollte den Vorfall nicht an die große Glocke hängen, zumal keine Strafanzeige gestellt wurde. Er hatte wohl schon damals vor, Eva-Karin zu seiner Nachfolgerin aufzubauen. Zu dem Zeitpunkt lief gerade das Auswahlverfahren für die Abteilungsleitung der Mordkommission. Eva-Karin hatte gute Chancen auf den Job.«

»Den sie dann am Ende ja auch gekriegt hat«, sagte Søren. »Das erklärt wohl so einiges. Und keiner hat bei den Morden die Verbindung zu dem Unfall von damals gezogen?«

Pernille zog eine Packung Kaugummi aus ihrer Jackentasche und nahm einen Streifen heraus. »Die Namen der Fahrer sind nie veröffentlicht worden.«

Rasmus rief sich das Verhalten seiner Chefin die Tage vor ihrem Tod ins Gedächtnis. Ihre Gereiztheit. Und ihre Anspannung.

»Ich glaube, Eva-Karin hat etwas geahnt. Deshalb war ihr der Fall Nohr Lysgaard auch so wichtig. Als Polizeibeamtin hatte sie damals Zugang zur Unfallakte. Irgendetwas hat bei ihr geklingelt, als sie den Namen des zweiten Opfers erfahren hat.«

»Aber weshalb hat sie dann nichts gesagt?«, fragte Søren.

»Vielleicht wollte sie erst auf Nummer sicher gehen, dass es sich bei Lennard Friedrichs tatsächlich um den Fahrer von damals handelte«, überlegte Rasmus. »Schließlich hat er zum Zeitpunkt des Unfalls in Dänemark gelebt. Das war vermutlich auch der Grund, weshalb sie Kriminalrat Petersen angerufen hat. Sie brauchte Zugang zu den deutschen Datenbanken. Inoffiziell.«

Als hätten ihm bei der Erwähnung seines Namens die Ohren geklingelt, kam Kriminalrat Petersen auf ihre Gruppe zu. »Hallo zusammen. Schlimme Geschichte.« Sein Blick blieb an Rasmus hängen. »Wir brauchen später noch Ihre Aussage, Herr Nyborg.«

»Kein Problem.« Es irritierte ihn, formell angesprochen zu werden.

Petersen musterte ihn. »Ich habe gehört, dass Sie von dem Fall abgezogen wurden?«

Rasmus fuhr sich unbehaglich mit der Hand in den Nacken. »Das kann man so sagen.«

»Lassen Sie mich wissen, wenn ich irgendetwas für Sie tun kann.« Der Kriminalrat lächelte müde. »Eva-Karin hat große Stücke auf Sie gehalten.« Er nickte in die Runde und ging wieder davon.

Rasmus sah, wie Vibeke die Straße überquerte und auf ihren Dienstwagen zusteuerte. Dabei hielt sie sich kerzengerade, und ihre spitzen Schultern schienen sich förmlich durch ihre Jacke zu bohren. Ohne in die Richtung ihrer Teamkollegen zu sehen, stieg sie ins Auto und fuhr davon.

Kurz darauf bog der Leichenwagen eines Bestattungsinstituts in die Einfahrt.

»Wir sollten hier nicht länger im Weg rumstehen.« Pernille berührte ihn sanft am Arm.

Rasmus sah ein letztes Mal zum Sichtschutz, hinter dem die Leiche von Claas Behring lag. Obwohl der Mann vier Menschenleben auf dem Gewissen hatte, regte sich Mitgefühl in ihm. Er wusste, wie es sich anfühlte, machtlos dabei zusehen zu müssen, wenn das eigene Kind starb, und er konnte den Wunsch nach Rache verstehen. Auch heute noch, zwei Jahre nach Antons Tod, verspürte er dieses Gefühl, sobald er an die Menschen dachte, die seinem Sohn die Drogen verkauft hatten.

Er nickte. »Gehen wir.«

15. Kapitel

Esbjerg, Dänemark – acht Tage später

Sonnenstrahlen drangen durch die Fenster des Kirchenschiffs und warfen warmes Licht auf den schlichten weißen Sarg vor dem Altar. Die zahlreichen Sitzreihen waren bis auf den letzten Platz belegt. Es schien, als hätte sich die gesamte Polizeibelegschaft Südjütlands versammelt, um der ermordeten Vizepolizeiinspektorin die letzte Ehre zu erweisen.

Rasmus saß zwischen Pernille und Søren in der dritten Reihe, und auch Jens und Luís waren gekommen. Nur Vibeke fehlte. Er hatte sie seit den Ereignissen auf dem Hochhausdach weder gesehen noch gesprochen. Jeder seiner Anrufe war auf ihrer Mailbox gelandet und unbeantwortet geblieben. Von Luís wusste er, dass Vibeke Urlaub eingereicht hatte, nachdem die Fallnachbearbeitung größtenteils erledigt war. Sie hatte alles professionell und mit gewohnter Betriebsamkeit abgewickelt, war aber jedem persönlichen Gespräch ausgewichen.

Noch immer gab es vereinzelte Lücken, was die Tatabläufe betraf, zudem fehlte die Mordwaffe im Fall Nohr Lysgaard. Auch die Herkunft des Curare-Nervengifts, das Lennard Friedrichs laut toxikologischem Gutachten verabreicht worden war und das seine Muskeln innerhalb weniger Sekunden bei vollem Bewusstsein gelähmt hatte, war noch ungeklärt.

Die Ermittler hatten sich ausgiebig mit der Massenkarambolage im Januar 2013 befasst, und es war ihnen gelungen, die Wege der späteren Mordopfer zu rekonstruieren. Lennard Friedrichs war an jenem Freitagnachmittag unterwegs von Vejle nach Leck gewesen, um am Abend mit seiner Freundin ein Konzert ihrer Lieblingsband zu besuchen, Nohr Lysgaard auf dem Weg zu einem wichtigen Geschäftsessen mit einem Investor. Auch Erik Lindqvist hatte sich zur selben Zeit auf der E45 befunden. Offenbar hatte er einen Zwischenstopp in Kolding einlegen wollen, ehe er weiter nach Helsingborg fuhr. Ivonne Faber hatte bei der Befragung angegeben, auf dem Heimweg von einem Vorstellungstermin in Aarhus gewesen zu sein, als sie kurz hinter der Ausfahrt Kolding West in den Stau geraten war. Aus Sorge, ihre kleine Tochter nicht rechtzeitig vor der Schließung aus der Krippe abholen zu können, hatte sie sich dazu hinreißen lassen, der vorausfahrenden Eva-Karin Holm durch die Rettungsgasse zu folgen, und war dort prompt mit ihrem alten Peugeot liegen geblieben. Zu diesem Zeitpunkt waren ihnen die Einsatzfahrzeuge der Feuerwehr entgegengekommen.

Ivonne Faber war die Einzige, die einen Verdacht gehegt hatte. Als die Information mit den Bernsteinen bekannt geworden war, hatte sie sich an einen alten Zeitungsartikel über den Unfall erinnert, in dem die überlebende Emmi Behring als Bernsteinmädchen bezeichnet worden war, nachdem sie während der Bergung aus dem Unfallauto einen Beutel mit Bernsteinen umklammert hatte. Doch Ivonne hatte den Artikel nicht gefunden und ihre innere Unruhe ihrem schlechten Gewissen zugeschrieben, das sie nach all den Jahren wieder eingeholt hatte.

Fünf Menschen, deren Wege sich an der Unfallstelle gekreuzt hatten und deren falsche Entscheidung der Auslöser für die Mordserie gewesen war. Die Ermittler hatten herausgefunden, dass sich Claas Behring zunächst einen Anwalt genommen hatte, um einen Zivilprozess gegen die Autofahrer anzustreben, doch nach Prüfung der Aktenlage hatte sich eine Klage als aussichtslos herausgestellt, da kein Straftatbestand vorlag. Der Familienvater hatte sich auf grausame Weise gerächt. Im Abgleich mit den Obduktionsberichten der Unfalltoten hatten sich auffällige Übereinstimmungen mit den Verletzungsbildern der Mordopfer feststellen lassen.

Rasmus' Arm lag wieder in der Schlinge. Wie es für ihn beruflich weiterging, war zum jetzigen Zeitpunkt unklar. Bis zum Ende der Woche war er noch krankgeschrieben, nachdem sich die frisch genähte Wunde an seinem Oberarm während des Einsatzes wieder geöffnet hatte.

Unterdessen hielten ihn Mads und Luís über die Vorkommnisse der jeweiligen Dienststellen auf dem Laufenden. Am Vortag hatte ihn zudem ein interessanter Anruf aus dem Tirpitz-Museum erreicht. Einige wertvolle Bernsteinexponate, die Jahre zuvor bei einem Einbruch im mittlerweile geschlossenen Ravmuseet Oksbøl gestohlen worden waren und hinter dem man einen besessenen Sammler vermutete, waren dort in einem anonymen Paket wiederaufgetaucht.

Rasmus' Bauchgefühl sagte ihm, dass Jon Bjørndahl hinter dem Diebstahl steckte, doch er verzichtete darauf, der zuständigen Dienststelle einen Tipp zu geben. Die Angelegenheit war nicht seine Baustelle.

Orgelmusik ertönte, und die Menschen erhoben sich von ihren Plätzen. Rasmus' Hals wurde eng, als die Sargträger, langjährige Wegbegleiter Eva-Karins, zum Altar gingen und den Sarg auf ihre Schultern hoben. Ohne seine Schussverletzung hätte er selbst mit angepackt.

Die Trauergäste folgten dem Sarg Richtung Ausgang. Die meisten trugen Schwarz und hatten ernste Gesichter, einige weinten. Liam Holm ging kerzengerade und mit schmerzerfülltem Gesicht neben einer grauhaarigen Frau, die herzzerreißend schluchzte. Das musste Eva-Karins ältere Schwester sein. Sie erinnerte Rasmus ein wenig an seine Mutter, und er hatte Mühe, die aufkommenden Tränen zurückzuhalten.

Rasmus trat hinter Pernille in den Gang, dabei blickte er sich verstohlen um, ob Vibeke sich vielleicht doch unter den Anwesenden befand, konnte ihre schmale Gestalt aber nirgends entdecken. Enttäuschung machte sich in ihm breit. Zwischen ihnen war ein Riss entstanden, und er fragte sich, ob sich dieser jemals wieder kitten ließ. Vibekes Fernbleiben bei Eva-Karins Trauerfeier sprach jedenfalls für sich.

Rasmus war froh, der Kirche wieder entfliehen zu können. Seite an Seite mit seinen Teamkollegen folgte er den Trauergästen zum angrenzenden Friedhof, während die Sonne dem Anlass zum Trotz vom Himmel lachte. Die Luft war klar und schneidend kalt.

An der Grabstelle angekommen, wurde der Sarg in die Erde gelassen. Die Pfarrerin sprach ein abschließendes Gebet. Rasmus musste an Antons Beerdigung denken und kämpfte gegen den Impuls wegzurennen. Er zwang die Gedanken an seinen Sohn beiseite und rief sich stattdessen Eva-Karins Gesicht ins Gedächtnis. Ihre klugen Augen, die feinen Fältchen, ihr Lächeln, das sie schlagartig weniger streng aussehen ließ.

Im Stillen leistete er seiner Chefin Abbitte, dass er ihren Tod nicht hatte verhindern können. Vermutlich gesellte sie sich jetzt zu all den anderen Toten, die er mit sich herumtrug.

Sein Hals wurde eng, und sein Blick verschwamm, als ein paar Trauergäste *Altid frejdig når du går* anstimmten.

Er senkte den Kopf und nahm wahr, wie jemand neben ihn trat. Eine schmale, schwarz gekleidete Gestalt. Vibeke. Aus den Augenwinkeln sah er sie an. Ihr Gesicht war blass, der Blick aus ihren Gletscheraugen starr auf den Sarg gerichtet. Sie sagte nichts und berührte ihn auch nicht, aber sie stand neben ihm. Dicht und unerschütterlich.

Liebe Leserinnen und Leser,

ihr liebt Bücher und verbringt
eure Freizeit am liebsten
zwischen den Seiten? Wir auch!
Wir zeigen euch unsere liebsten
Neuerscheinungen, führen euch
hinter die Verlagskulissen und
geben euch ganz besondere
Einblicke bei unseren
AutorInnen zu Hause.
Lasst euch inspirieren, wir
freuen uns auf euch.

Euer

Blanvalet Verlag

blanvalet.de

@blanvalet.verlag

/blanvalet